Le pouvoir des étoiles

LA GUERRE DES
CLANS

Cycle III – Livre IV

Éclipse

L'auteur

Pour écrire *La guerre des Clans*, **Erin Hunter** puise son inspiration dans son amour des chats et du monde sauvage. Erin est une fidèle protectrice de la nature. Elle aime par-dessus tout expliquer le comportement animal grâce aux mythologies, à l'astrologie et aux pierres levées.

Vous aimez les livres de la collection

La guerre des
Clans

Écrivez-nous
pour nous faire partager votre enthousiasme :
Pocket Jeunesse, 12 avenue d'Italie, 75013 Paris.

Erin Hunter

LE POUVOIR DES ÉTOILES
LA GUERRE DES
CLANS

Cycle III – Livre IV
Éclipse

Traduit de l'anglais par Aude Carlier

POCKET JEUNESSE
PKJ·

Titre original :
Eclipse

Loi n° 49 956 du 16 juillet 1949 sur les publications
destinées à la jeunesse : octobre 2019.

© 2008, Working Partners Ltd.
Publié pour la première fois en 2008
par Harper Collins *Publishers*.
Tous droits réservés.
© 2013, 2019, éditions Pocket Jeunesse,
département d'Univers Poche,
pour la présente édition et la traduction française.
La série « La guerre des Clans » a été créée
par Working Partners Ltd, Londres.

ISBN : 978-2-266-29976-3
Dépôt légal : octobre 2019

Remerciements tout particuliers à Kate Cary

CLANS

CLAN DU TONNERRE

CHEF ÉTOILE DE FEU – mâle au beau pelage roux.

LIEUTENANT GRIFFE DE RONCE – chat au pelage sombre et tacheté, aux yeux ambrés.

GUÉRISSEUSE FEUILLE DE LUNE – chatte brun pâle tigrée, aux yeux ambrés et aux pattes blanches.
APPRENTI: NUAGE DE GEAI.

GUERRIERS (MÂLES ET FEMELLES SANS PETITS)

POIL D'ÉCUREUIL – chatte roux foncé aux yeux verts.
APPRENTI: NUAGE DE RENARD.

PELAGE DE POUSSIÈRE – mâle au pelage moucheté brun foncé.

TEMPÊTE DE SABLE – chatte roux pâle.
APPRENTIE: NUAGE DE MIEL.

FLOCON DE NEIGE – chat blanc à poil long, fils de Princesse, neveu d'Étoile de Feu.
APPRENTIE: NUAGE DE CENDRE.

POIL DE FOUGÈRE – mâle brun doré.
APPRENTIE: NUAGE DE HOUX.

CŒUR D'ÉPINES – matou tacheté au poil brun doré.
APPRENTIE: NUAGE DE PAVOT.

CŒUR BLANC – chatte blanche au pelage constellé de taches rousses.

PELAGE DE GRANIT – chat aux yeux bleu foncé et à la fourrure gris pâle constellée de taches plus foncées.
APPRENTI: NUAGE DE LION.

POIL DE CHÂTAIGNE – chatte blanc et écaille aux yeux ambrés.

PATTE D'ARAIGNÉE – chat noir haut sur pattes, au ventre brun et aux yeux ambrés.

AILE BLANCHE – chatte blanche aux yeux verts. **APPRENTIE: NUAGE DE GIVRE.**

BOIS DE FRÊNE – mâle au pelage brun clair tigré.

PLUME GRISE – chat gris plutôt massif à poil long.

TRUFFE DE SUREAU – matou au pelage crème.

PLUME DE NOISETTE – petite chatte au poil gris et blanc.

PATTE DE MULOT – chat gris et blanc.

APPRENTIS **(ÂGÉS D'AU MOINS SIX LUNES, INITIÉS POUR DEVENIR DES GUERRIERS)**

NUAGE DE CENDRE – femelle grise.

NUAGE DE MIEL – chatte à la robe brun clair tigrée.

NUAGE DE PAVOT – femelle au pelage blanc et écaille.

NUAGE DE LION – mâle au pelage doré et aux yeux ambrés.

NUAGE DE HOUX – femelle au pelage noir et aux yeux verts.

NUAGE DE GEAI – mâle gris tigré aux yeux bleus.

NUAGE DE RENARD – mâle tigré tirant sur le roux.

NUAGE DE GIVRE – femelle blanche aux yeux bleu clair.

REINES **(FEMELLES PLEINES OU EN TRAIN D'ALLAITER)**

FLEUR DE BRUYÈRE – chatte aux yeux verts et à la fourrure gris perle constellée de taches plus foncées.

CHIPIE – femelle au long pelage crème venant du territoire des chevaux.

MILLIE – ancienne chatte domestique au pelage argenté et tigré ; elle attend les petits de Plume Grise.

ANCIENS **(GUERRIERS ET REINES ÂGÉS)**

LONGUE PLUME – chat crème rayé de brun.

POIL DE SOURIS – petite chatte brun foncé.

CLAN DE L'OMBRE

CHEF **ÉTOILE DE JAIS** – grand mâle blanc aux larges pattes noires.

LIEUTENANT **FEUILLE ROUSSE** – femelle roux sombre.

GUÉRISSEUR **PETIT ORAGE** – chat tigré très menu.

GUERRIERS **BOIS DE CHÊNE** – matou brun de petite taille.

PELAGE FAUVE – chat roux.

PELAGE DE FUMÉE – mâle gris foncé.
APPRENTI : NUAGE DE CHOUETTE.

PLUME DE LIERRE – femelle au pelage noir, blanc et écaille.

PATTE DE CRAPAUD – mâle au pelage brun sombre.

CORBEAU GIVRÉ – mâle noir et blanc.
APPRENTIE : NUAGE D'OLIVE.

PELAGE HIRSUTE – femelle tigrée aux longs poils ébouriffés.

DOS BALAFRÉ – matou brun avec une longue cicatrice sur le dos.
APPRENTI : NUAGE DE MUSARAIGNE.

QUEUE DE SERPENT – mâle brun sombre à la queue tigrée.
APPRENTI : NUAGE DE CHARBON.

EAU BLANCHE – femelle borgne, à poil long.
APPRENTI : NUAGE ROUX.

REINES **PELAGE D'OR** – chatte écaille aux yeux verts, mère de Petit Tigre, Petite Flamme et Petite Aube.

CLAN DU VENT

REINE   **PLUME DE JONC** – chatte à la fourrure gris et blanc très pâle aux yeux bleus, mère de Petit Pissenlit, Petite Fleur et Petite Hirondelle.

ANCIENS   **BELLE-DE-JOUR** – femelle écaille.

                 PLUME NOIRE – matou gris foncé au poil moucheté.

CLAN DE LA RIVIÈRE

CHEF   **ÉTOILE DU LÉOPARD** – chatte au poil doré tacheté de noir.

LIEUTENANT   **PATTE DE BRUME** – chatte gris-bleu foncé aux yeux bleus.

GUÉRISSEUSE   **PAPILLON** – jolie chatte au pelage doré et aux yeux ambrés.
                 APPRENTIE: NUAGE DE SAULE.

GUERRIERS   **GRIFFE NOIRE** – mâle au pelage charbonneux.

                 POIL DE CAMPAGNOL – petit chat brun et tigré.
                 APPRENTIE: NUAGE D'ANGUILLE.

                 CŒUR DE ROSEAU – mâle noir.

                 PELAGE DE MOUSSE – chatte écaille de tortue.
                 APPRENTI: NUAGE DE GRAVIER.

                 BOIS DE HÊTRE – chat au pelage brun clair.

                 PELAGE D'ÉCUME – mâle gris sombre.

                 FLEUR DE L'AUBE – chatte gris perle.

                 MUSEAU POMMELÉ – chatte grise.

                 PATTE DE GRENOUILLE – mâle roux et blanc.

                 POIL DE MENTHE – mâle tigré au poil gris clair.
                 APPRENTI: NUAGE D'ORTIE.

                 CŒUR DE LOUTRE – chatte brun sombre.

                 PELAGE DE PIN – femelle tigrée au poil très court.
                 APPRENTI: NUAGE DE ROUGE-GORGE.

                 PLUIE D'ORAGE – mâle au pelage gris-bleu pommelé.

PELAGE DE CRÉPUSCULE – chatte à la robe brune tigrée.
APPRENTIE: NUAGE DE CUIVRE.

REINES   **BRUME GRISE** – chatte gris perle, mère de Petite Brise et Petit Hibiscus.

PLUME DE GIVRE – chatte blanche aux yeux bleus sur le point de mettre bas.

ANCIENS   **PLUME D'HIRONDELLE** – chatte brun sombre au pelage tigré.

PIERRE DE GUÉ – matou gris.

TRIBU DE L'EAU VIVE

CHASSE-PROIES   **(MÂLES ET FEMELLES CHARGÉS DE NOURRIR LA TRIBU)**

SOURCE AUX PETITS POISSONS (SOURCE) – chatte au pelage brun et tigré.

PELAGE D'ORAGE – chat gris sombre aux yeux ambrés.

DIVERS

SOL – matou brun et écaille à poil long et aux yeux jaune pâle.

Camping du Lièvre

Chalet du
Sanctuaire

Bois de Sadler

Route de Petitpin

Base
nautique
de
Petitpin

Île
de
Petitpin

L'alba

Route de Blanche-Église

Entrepôt
l'abandonné

Route de la Carrière

Source
cristalline

Bois à feuilles
caduques

Carrière

Bois de
la Motte-aux-Lièvres

Pinède

Marécages

Motte-aux-
Lièvres

Lac du
Sanctuaire

Lac

Haras
de la
Motte-aux-Lièvres

Sentiers

Route de la Motte-aux-Lièvres

Bosquet
du Chevalier

Nord

PROLOGUE

La forêt chatoyait sous le soleil étincelant et le gibier frétillait dans les sous-bois. Étendu sous un frêne, un matou noir laissait les rayons de l'astre lui réchauffer le ventre. Il se donna un coup de langue sur le poitrail en ronronnant.

Soudain, une chatte écaille jaillit d'un buisson et fila devant lui à toute allure. Le matou roula sur le flanc et lui lança :

« Une souris ?

— Bientôt morte ! » répondit la chatte.

Elle plongea dans les fougères et le bout de sa queue blanche disparut derrière les frondes.

De l'autre côté de la haie s'étendait une clairière verdoyante en pente douce. En contrebas, une femelle au poil gris sombre mordillait une tique logée à la base de sa queue. Alors qu'elle tirait sur l'insecte dodu en grommelant, elle s'arrêta soudain pour lever la tête vers les taillis qui frémissaient en haut de la pente.

Un miaulement triomphal résonna dans la forêt :

« Je t'ai eue ! »

Les frondes s'agitèrent de nouveau, plus violemment, puis la chatte écaille reparut avec un rongeur dans la gueule. Elle salua la chatte grise.

« Bonjour, Croc Jaune !

— Bonjour, Petite Feuille. C'est une belle journée pour chasser.

— La chasse est toujours bonne ici. »

D'un mouvement vif de la tête, Petite Feuille jeta sa proie devant Croc Jaune.

Celle-ci renifla l'offrande avant de reculer brusquement. Du bout de la patte elle frotta son large museau aplati tandis que l'ombre d'une puce courait sur sa truffe.

« Je pensais que ces territoires seraient épargnés par les puces !

— Tu les as sans doute apportées avec toi, lui rétorqua Petite Feuille en lorgnant le pelage négligé de sa camarade. Quand apprendras-tu donc à faire ta toilette ? »

Elle tendit le cou pour lécher une bourre de poils sur l'épaule de son aînée.

« Quand toi, tu arrêteras de vouloir t'occuper de tout le monde. »

Un miaulement les interrompit.

« J'ai du mal à croire que cela puisse arriver. »

Petite Feuille releva la tête. Un matou blanc descendait la pente vers elles.

« Tornade Blanche ! ronronna-t-elle. Étoile Bleue ne t'accompagne pas ?

— Elle était avec moi il y a un instant encore.

— Je suis là ! lança Étoile Bleue en jaillissant à son tour dans la clairière. Tornade Blanche ne m'aurait pas distancée si Étoile Filante ne m'avait pas retenue.

— Que voulait-il ? s'enquit Petite Feuille.

— Il s'inquiétait pour rien, comme d'habitude. Tu n'as pas de chance, poursuivit la meneuse en voyant la truffe gonflée de Croc Jaune. Je ne pensais pas qu'il y avait des puces, ici. »

Petite Feuille ronronna en donnant un coup d'épaule amical à Croc Jaune.

« Étoile Filante ? insista cette dernière en repoussant Petite Feuille.

— Ils s'inquiètent pour les petits.

— Nuage de Houx, Nuage de Lion et Nuage de Geai ? hasarda Croc Jaune.

— Bien sûr… La prophétie le tourmente comme une tique.

— Leur entraînement se passe bien, fit remarquer Petite Feuille. Chacun semble enfin trouver sa voie.

— En effet, reconnut Croc Jaune, avant d'ajouter doucement, les yeux baissés : Mais ils ignorent tant de choses.

— Ils sont encore très jeunes, lui rappela Étoile Bleue.

— Cela ne nous autorise pas à les *tromper*.

— Crois-tu vraiment que cela les aiderait de connaître toute la vérité ?

— Les vies qui débutent dans la tromperie se déroulent toujours dans l'ombre.

— Nous ne pouvons pas leur dire la vérité, argumenta Étoile Bleue en s'asseyant. Nous avons gardé le secret pour une bonne raison – et nous étions tous d'accord, Croc Jaune. Nous devons avant tout penser au bien du Clan.

— C'est un *mensonge*. Comment cela pourrait-il être bien ?

— Nous n'avons pas été les premiers à leur mentir, intervint Tornade Blanche.

— Mais nous avons continué à leur dissimuler la vérité, contra Croc Jaune. Je suis toujours persuadée qu'il y a trop de secrets dans leur vie.

— Ils connaissent la prophétie, miaula Petite Feuille.

— La prophétie ! pesta Croc Jaune. J'aurais préféré qu'ils n'en entendent jamais parler. Parfois, je me dis qu'il aurait mieux valu qu'ils ne reçoivent pas leurs pouvoirs. »

Petite Feuille caressa le flanc de sa camarade du bout de la queue en répondant :

« Tu sais que nous n'y sommes pour rien. Nous pouvons juste espérer qu'ils se serviront de leurs pouvoirs à bon escient, pour le bien du Clan du Tonnerre.

— Du Clan du Tonnerre seulement ? fit Tornade Blanche, pensif. Si leurs pouvoirs sont si considérables, ne devraient-ils pas bénéficier à tous les Clans ?

— Ces petits sont nés dans le Clan du Tonnerre ! s'offusqua Étoile Bleue. Ils ont été élevés pour être des guerriers loyaux à leur Clan. Pourquoi se sentiraient-ils responsables du bien-être des autres ? »

Croc Jaune coula un regard oblique vers la vieille meneuse, mais s'abstint de tout commentaire.

« Nous devons parfois admettre que nous ne sommes pas d'accord, suggéra le matou blanc d'un ton conciliateur. L'important, c'est que ces petits écoutent et respectent leurs ancêtres.

— Oui, convint Petite Feuille. Nous devons nous assurer qu'ils tiennent compte de nos recommandations. Nous devons les guider.

— Plus facile à dire qu'à faire... Et toi ? lança Croc Jaune à Petite Feuille, tandis qu'Étoile Bleue et Tornade Blanche s'éloignaient. Tu cautionnes tous ces mystères ?

— La vérité est une arme puissante. Nous devons prendre garde à bien l'utiliser.

— Ce n'est pas une réponse !

— Pourquoi t'inquiètes-tu autant ?

— Je ne sais pas..., admit la vieille guérisseuse. J'ai un mauvais pressentiment. » Son regard glissa vers les arbres, comme pour scruter la forêt. « Quelque chose ne va pas. Une vague de ténèbres se prépare, si puissante que le Clan des Étoiles lui-même ne pourra la contenir. Et lorsqu'elle sera là, nous serons incapables de protéger les Clans. Incapables de nous protéger nous-mêmes. »

CHAPITRE 1

Nuage de Houx s'accroupit un instant sur un rocher avant de redescendre vers les lointaines collines. Un vent froid venu des montagnes ébouriffa sa fourrure. De son perchoir, elle contemplait les champs verdoyants qui s'étendaient jusqu'à la forêt ; quelque part derrière ces arbres se trouvaient le lac et leur territoire.

Même si les arbres étaient encore touffus, leurs feuilles roussissaient déjà et une nouvelle senteur humide imprégnait l'air. *La saison des feuilles mortes arrive*, songea-t-elle.

Elle avait hâte d'être rentrée, il lui semblait qu'elle avait passé des lunes parmi la Tribu. Enfin, ils avaient réussi à quitter les montagnes sans encombre. Le sol serait bientôt plus doux sous leurs pattes, la chasse plus facile et le territoire plus familier que le paysage de rocs, d'eau et d'arbustes rabougris qu'ils avaient quitté.

Elle jeta un coup d'œil en arrière. Griffe de Ronce et Poil d'Écureuil s'entretenaient à voix basse avec Pelage d'Orage et Source. Pelage d'Or et Plume de

Jais les écoutaient attentivement. Se disaient-ils au revoir ?

Nuage de Houx était toujours sous le choc de la nouvelle : Pelage d'Orage et Source ne les accompagneraient pas. La veille au soir, au cours du festin d'adieu dans la caverne derrière la cascade, Pelage d'Orage avait annoncé que Source et lui les suivraient jusqu'au pied des collines, mais pas plus loin. Nuage de Geai, évidemment, s'était contenté de hausser les épaules comme s'il savait depuis le début que le couple ne rejoindrait pas le Clan du Tonnerre. Nuage de Houx, elle, en avait été très surprise, mais comprenait la décision du guerrier gris. *Source doit ressentir pour les montagnes ce que je ressens pour mon propre territoire. Et Pelage d'Orage l'aime suffisamment pour rester auprès d'elle, quel que soit le décor.*

Soudain, un mouvement de plumes marron attira son attention. Un aigle planait un peu plus bas, à la poursuite d'un lièvre terrifié qui détalait en projetant derrière lui de la terre et de l'herbe. Les ailes plaquées contre son corps, l'aigle piqua soudain : il fit rouler le lièvre dans l'herbe avant de le clouer au sol avec ses serres acérées.

Nuage de Houx enviait le rapace. Elle aurait tant aimé voler comme ça ! Elle ferma les yeux et s'imagina filant au-dessus de l'herbe, les pattes effleurant à peine le sol, légère comme une plume, plus rapide que la plus rapide des proies…

Le miaulement impatient de Nuage de Lion, qui l'avait rejointe, la tira de ses pensées.

« Si seulement on continuait à avancer… », grommela-t-il en suivant le regard de sa sœur jusqu'à l'aigle qui se régalait. « Et si seulement je pouvais moi aussi avaler quelque chose…

— Tu crois qu'on pourra voler, un jour ? » murmura Nuage de Houx.

Son frère se tourna vers elle en la dévisageant comme si elle avait perdu la raison.

« Parce que… Nuage de Geai a dit qu'on détenait le pouvoir des étoiles entre nos pattes », se hâta-t-elle d'expliquer. Le dire à haute voix était toujours étrange. « Nous ne savons pas vraiment ce que cela signifie. Je me demandais juste si…

— Des chats volants ! se gaussa-t-il. Et pour quoi faire ?

— Tu n'as aucune imagination, rétorqua-t-elle, les oreilles brûlantes. Nous avons plus de pouvoirs qu'aucun chat vivant et tu agis comme si ce n'était rien du tout ! Et pourquoi ne pourrions-nous pas voler, ou faire tout ce que nous voulons ? Arrête de te moquer de moi !

— Je ne me moque pas… C'est juste que, à mon avis, on aurait l'air bêtes avec des ailes.

— Tu ne prends pas cela suffisamment au sérieux ! s'emporta-t-elle. Il nous faut découvrir ce que cette prophétie signifie ! »

Nuage de Lion cligna des yeux en reculant d'un pas.

« T'énerve pas. Tu connais Nuage de Geai et ses visions. Elles sont séduisantes, mais nous devons vivre dans le monde réel.

— Qu'est-ce que le monde réel, pour nous, avec tant de pouvoirs ? Tout est possible pour nous ! Imagine tout ce que nous pourrons faire pour le Clan !

— La prophétie ne dit rien de tel, la reprit-il. Elle ne parle que de nous.

— Mais le code du guerrier nous enseigne à protéger notre Clan avant tout ! »

Le regard de Nuage de Lion dériva vers les collines lointaines.

« Sommes-nous tenus de suivre le code du guerrier si nous sommes plus puissants que le Clan des Étoiles ? » se demanda-t-il tout haut.

Nuage de Houx frémit.

« Comment peux-tu dire une chose pareille ? »

Nuage de Geai sauta sur le rocher pour les rejoindre.

« Vous pourriez parler un petit peu plus fort ? feula-t-il. Je crois que certains n'ont pas bien entendu. »

Ses yeux bleus lançaient des éclairs. La cécité ne les empêchait pas d'être expressifs.

Inquiète, Nuage de Houx fit volte-face vers leurs camarades pour voir s'ils les avaient écoutés. Non, ils étaient toujours absorbés par leur propre conversation.

« Personne ne fait attention à nous, le rassura-t-elle.

— Tout le monde n'a pas l'ouïe aussi fine que toi, ajouta Nuage de Lion.

— C'était juste une mise en garde, d'accord ? miaula Nuage de Geai. Nous devons garder le secret.

— On sait, rétorqua Nuage de Lion.

— Mais comprends-tu seulement pourquoi ? À ton avis, comment réagiraient les autres s'ils découvraient que nous sommes nés avec davantage de pouvoirs que le Clan des Étoiles ?

« — Ils n'y croiraient pas, répondit l'apprenti guerrier en jetant un coup d'œil à ses parents.

— J'y crois à peine moi-même, admit Nuage de Houx.

— Oh que si, ils y croiraient, rétorqua Nuage de Geai d'une voix glaciale. Et je doute que ça leur plairait.

— Et pourquoi pas ? s'étonna sa sœur, un peu déconcertée. Ils seraient sans doute contents qu'on puisse devenir les meilleurs guerriers du monde, non ?

— La prophétie n'a rien à voir avec le fait d'être un bon guerrier ! Elle dit que nous sommes plus puissants que le Clan des Étoiles ! Vous ne pensez pas que cela pourrait effrayer des chats ordinaires ?

— Nous ne ferons jamais rien de mal, insista la novice. C'est un don fait à tout notre Clan, pas seulement à nous. »

Que croyait-il donc qu'ils feraient avec leurs pouvoirs ?

« Chut ! » la coupa Nuage de Geai en entendant Poil d'Écureuil trotter vers eux.

Elle s'arrêta au pied du rocher.

« Pour quelle raison vous disputez-vous ?

— Nuage de Houx et Nuage de Lion se chamaillent pour savoir lequel des deux est le meilleur chasseur », répondit Nuage de Geai sans une hésitation.

La jeune chatte noire ouvrit la gueule pour protester avant de se raviser.

« Vous avez mieux à faire, les gronda Poil d'Écureuil. Griffe de Ronce vous a dit d'aller chasser pour la Tribu. »

Pris par leur dispute, ils n'avaient même pas entendu les ordres !

« Nous ne devrions pas avoir besoin de nous répéter, ajouta-t-elle.

— Désolée », marmonna l'apprentie guerrière, tête baissée.

D'un mouvement de la queue, la rouquine leur désigna un bosquet qui longeait la pente.

« Essayez de ce côté, et dépêchez-vous ! »

L'ombre des arbres s'étirait vers le sommet de la colline. Le soleil allait bientôt se coucher.

« Les proies doivent être nombreuses, là-bas, miaula Nuage de Lion en se léchant le museau.

— Oui, il y en aura pour tout le monde, ajouta leur mère. Nuage de Geai, tu veux bien examiner les coussinets de Pelage d'Or ? Elle s'est égratignée sur une pierre coupante. »

En redescendant des montagnes, ils s'étaient tous plus ou moins abîmé les pattes sur les cailloux des sentiers. Nuage de Houx devina que sa mère cherchait juste à occuper Nuage de Geai, puisqu'il ne pouvait pas chasser. Elle se crispa, sachant à quel point son frère pouvait être susceptible. Pourtant, il se contenta de hocher la tête et de suivre la guerrière. Il ne se hérissa même pas lorsque celle-ci lui donna un coup de langue pour nettoyer quelques poils crasseux derrière son oreille.

Cette attention agaça Nuage de Houx. Poil d'Écureuil les considérait toujours comme des chatons. Tout serait tellement plus simple si c'était le cas ! Les chatons n'avaient pas à s'inquiéter d'être plus puissants que les guerriers de jadis. *Les choses changent,* se dit-elle. Elle se détourna avec angoisse.

Poil d'Écureuil aurait-elle un jour peur de ses propres petits ?

« Qu'est-ce qui te chagrine ? s'enquit Nuage de Lion.

— Peu importe. Allons chasser. »

Elle s'approcha du bord du surplomb et laissa pendre ses pattes avant dans le vide. C'était haut, mais l'herbe en contrebas promettait un atterrissage en douceur. Dès qu'elle toucha le sol, une boule de poils la percuta, lui coupant le souffle. *Qui m'attaque ?* Haletante, elle se releva, prête à la bagarre.

« Pourquoi t'es-tu mise sur mon chemin ? »

Nuage de Brume !

L'apprenti du Clan du Vent s'ébrouait près d'elle.

« J'allais attraper une souris !

— Désol... » Elle se reprit à mi-mot, le poil dressé sur l'échine. Cette cervelle de souris ne pouvait-il donc pas regarder où il allait ? « Je croyais qu'on était censés chasser là-bas ! feula-t-elle, la queue pointée vers le bosquet.

— Je décide seul de l'endroit où je vais chasser ! Au moins, moi, je me rends utile au lieu de papoter avec mes camarades ! ajouta-t-il en levant les yeux vers Nuage de Lion, qui les contemplait du haut du roc.

— Tes camarades ne voudraient même pas papoter avec toi s'ils étaient là ! » s'emporta-t-elle, avant de regretter aussitôt ses paroles.

Même s'il avait aussi mauvais caractère que son père, et était deux fois plus prétentieux que lui, elle l'avait pris en pitié. Plume de Jais traitait son fils avec tant de mépris que Nuage de Brume semblait parfois être un solitaire dans son propre Clan.

D'un bond, Nuage de Lion les rejoignit.

« Tu vas bien ?

— Mais oui, elle va bien ! rétorqua l'apprenti du Clan du Vent. Elle irait encore mieux si elle était partie chasser comme on le lui a demandé au lieu de se mettre dans mes pattes. Plus vite on rapportera ce gibier, plus vite on rentrera chez nous. »

Depuis le début, ils avaient deviné que Nuage de Brume avait été contraint de les accompagner dans les montagnes. Et Plume de Jais lui-même n'avait pas l'air particulièrement heureux de sa présence. Il ne semblait jamais fier de son fils, au contraire de Griffe de Ronce qui complimentait toujours Nuage de Houx comme si elle était la meilleure guerrière du Clan. La novice couva le malheureux apprenti d'un regard compatissant et dit gentiment :

« Nous serons bientôt au lac.

— Pourquoi devons-nous trouver du gibier pour la Tribu, d'ailleurs ? s'emporta Nuage de Brume. Ils n'ont qu'à se débrouiller seuls ! »

La compassion de la jeune chatte noire fondit comme neige au soleil. Elle hésita à lui rappeler que la Tribu était épuisée après la bataille récente et que le gibier se faisait plus rare que jamais dans les montagnes. Mais elle décida de ne pas gaspiller sa salive. Tout ce qu'elle voulait, c'était rentrer au plus vite et se coucher dans son nid chaud le ventre plein, au milieu de ses camarades.

« Va donc attraper un lapin, lança Nuage de Lion avant de s'éloigner d'un pas lourd.

— Les chats du Clan du Tonnerre se croient vraiment meilleurs que tout le monde », feula Nuage de Brume.

Alors que le matou noir s'élançait dans la descente, Nuage de Houx entendit son frère marmonner :

« Si seulement j'avais le pouvoir de faire taire cette sale boule de poils une fois pour toutes... »

Est-ce qu'il plaisante ? Elle le dépassa et bloqua son chemin.

« Tu ne penses pas ce que tu dis, n'est-ce pas ?

— Bien sûr que non, grogna-t-il. Je suis juste fatigué.

— Tu crois que c'est ça, le "pouvoir du Clan des Étoiles" ? Forcer les autres à se plier à notre volonté ? »

Nuage de Lion haussa les épaules en évitant de la regarder en face.

« J'imagine... Je n'y ai pas vraiment réfléchi, en fait.

— Mais si, forcément ! »

Il la contourna, fit quelques pas avant de poursuivre :

« Moi, j'espère que cela me rendra plus fort que tous les autres guerriers, comme ça je remporterai toujours mes combats... Et toi ?

— Moi, j'espère que cela me permettra de connaître des choses que les autres ignorent.

— Comme quoi ? fit-il, une lueur malicieuse dans les yeux. Tu voudrais connaître la langue des Bipèdes ?

— Ne dis pas de bêtises ! Je parle du pouvoir de comprendre... absolument tout. »

Ils avaient presque atteint les arbres lorsqu'il reprit la parole.

« Peut-être que ce pouvoir s'exprimera différemment en chacun de nous. Nuage de Geai arrive déjà à lire dans les pensées des autres. Il le fait avec toi, non ? »

Nuage de Houx acquiesça.

« Alors que Feuille de Lune en est incapable. Comme les autres guérisseurs. Nuage de Geai fait déjà des prédictions concernant les autres Clans. Ce doit être son pouvoir – voir des choses que les autres ne voient pas.

— De nous tous, c'est lui le moins aveugle », murmura Nuage de Houx en frémissant.

Elle s'arrêta pour laisser passer son frère dans les taillis qui s'épaississaient à l'orée du bois.

« As-tu déjà ressenti quelque chose de spécial ? » s'enquit-elle.

À sa grande surprise, il fit volte-face et hocha la tête. Ses yeux brillaient d'une étrange intensité.

« Au début de notre voyage, nous nous sommes arrêtés sur la crête pour regarder le lac en contrebas, tu te rappelles ? Puis tu es partie chasser et te reposer, mais moi, je n'avais pas faim... Alors que je contemplais les territoires, j'ai commencé à me sentir... un peu bizarre.

— Bizarre comment ?

— J'ai eu l'impression de pouvoir faire tout ce que je voulais ! Courir jusqu'à l'horizon sans jamais me fatiguer, combattre n'importe quel ennemi et triompher, affronter n'importe quelle bataille sans trembler. »

Nuage de Houx se rendit compte qu'elle avait reculé malgré elle. Quelque chose en lui la mettait mal à l'aise : la façon dont il avait redressé les épaules, et qui lui donnait l'air plus fort qu'avant, son regard lointain, comme s'il pouvait voir au-delà d'elle, au-delà des bois, un lieu distant où il triomphait de ses ennemis d'un seul coup de patte. Elle repensa au combat livré pour la Tribu, puis à la façon dont il était sorti, trébuchant, de la mêlée, couvert de sang – de sang ennemi –, encore prêt à en découdre jusqu'à ce qu'il n'y ait plus un seul adversaire debout.

Le feu qui embrasait ses prunelles la fit trembler.

Comment pouvait-elle avoir peur de son propre frère ?

CHAPITRE 2

Nuage de Geai posa le bout de sa truffe sur les coussinets de Pelage d'Or. Ils étaient chauds et gonflés.

« Ce n'est qu'une inflammation, annonça-t-il. Ta patte est éraflée mais ne saigne pas. Enfin, ça, tu dois déjà le savoir. »

Il entendait les murmures de Nuage de Houx et de Nuage de Lion qui s'en allaient chasser. Discutaient-ils de la prophétie ?

Pelage d'Or retira sa patte.

« Oui, je le savais. Je n'avais pas senti le goût du sang. Je me demandais juste si un gravier m'était rentré dans la peau. Mes coussinets ont tellement durci depuis que nous sommes dans les montagnes que je ne fais plus la différence entre une coupure et un durillon.

— Pas de gravier, la rassura-t-il avant de se tourner vers le ruisseau qu'il entendait couler non loin sur les rochers. Ce cours d'eau ne doit pas être profond. Va t'y tremper les pattes. L'eau devrait soulager la douleur. »

Il la suivit et entendit des bruits d'éclaboussures lorsqu'elle sauta dans le torrent.

« L'eau est gelée ! hoqueta-t-elle.

— Tant mieux. Tes coussinets dégonfleront plus vite. »

Il dressa l'oreille. Les voix de son frère et de sa sœur avaient disparu au loin. Il avait enfin partagé avec eux le secret qu'il gardait depuis trop longtemps. Le leur révéler avait été comme s'aventurer en terre inconnue tant il appréhendait leur réaction. Nuage de Lion l'avait accepté comme si cela expliquait quelque chose qui le troublait. La réaction de Nuage de Houx avait été plus frustrante. Évoquant sans cesse le code du guerrier, elle semblait ne penser qu'à aider leur Clan. Ne comprenait-elle pas ce que la prophétie impliquait ? Ils avaient reçu des pouvoirs qui s'étendaient bien plus loin que les limites érigées par des chats ordinaires.

Le miaulement de sa tante le tira de ses pensées.

« Cette eau est *vraiment* glaciale.

— Elle descend de la montagne.

— Je m'en doute… Je ne sens plus mes pattes !

— Sors, dans ce cas. »

Avec un soupir de soulagement, elle le rejoignit sur la rive et secoua ses pattes pour les sécher, l'arrosant au passage.

Il frémit et s'écarta bien vite. Les vents de la montagne et l'eau glaciale ne faisaient guère bon ménage.

« Tu as toujours mal à la patte ?

— Je ne la sens plus du tout… Et les autres non plus. »

Poil d'Écureuil s'approcha d'eux.

« Ça va mieux ?

— J'ai l'impression, répondit la guerrière.

« — Et toi, tu vas bien, mon petit ? demanda la rouquine à Nuage de Geai en lui léchant l'oreille.

— Pourquoi ça n'irait pas ? grommela-t-il en s'écartant.

— Tu as le droit d'être fatigué. Le voyage a été long.

— Ça va », rétorqua-t-il sèchement.

La queue de sa mère allait et venait sur les rochers granuleux. Elle allait sans doute dire que le voyage devait être encore plus dur pour lui, puisqu'il était aveugle, avant d'ajouter bêtement qu'il s'était très bien débrouillé dans ce territoire inconnu.

« Vous êtes bien silencieux, tous les trois, depuis la bataille », miaula-t-elle.

Elle s'inquiète pour nous trois ! Sa colère s'évapora. Il aurait tant voulu la rassurer ! Mais il ne pouvait en aucun cas lui révéler le secret incroyable qui occupait leurs pensées.

« On est juste pressés de rentrer à la maison.

— Comme nous tous. »

Elle posa le menton sur la tête de son fils et il se pressa contre elle, comme un chaton, heureux de sentir la chaleur de sa mère.

« Ils sont de retour ! » lança Pelage d'Or.

Poil d'Écureuil releva la tête. Nuage de Geai flaira aussitôt l'odeur de Nuage de Houx et de Nuage de Lion. Il entendit des griffes crisser sur les rochers et reconnut aussi le parfum de Nuage de Brume. Les chasseurs étaient rentrés.

« Allons voir ce qu'ils ont pris ! » suggéra Pelage d'Or, qui s'élança aussi sec.

Nuage de Geai le savait déjà. Son estomac gargouillait tandis qu'il suivait sa tante. L'odeur alléchante de l'écureuil, du lapin et du pigeon lui emplissait la truffe. Si seulement ces prises n'étaient pas pour la Tribu...

Plume de Jais et Griffe de Ronce s'étaient déjà approchés de la réserve de fortune. Pelage d'Orage et Source restaient en arrière, comme si ce présent les gênait.

« Ce lapin est si dodu qu'il nourrira tous les aspirants, miaula Poil d'Écureuil.

— Belle prise, Nuage de Brume », ronronna Pelage d'Or.

Nuage de Geai, qui s'attendait à sentir la fierté de l'apprenti du Clan du Vent, fut surpris de ne percevoir que de l'angoisse. *Il attend que son père le complimente.*

« Beau pigeon », lança Plume de Jais à Nuage de Lion.

Nuage de Brume se raidit, furieux.

« Et regardez l'écureuil que j'ai attrapé ! ajouta Nuage de Houx. Vous en aviez déjà vu un aussi juteux ?

— Venez voir ! lança Pelage d'Or à Pelage d'Orage et Source, qui obtempérèrent.

— Voilà qui nous sera très utile, miaula le guerrier gris d'un ton formel.

— La Tribu vous remercie », ajouta sa compagne sans plus de chaleur.

Nuage de Geai comprenait leur malaise. En acceptant ce gibier, ils admettaient ouvertement leur faiblesse. La chasse était difficile dans les montagnes à présent que deux groupes de chats se partageaient le territoire. Et pourtant, Nuage de Geai devinait la fierté de Pelage d'Orage. *La brise qui souffle sur les montagnes touche son cœur autant que son pelage.* Il possédait au fond de lui une réserve de force, de détermination que Nuage de Geai n'avait encore jamais sentie. *Il croit sincèrement que son destin est de vivre dans les montagnes.* La Tribu était le nouveau Clan de Pelage d'Orage. Après être né dans le Clan de la Rivière et avoir vécu au sein du Clan du Tonnerre, il semblait avoir enfin trouvé sa place.

Nuage de Geai frémit. Avec la fraîcheur tombée en cette fin d'après-midi, le vent devenait cinglant.

Un hurlement résonna au-dessus de leur tête.

« Des loups, murmura Source, la fourrure hérissée.

— Nous rentrerons sains et saufs à la caverne avec ce gibier, la rassura son compagnon. Les loups sont trop maladroits pour nous suivre dans les sentiers montagneux.

— Vous devez traverser une large bande à découvert avant d'y arriver. Vous devriez partir tout de suite, conseilla Griffe de Ronce.

— Et nous aussi, renchérit Plume de Jais. L'odeur de ces proies va attirer tous les prédateurs des environs. »

Alors que Nuage de Geai flairait un étrange fumet dans le vent, il perçut aussitôt la détresse de tous les guerriers. C'était la première fois qu'il humait un loup. L'odeur lui rappelait les chiens de la ferme des Bipèdes, en plus sauvage, plus cruelle. Heureusement, le fumet était léger.

« Ils sont loin, murmura-t-il.

— Peut-être, mais ils sont rapides, rectifia Source.

— Vous allez nous manquer », soupira Poil d'Écureuil avec tristesse.

Source vint se frotter à elle et déclara :

« Merci de nous avoir accueillis parmi vous.

— Le Clan du Tonnerre vous est reconnaissant pour votre loyauté et votre courage, répondit Griffe de Ronce.

— On se reverra, non ? » s'enquit Nuage de Houx avec espoir.

Nuage de Geai se demanda s'il retournerait un jour dans les montagnes. Reverrait-il la Tribu de la Chasse Éternelle ? Il était entré dans les rêves de Conteur et avait été guidé jusqu'à une combe où une multitude de chats couverts de poussière d'étoiles s'étaient réunis autour d'un bassin scintillant. Il frémit en se remémorant leurs paroles : « Tu es venu. » Ils l'attendaient, et ils connaissaient la prophétie ! Nuage de Geai s'interrogea une fois de plus sur l'origine de la prophétie et le lien éventuel entre la Tribu de la Chasse Éternelle et ses propres ancêtres.

« Nous n'avons plus de temps pour les adieux ! s'impatienta Plume de Jais.

— Prends soin de toi, jeune félin, miaula Source à Nuage de Geai en pressant sa joue contre la sienne avant de se tourner vers Nuage de Houx.

— Veille sur ton frère et ta sœur, murmura Pelage d'Orage à Nuage de Geai en lui léchant l'oreille.

— Au revoir, Pelage d'Orage, répondit-il. Au revoir, Source. »

Source l'avait toujours réconforté et encouragé, comme si elle comprenait ce que cela faisait d'être différent. Et Pelage d'Orage, loin de le traiter comme un chaton, lui avait témoigné la même chaleur et l'avait traité comme tous les autres apprentis. Ils lui manqueraient tous deux.

Nuage de Lion vint se placer devant lui.

« Au revoir, Pelage d'Orage. Montre à ces envahisseurs qu'un chat de Clan ne se laisse jamais abattre.

— Au revoir, Nuage de Lion. N'oublie pas que, même si nos expériences nous changent, nous devons poursuivre la lutte. »

Nuage de Geai devina un courant chaleureux passant du guerrier à l'apprenti, et il comprit avec surprise qu'un lien spécial les unissait. Il y réfléchit un instant tandis que ses camarades commençaient à dévaler la pente et que Pelage d'Orage ramassait le gibier pour aller rejoindre sa compagne partie devant.

« Arrête de traînasser ! lança Plume de Jais en le poussant du bout du museau vers le flanc herbeux de la colline.

— Je n'ai pas besoin d'aide ! s'indigna l'aveugle.

— Comme tu veux. Mais tu ne viendras pas te plaindre si on te perd en cours de route. »

Le matou s'élança d'un pas lourd qui fit vibrer le sol.

Je n'ose pas imaginer ce que ça doit faire d'avoir un père comme ça. Je suis bien content de ne pas être à la place de Nuage de Brume.

« Dépêche, Nuage de Geai ! » le tança Nuage de Lion.

L'apprenti guérisseur leva la truffe. Sur ce versant exposé au vent, il lui était facile de deviner où les autres se trouvaient. Griffe de Ronce menait le groupe, suivi par Nuage de Brume. Plume de Jais, qui les avait déjà rattrapés, cheminait près de Pelage d'Or. Poil d'Écureuil avançait seule, tandis que Nuage de Houx et Nuage de Lion fermaient la marche.

Nuage de Geai courut les rejoindre. L'herbe était lisse et douce sous ses pattes.

« Ça me fait bizarre de partir sans eux, haleta-t-il.

— C'est leur choix, lui rappela Plume de Jais.

— Crois-tu que nous les reverrons un jour, eux et le reste de la Tribu ? l'interrogea Pelage d'Or.

— J'espère pas. Je ne veux plus jamais revoir ces fichues montagnes.

— Ils pourraient nous rendre visite au lac », suggéra Nuage de Houx.

Un nouveau hurlement terrifiant retentit dans les montagnes derrière eux.

« Il faudrait d'abord qu'ils rentrent chez eux sains et saufs, murmura Nuage de Lion.

— Ils y arriveront, le rassura Griffe de Ronce. Ils connaissent parfaitement le territoire – ils sont chez eux. »

Alors qu'il avançait au côté de son frère et de sa sœur, Nuage de Geai flaira l'odeur humide de la forêt. Bientôt, il ne foula plus de l'herbe, mais de l'humus. L'espace d'un instant, Nuage de Geai regretta de ne pas pouvoir rester sur le flanc de la colline. Là-bas, au moins, les odeurs et les bruits n'étaient pas étouffés par les feuillages et nulle ronce ne risquait de l'écorcher. Dans cette forêt inconnue, il se sentait plus aveugle que jamais.

« Attention ! »

La mise en garde de Nuage de Lion arriva trop tard. Nuage de Geai s'était déjà pris une patte dans des ronces.

« Crotte de souris ! »

Il se débattit pour se libérer mais les piquants se resserrèrent autour de ses pattes.

« Ne bouge plus ! » lui conseilla Nuage de Houx qui venait à la rescousse.

Il obéit en ravalant sa fierté et laissa Nuage de Lion le libérer.

« Stupide roncier ! » grommela Nuage de Geai, et il reprit son chemin le menton levé.

Il n'avait aucune idée de là où il mettait les pattes et essayait désespérément de le cacher.

Sans un mot, son frère et sa sœur vinrent se placer de chaque côté de lui. En le frôlant du bout des moustaches, Nuage de Houx lui fit contourner un bouquet d'orties. Plus tard, lorsqu'ils se retrouvèrent devant un tronc tombé en travers du sentier, Nuage de Lion lui posa le bout de la queue sur l'épaule – l'apprenti guérisseur comprit qu'il devait s'arrêter le temps que son frère trouve le meilleur endroit où grimper par-dessus.

Tout en suivant Nuage de Lion sur l'écorce friable, Nuage de Geai ne put s'empêcher de se demander : *La prophétie est-elle vraiment destinée à un aveugle ?*

CHAPITRE 3

Nuage de Lion remua dans son sommeil. Il rêvait.

Dressé sur un piton rocheux, il laissait la brise des montagnes ébouriffer son pelage. Un ciel sans étoiles s'étendait jusqu'à l'horizon, aussi noir qu'une aile de corbeau. Devant lui, les crêtes et les arêtes se succédaient telles des ridules à la surface d'un lac balayé par le vent. Malgré l'absence de lune, les sommets brillaient d'un éclat magnifique. *Tout cela m'appartient !* Plein de liesse, il bondit en avant, ses pattes arrière puissantes projetant des graviers dans le précipice devant lui. Il le franchit avec aisance et atterrit sur la crête opposée. Ses griffes se plantèrent dans la roche. Il bondit de nouveau, léger comme l'air. Il lui sembla que sa queue frôlait le ciel, qui lui parut aussi doux qu'une fourrure soyeuse. Alors que le sang lui battait aux tempes, il releva le menton et feula. Son cri résonna comme le tonnerre dans les montagnes désertes : *Je détiens le pouvoir des étoiles entre mes pattes !*

L'appel de Pelage de Granit le réveilla en sursaut : « Nuage de Lion ! Patrouille de chasse ! »

Les rayons dorés du soleil filtraient droit à travers les branches de la tanière. Les autres nids étaient vides. *Midi, déjà !* Il se mit péniblement debout. Et il se souvint de tout. Ils n'avaient atteint le camp qu'à minuit passé. Pelage de Granit ne lui en voudrait sans doute pas d'avoir dormi si longtemps…

Il bâilla en s'étirant longuement. Il avait mal aux pattes après leur long périple dans les montagnes. Il se lécha prudemment les coussinets pour voir si les égratignures commençaient à guérir. Aucune trace de sang. Les croûtes étaient dures. Il n'aurait pas de mal à fouler le sol moelleux de la forêt.

« Nuage de Lion ! » le héla de nouveau son mentor, d'un ton plus sec.

L'apprenti guerrier s'extirpa de la tanière. Il avait bien le droit de se reposer, non ? Les pattes lourdes, il avança dans la clairière, aveuglé par le soleil qui réchauffait sa fourrure. Une brise légère agitait les arbres au sommet de la combe. Dans les montagnes, on ne pouvait se protéger du vent qu'en regagnant la caverne froide et humide derrière la cascade. Au nom du Clan des Étoiles, comment la Tribu faisait-elle pour survivre à la mauvaise saison ? Ils avaient déjà eu très froid durant la saison des feuilles vertes !

« Enfin debout ! lui lança Pelage de Granit en guise de bonjour. Depuis le temps qu'on t'attend, le gibier a bien pu mourir de vieillesse.

— Tant mieux, il sera plus facile à attraper, grommela le jeune matou.

— Je sais que tu es fatigué, mais Nuage de Givre meurt d'envie de partir en forêt et j'ai promis à Aile Blanche que nous les accompagnerions. »

Nuage de Lion remarqua alors la présence de la guerrière. Sa jeune apprentie courait partout dans la clairière tel un lièvre joyeux, sautant et bondissant comme pour attraper une proie invisible. Et si sa proie était invisible, elle, en revanche, avec son pelage blanc soyeux et ses yeux bleu clair, ne l'était pas du tout. C'était peut-être la raison pour laquelle Étoile de Feu lui avait donné Aile Blanche pour mentor. La chatte connaissait bien les inconvénients d'un pelage immaculé, aussi voyant qu'un tas de neige en pleine saison des feuilles vertes. Elle pourrait enseigner à son apprentie quelques techniques de traque spéciales. Tandis qu'il regardait Nuage de Givre sautiller en tous sens, il se retint de ronronner en se rappelant à quel point il avait été excité au début de son propre apprentissage.

Aile Blanche vint les rejoindre.

« On peut y aller, maintenant ? »

Nuage de Lion remarqua que le bout de sa queue s'agitait de-ci de-là. Nuage de Givre était sa première apprentie. La guerrière s'inquiétait-elle de ne pas arriver à former cette boule d'énergie ?

« Par où veux-tu commencer ? » demanda Pelage de Granit.

Aile Blanche observait Nuage de Givre d'un air pensif. La petite chatte bondit sur un tas de feuilles, qui vola dans toutes les directions.

« Tu crois que Nuage de Givre s'entraînerait mieux près du Vieux Chêne ou près de l'ancien Chemin du Tonnerre ? »

Le ventre de Nuage de Lion gargouilla. Il jeta un coup d'œil à la réserve de gibier : une souris dodue trônait au sommet. Mais le Clan devait être nourri avant lui.

« Il y a souvent plus de gibier autour du Chêne, hasarda-t-il.

— C'est à toi de décider », répondit Pelage de Granit à Aile Blanche en ignorant son apprenti.

Nuage de Lion en fut contrarié. Pourquoi l'avoir réveillé ? Son opinion ne les intéressait visiblement pas. Et ni l'un ni l'autre ne l'avait interrogé sur son voyage dans les montagnes. Il balaya le camp du regard, courroucé. D'ailleurs, personne n'avait manifesté la moindre curiosité à son retour.

« Hé, Nuage de Lion ! lui lança Nuage de Givre. Je m'y prends bien ? »

Elle rampait dans la position du chasseur en remuant la queue.

« Oui », fit-il, distrait.

« Ta queue doit rester immobile, Nuage de Givre », lui conseilla Pelage de Granit.

Nuage de Lion se tourna vers son mentor, surpris. *Je croyais que tu dédaignais tous les apprentis...*

Le matou soutint son regard avant de s'adresser de nouveau à Nuage de Givre.

« Si tu fais bouger les feuilles, le gibier saura que tu approches. »

Le guerrier pensait manifestement que Nuage de Lion aurait dû relever l'erreur de la jeune chatte. Le novice vit rouge. Pourquoi son mentor s'attendait-il à ce qu'il s'occupe de l'apprenti d'un autre ? C'était le boulot d'Aile Blanche. Puis il s'en voulut un peu en se souvenant à quel point il avait été heureux lorsque Pelage d'Orage ou Plume Grise lui avaient fait remarquer ses erreurs.

Il s'approcha de sa cadette.

« Je vais te montrer ce qu'il veut dire, annonça-t-il, joignant le geste à la parole. Aplatis ton dos comme ça. Plus tu frôles le sol, moins tu es visible.

— Comme ça ? s'enquit-elle en l'imitant.

— Exactement. »

Nuage de Givre leva la tête, et ses yeux reflétèrent le ciel.

« Merci, Nuage de Lion. J'appréhende ma première leçon de chasse.

— Tout ira bien, lui promit-il en lui caressant le dos du bout de sa queue. Contente-toi d'imiter nos mentors et n'espère pas attraper quelque chose du premier coup. Il m'a fallu beaucoup d'essais pour y parvenir. »

Nuage de Givre hocha la tête, l'air très concentré, et Nuage de Lion lui donna un petit coup de langue sur l'oreille. Est-ce que c'était ça qu'on ressentait, lorsqu'on était mentor ? Il aimait bien l'idée de transmettre à un jeune félin tout ce qu'il savait sur la chasse et le combat, et de voir un chaton turbulent devenir un guerrier puissant et rapide.

Et si la prophétie l'entraînait loin de la voie ordinaire des guerriers ?

« Est-ce qu'on peut chasser ici ? » s'enquit de nouveau Nuage de Givre, comme elle l'avait fait dans toutes les clairières qu'ils avaient traversées avant d'arriver au Vieux Chêne.

L'arbre majestueux se dressait à présent devant eux et le sol était couvert de feuilles et de glands. À la lisière de la forêt, les bouquets de fougères baignaient dans les rayons du soleil.

Aile Blanche jeta un coup d'œil à Pelage de Granit.

« Est-ce qu'on continue jusqu'au lac ? demanda-t-elle. Il y aura peut-être du gibier près de la rive. »

Son camarade la toisa sans lui répondre.

Pourquoi refuse-t-il de l'aider ?

La guerrière balaya l'endroit du regard.

« Bon, ici, c'est très bien, déclara-t-elle. Dans ces fougères, peut-être... ? »

Nuage de Lion remarqua que la queue de la chatte s'agitait de nouveau. Si Pelage de Granit refusait de l'aider, il pourrait peut-être le faire à sa place.

« Il y a un roncier... »

Le matou le fit taire en faisant glisser le bout de sa queue sur sa gueule.

« Aile Blanche, fais confiance à ton instinct. »

Il ajouta à l'oreille de Nuage de Lion :

« Je sais que tu veux bien faire, mais Aile Blanche doit prendre confiance en elle. »

Ils observèrent la guerrière tandis que, du bout du museau, elle encourageait Nuage de Givre à adopter la position du chasseur.

« Elle s'en sort bien. »

Les fougères frémirent. Les tiges pâles tremblaient au niveau de leurs racines plutôt qu'au bout des frondes – ce n'était donc pas le vent qui les agitait. Nuage de Givre commença à ramper. Doucement, Aile Blanche posa sa queue sur le dos de son apprentie jusqu'à ce que la novice s'immobilise. Elle lui murmura des encouragements avant de s'asseoir. *À toi de jouer, Nuage de Givre !*

La petite chatte bondit dans les fougères.

Un couinement bref retentit, puis la novice ressortit de la végétation, un petit campagnol dans la gueule. Ses yeux brillaient de bonheur.

« Bravo ! la félicita Pelage de Granit en s'approchant d'elle.

— C'était très bien, Nuage de Givre, ajouta Aile Blanche, le poitrail gonflé de fierté.

— Belle prise », fit encore le guerrier gris.

Tant d'excitation pour un campagnol minuscule ! Lui aussi était content que Nuage de Givre ait attrapé sa première prise si vite, mais qu'auraient-ils dit s'ils l'avaient vu se battre contre les envahisseurs des montagnes ?

« Une grive ! » murmura Pelage de Granit.

Nuage de Lion suivit le regard du guerrier. Une grive dodue picorait parmi les feuilles derrière l'énorme tronc du Chêne. Aussi silencieux qu'un serpent, Nuage de Lion contourna l'arbre. Le ventre plaqué contre le sol, il s'approcha de l'oiseau, la queue légèrement relevée pour ne pas frôler les feuilles. Il marqua une pause, évalua la distance et bondit. Son saut spectaculaire le porta trois longueurs de queue plus loin que les racines. La grive paniquée déploya ses ailes, mais il était déjà trop tard. Nuage de Lion atterrit sur son dos avec une précision mortelle et la tua d'un coup de crocs rapide.

« C'était fantastique ! » s'écria Nuage de Givre, qui l'observait de l'autre côté de l'arbre, les yeux écarquillés.

Aile Blanche, surprise, avait rabattu les oreilles en arrière.

« Impressionnant, confirma Pelage de Granit.

— Tu as sauté de vraiment loin, miaula Aile Blanche. Tu aurais facilement pu rater ta cible. »

Non. Nuage de Lion se retint de répondre. Vu l'air estomaqué de ses camarades de Clan, il valait mieux les laisser penser qu'il avait eu de la chance. Nuage de Geai avait sans doute raison. Ils ne seraient pas forcément heureux de connaître la vérité sur cette attaque puissante.

Alors qu'ils regagnaient le camp, le fumet alléchant de la grive faisait saliver Nuage de Lion. Il la portait fièrement entre ses mâchoires. Nuage de Givre cheminait près de lui en trébuchant sur sa prise minuscule.

« Si seulement mes pattes n'étaient pas si petites, se plaignit-elle.

— Elles grandiront. »

Aile Blanche et Pelage de Granit marchaient devant, eux aussi chargés de gibier. À la fin de la saison des feuilles vertes, le Clan devait se nourrir autant que possible s'il voulait passer la mauvaise saison. Du moins, selon les dires des aînés. Nuage de Lion ne se souvenait guère de la mauvaise saison – pour lui, c'était une menace à l'extérieur de la pouponnière qui inquiétait les guerriers et faisait trembler les parois de leur repaire.

« C'était vraiment une belle prise », reprit Nuage de Givre.

Nuage de Lion la remercia en grommelant. Il ne voulait pas avaler une plume et passer le reste de la journée à tousser.

« Pourquoi as-tu sauté si tôt ? insista-t-elle. Tu avais peur qu'elle t'entende si tu t'approchais davantage ?

— Je voulais juste essayer. »

Nuage de Lion aurait pu ramper jusqu'à la grive, il en était certain. Mais pourquoi perdre du temps ?

« Tu es vraiment un chasseur génial... Je trouvais que Nuage de Houx était douée, mais toi tu es extraordinaire. Où as-tu appris à sauter comme ça ? Tu suis un entraînement supplémentaire, pour être aussi fort ? Tu crois que je dois, moi aussi, m'entraîner plus ?

— Je suis certain qu'Aile Blanche t'enseignera tout ce qu'il faut savoir.

— J'espère qu'elle me formera aussi bien que Pelage de Granit t'a formé. »

Nuage de Lion regarda son mentor disparaître derrière un roncier. Pelage de Granit l'avait bien formé, oui. Il n'avait jamais regretté que ce guerrier soit son mentor. Cependant, Étoile du Tigre aussi l'avait entraîné. Et il était né avec des pouvoirs que Nuage de Givre ne pouvait imaginer, et qu'elle ne pourrait jamais égaler même en s'entraînant jour et nuit toute sa vie.

Tandis qu'il suivait le sentier qui descendait vers la combe – son foyer –, Nuage de Lion se sentit seul. À croire qu'il appartenait à un Clan différent, éloigné par la prophétie des silhouettes familières qui attendaient dans le camp de voir ce qu'ils avaient rapporté de leur chasse.

Nuage de Givre le dépassa pour suivre les deux mentors à travers la barrière de ronces et rejoindre la combe rocheuse. Lorsque Nuage de Lion déboucha à son tour dans la clairière, il la vit déposer son campagnol sur le tas de gibier et se tourner vers Nuage de Cendre, Nuage de Miel et Nuage de

Pavot, qui prenaient le soleil devant la tanière des apprentis.

« Ta première prise ? lança Nuage de Miel.

— Oui, je l'ai eue du premier coup ! Est-ce que Nuage de Renard est déjà rentré ? »

La petite chatte avait visiblement hâte de montrer sa prise à son frère.

« Poil d'Écureuil l'a emmené en patrouille frontalière, l'informa Nuage de Cendre. Ils seront bientôt de retour. »

Nuage de Lion s'approcha à son tour de la réserve et y déposa sa grive. Sentant qu'on le frôlait, il se tourna et découvrit Nuage de Houx.

« Belle prise. »

Le ton de la novice était neutre, comme si elle pensait à autre chose. Elle observait les apprentis, devant leur tanière. Nuage de Cendre et Nuage de Pavot jouaient à s'envoyer une boule de mousse pendant que Nuage de Miel sautait pour tenter de l'attraper.

« Tu ne vas pas les rejoindre ? demanda-t-il à sa sœur.

— Je n'ai pas trop le cœur à ça.

— Quelque chose ne va pas ?

— Je ne suis pas d'humeur, c'est tout. »

Nuage de Lion scruta son regard vert. Est-ce qu'elle se sentait isolée, elle aussi ?

« C'est bizarre, hein ? hasarda-t-il.

— Quoi ?

— De se rendre compte qu'on est différent.

— Vus de l'extérieur, nous ne sommes pas différents.

— Tu vois ce que je veux dire », répondit-il avec impatience. Il avait besoin de parler à quelqu'un. Toute la journée, il avait dû s'agripper à leur secret comme si c'était une proie qui cherchait à lui échapper. Nuage de Houx ne lui facilitait pas la tâche. « C'est bizarre de savoir quelque chose de cette importance sans pouvoir le dire à qui que ce soit.

— Tu n'as pas l'intention d'en parler, n'est-ce pas ? s'alarma-t-elle, le poil hérissé.

— Non, je…

— Personne ne doit être mis au courant ! le coupa-t-elle. Pas tant que nous ne savons pas précisément ce que la prophétie signifie. » Elle jeta des coups d'œil furtifs autour d'elle avant de terminer : « Nous devons découvrir ce que nous sommes censés faire de nos pouvoirs.

— Je n'avais pas l'intention de le révéler à qui que ce soit ! » rétorqua-t-il.

Pourquoi fallait-il toujours qu'elle joue au chef ? Il n'était pas une cervelle de souris ! Et pourquoi devait-elle toujours réfléchir à tout ? La prophétie était simple : ils seraient plus puissants que quiconque. Ils devaient juste se tenir prêts à utiliser leurs pouvoirs quand ils en auraient besoin. Il tourna le dos à sa sœur pour gagner le demi-roc.

Le soleil commençait à décliner derrière la cime des arbres et les guerriers venaient peu à peu se servir sur le tas de gibier. Nuage de Cendre attrapa la grive de Nuage de Lion et l'emporta vers la pouponnière. Millie, Chipie et ses petits avaient sans doute faim.

Nuage de Pavot ramassa une souris et la posa devant le gîte des anciens.

« On mange ! » lança-t-elle.

Longue Plume émergea du noisetier, la truffe frémissante, et s'arrêta sur le seuil pendant que Poil de Souris le rejoignait d'une démarche raide. La vieille chatte faiblissait chaque lune un peu plus. Longue Plume attendit qu'elle s'installe près du rongeur et s'assit à côté d'elle.

« Tu n'as pas besoin de veiller sur moi comme si j'étais un chaton sans défense ! » lui lança-t-elle.

L'ancien remua les moustaches d'un air amusé.

« C'est bien dommage que ta langue ne soit pas aussi fatiguée que le reste de ton corps », ronronna-t-il.

Du bout de la queue, elle lui cingla l'oreille.

« Tu en veux ? demanda-t-elle en poussant la souris avec sa truffe.

— Tu peux aussi manger ça ! s'écria Nuage de Givre en s'approchant avec son petit campagnol dans la gueule, qu'elle déposa devant les pattes de Longue Plume. Je l'ai attrapé moi-même !

— Ta première prise ? s'enquit Poil de Souris, l'œil brillant.

— Elle sent délicieusement bon », renchérit l'aveugle.

Le rideau de ronces qui dissimulait l'entrée de la tanière de la guérisseuse frémit au passage de Nuage de Geai. Il tenait prudemment dans sa gueule une boule de mousse qu'il vint déposer devant Poil de Souris et Longue Plume.

L'apprenti guérisseur tourna son regard bleu aveugle vers Nuage de Givre et dit :

« Il paraît que tu as bien travaillé, aujourd'hui. Tu devrais aller manger un morceau.

— C'est vrai que j'ai très faim.

— Merci pour le campagnol ! lança Longue Plume tandis que l'apprentie retournait vers la réserve.

— De rien ! répondit-elle joyeusement.

— Ça t'embête si je m'occupe de tes tiques pendant que tu manges ? demanda Nuage de Geai à Poil de Souris.

— Non, s'il le faut… Même si tu aurais dû choisir un autre moment pour apporter cette chose puante », grommela-t-elle.

D'un signe de la tête, elle désigna la mousse et Nuage de Lion devina qu'elle était imbibée de bile de souris.

« Je n'osais pas venir plus tôt de peur de vous réveiller. »

Nuage de Geai commença patiemment à examiner la fourrure de l'ancienne. Il s'arrêta pour prélever un peu de mousse et l'appliquer sur la base de la queue de la vieille chatte.

Nuage de Lion observait son frère. Il paraissait désormais satisfait d'être apprenti guérisseur. *Et pourtant, il est plus puissant que tous ses camarades.* Nuage de Lion grimpa sur le demi-roc et s'allongea, le ventre contre la pierre réchauffée par le soleil. *Peut-être que le fait de savoir qu'il est si puissant rend supportables les tâches les plus ingrates.* Combien de lunes s'étaient écoulées depuis que Nuage de Geai s'était faufilé dans le rêve d'Étoile de Feu, où il avait entendu l'inconnu prédire la naissance de trois chatons possédant le pouvoir des étoiles ?

Il jeta un coup d'œil vers la Corniche. Étoile de Feu descendait l'éboulis, suivi de Tempête de

Sable. Le chef du Clan du Tonnerre n'avait jamais laissé paraître qu'il connaissait la prophétie. Il avait toujours traité Nuage de Lion, Nuage de Houx et Nuage de Geai comme trois apprentis ordinaires. Nuage de Lion regarda son grand-père prendre une souris dans la réserve et la passer à Tempête de Sable avant de choisir un moineau pour lui-même. *Qu'éprouve-t-il réellement pour nous ? De la fierté ? De la peur ?*

Le tunnel frémit pour livrer passage à Poil d'Écureuil et Griffe de Ronce, suivis de Nuage de Renard et Truffe de Sureau.

« Rien à signaler sur les frontières, annonça Griffe de Ronce à son chef. Mais la patrouille du crépuscule devrait garder un œil sur le Clan du Vent. Nous avons senti leur odeur, ils chassent de leur côté de la forêt. »

Étoile de Feu s'installa sous la Corniche auprès de Tempête de Sable.

Nuage de Cendre, qui partageait un pigeon avec Nuage de Miel, leva la tête, l'œil pétillant.

« Je pourrai rejoindre la patrouille ? » s'enquit-elle.

À présent que sa blessure à la patte était en voie de guérison, du moins suffisamment pour lui permettre de reprendre l'entraînement, elle se portait volontaire pour toutes les tâches des apprentis, comme pour rattraper le temps perdu.

« Oui, répondit Griffe de Ronce. J'allais demander à Plume Grise d'en prendre la tête.

— Quelqu'un a parlé de Plume Grise ? » s'enquit Millie, qui sortait de la pouponnière, encore ensommeillée.

Son compagnon réparait une trouée dans la paroi de la pouponnière que le vent avait abîmée.

« Tu te sens bien ? lança-t-il en scrutant l'énorme ventre de sa compagne (elle devait mettre bas d'un jour à l'autre).

— Très bien, le rassura-t-elle avant d'aller prendre deux souris dans la réserve. J'avais envie de manger avec toi, dehors. »

Nuage de Lion sursauta tout à coup : Nuage de Houx venait de lancer une grive au pied du demi-roc.

« Je me disais que tu en voudrais peut-être un morceau », déclara-t-elle en le dévisageant.

Était-ce une manière de s'excuser ? Nuage de Lion en doutait. Il soupçonnait sa sœur de ne pas avoir conscience de son autoritarisme. Mais il lui en fut tout de même reconnaissant. Malgré son sentiment de solitude, il ne devait pas oublier que Nuage de Houx et Nuage de Geai partageaient ce lourd secret. Tant qu'ils seraient près de lui, il ne serait jamais vraiment seul.

« Merci », ronronna-t-il en descendant du rocher.

C'était la première fois depuis leur périple dans les montagnes que les membres du Clan mangeaient ensemble et Nuage de Lion commençait à se sentir plus à l'aise. *Rien n'a vraiment changé,* songea-t-il avec espoir.

« Alors, comment va la Tribu ? » demanda Étoile de Feu à Griffe de Ronce.

Le lieutenant avala une bouchée de viande avant de répondre :

« La mauvaise saison va être dure pour eux. Mais je pense qu'ils vont s'en tirer. »

Nuage de Lion plissa les yeux. Est-ce que son père était aussi confiant qu'il l'affirmait ?

« Tu crois qu'ils pourront défendre les frontières que vous avez établies ? voulut savoir Cœur d'Épines.

— Nous les avons entraînés de notre mieux, expliqua Poil d'Écureuil.

— Y a-t-il eu beaucoup de blessés durant les batailles ? relança Tempête de Sable.

— Quelques-uns, mais rien de grave. Cela dit, le combat fut âpre. »

Et vous ne l'auriez jamais gagné sans moi. Nuage de Lion attendit que son père fasse le récit de ses exploits.

« Tous les apprentis se sont battus comme de vrais guerriers, ajouta le lieutenant en regardant son fils. Ils ont fait honneur à notre Clan. »

Le novice au pelage doré sentit ses poils se dresser.

« Pourquoi ne leur dit-il pas à quel point je me suis bien battu ? souffla-t-il.

— Chut ! le coupa sa sœur. Mieux vaut que les autres l'ignorent. Nous ne devons pas attirer l'attention sur nous. »

Nuage de Lion mordit furieusement dans la grive. *Quel intérêt d'être si puissant si personne ne le sait ?*

Les pattes lourdes, les muscles encore endoloris après le voyage, Nuage de Lion se faufila dans son nid. Une bonne nuit de sommeil, et il reprendrait du poil de la bête. Il tourna sur lui-même dans la mousse sèche et propre, se laissa tomber et ferma les yeux.

« Tu ne vas pas t'endormir tout de suite, si ? s'étonna Nuage de Pavot.

— Je suis fatigué », murmura-t-il.

Soudain, deux petites pattes s'enfoncèrent dans ses côtes.

« Fais attention ! »

Nuage de Renard recula d'un bond lorsque Nuage de Lion redressa brusquement la tête.

« Je montrais juste à Nuage de Givre comment j'allais attraper un renard pour gagner mon nom de guerrier, expliqua le jeune apprenti. Je veux qu'on m'appelle Chasseur de Renard ! »

Nuage de Renard bondit et attrapa la boule avant qu'elle atteigne sa sœur. Il la renvoya à Nuage de Pavot.

« Tu ne serais même pas capable d'attraper le mal vert ! l'asticota Nuage de Pavot.

— Si, je pourrais ! rétorqua Nuage de Renard, ce qui fit ronronner les autres apprentis. Enfin, je veux dire que je pourrais attraper n'importe quel gibier. Si seulement Poil d'Écureuil arrêtait de faire tant d'histoires…

— Elle ne ferait sans doute pas tant d'histoires si tu arrêtais de t'éloigner, répliqua Nuage de Miel. On a dû attendre une éternité pendant qu'elle te cherchait, aujourd'hui. Lorsqu'elle t'a ramené, l'écureuil que j'avais flairé avait déjà rejoint le territoire du Clan de l'Ombre.

— J'étais parti explorer !

— Tiens, explore un peu ça ! »

Nuage de Cendre venait de rentrer dans la tanière. Nuage de Lion reconnut l'odeur du miel. Il resta où il était tandis que les autres apprentis s'extirpaient de leurs nids afin de voir ce que leur camarade avait apporté.

« Où tu l'as trouvé ? s'émerveilla Nuage de Givre.

— Flocon de Neige a déniché une ruche dans un tronc creux pendant que nous patrouillions près du nid de Bipèdes abandonné, expliqua Nuage de Cendre. Il a réussi à y glisser la patte et à remonter quelques rayons.

— Est-ce qu'il s'est fait piquer ?

— Juste une fois.

— Il y a des lunes que je n'ai pas mangé de miel, se lamenta Nuage de Pavot.

— Flocon de Neige a donné le plus gros à Feuille de Lune pour sa réserve, et il m'a autorisée à prendre ce petit bout.

— Je peux lécher ? supplia Nuage de Givre.

— Vas-y, mais n'en prends pas trop. Il en faut pour tout le monde. »

Nuage de Givre ferma les yeux en avalant avant de les rouvrir, surprise.

« Ça n'a pas de goût !

— Tout le monde le sait, cervelle de souris, ronronna Nuage de Pavot, qui lécha le rayon et soupira de bonheur. Moi, j'aime bien la façon dont ça me réchauffe la gorge et le ventre. Ça me rappelle le lait. »

Nuage de Lion enfouit la truffe sous ses pattes, tentant d'ignorer les ronrons de contentement de ses camarades. Comme il en fallait peu pour les satisfaire ! Un jour, tout le miel de la forêt serait à lui. Il n'était pas comme eux – il ne pouvait plus se contenter de si peu. Plus que jamais, la solitude lui fendait le cœur.

Un corps chaud frôla le sien. Nuage de Houx s'était faufilée dans la tanière et s'installait près de lui.

« Tu ne rejoins pas les autres pour le festin ? murmura-t-il.

— Autant que les *autres* en profitent... »

Il se sentit aussitôt moins seul et ferma les yeux pour plonger dans le sommeil.

En rêve, le novice courait sur le sol froid de la forêt. Une brume légère s'enroulait autour des troncs nus qui se succédaient dans les ténèbres.

« Il était temps que tu nous reviennes », gronda Étoile du Tigre, caché dans l'ombre.

Nuage de Lion devina alors le contour des épaules massives du matou lorsque celui-ci émergea des arbres.

Plume de Faucon le suivait.

« Tu as besoin de tout notre enseignement et tu dois encore beaucoup t'entraîner.

— Vous ne m'avez pas vu me battre dans les montagnes ? » s'indigna-t-il.

Pourquoi devait-il encore s'entraîner ? Il était déjà meilleur combattant que tous ses camarades. Il l'avait prouvé !

« Les batailles passées ne nous intéressent pas, miaula Étoile du Tigre. Seules comptent les batailles à venir. »

Nuage de Lion plissa les yeux. Voilà qui ressemblait à une mauvaise excuse. *Ils ne me voyaient pas, dans les montagnes !* Même les pouvoirs d'Étoile du Tigre possédaient leurs limites.

« Voyons voir si tu peux utiliser ta cervelle aussi bien que tes muscles, poursuivit le guerrier sombre en le poussant du bout du museau vers Plume de Faucon. Essaie de l'attaquer sur son point faible.

— Mais tu ne veux pas que je te parle des chats des montagnes ?

— Ils ne me concernent en rien. »

Ça ne l'intéresse pas ! Nuage de Lion dévisagea son mentor fantôme. Ne pensait-il donc pas qu'il pourrait tirer des enseignements de son long voyage et de son combat contre des chats différents ? Étoile du Tigre pensait-il vraiment tout connaître de l'art de la guerre ? Eh bien, en tout cas, il était loin de tout savoir de Nuage de Lion. Il était peut-être temps de lui ouvrir les yeux.

« Qu'est-ce que t'attends ? feula Étoile du Tigre. Attaque Plume de Faucon ! »

Furieux, Nuage de Lion bondit sur le guerrier tacheté et, toutes griffes dehors, il laboura si brutalement son flanc qu'il sentit la peau se fendre et le sang gicler sur sa patte.

Plume de Faucon recula avec un hurlement de rage.

Nuage de Lion pivota vers Étoile du Tigre.

« Tu vas m'écouter, maintenant ? J'ai une chose importante à te dire. Il y a une prophétie ! À mon sujet ! Voilà pourquoi je peux me battre si bien.

— Comment ça, une prophétie ?

— Un vieux chat l'a dit à Étoile de Feu, dans un rêve : "Ils seront trois, parents de tes parents, à détenir le pouvoir des étoiles entre leurs pattes", récita-t-il. Tu ne comprends pas ? Ce doit être nous, parce que Poil d'Écureuil est sa fille, sa plus proche parente.

— Étoile de Feu ! s'exclama Étoile du Tigre d'un air dégoûté.

— C'est vrai ! Si tu m'avais vu me battre dans les montagnes, tu comprendrais. J'ai vaincu tous ceux qui se sont dressés devant moi. J'avais l'impression que je pouvais me battre sans fin et les écraser jusqu'au dernier.

— Pour la simple raison que, moi, je t'ai entraîné.

— Pas seulement ! Je détiens le pouvoir des étoiles entre mes pattes !

— Et c'est Étoile de Feu qui te l'a dit, c'est ça ? le railla son aîné.

— Non... Nuage de Geai a pénétré l'un de ses rêves. Il a surpris la conversation.

— Je vois... » Les yeux d'Étoile du Tigre pétillaient. « Un chat fait un rêve et tout à coup te voilà le plus fort du monde... »

Pourquoi ne prenait-il pas cela au sérieux ? Pourquoi n'était-il pas fier que l'un de ses parents gouverne un jour la forêt ? N'était-ce pas là ce qu'il voulait ? Nuage de Lion réprima un feulement. Peut-être qu'Étoile du Tigre ne voulait le pouvoir que pour lui-même.

« Ne te moque pas de moi, ordonna-t-il.

— Regarde-moi ce petit guerrier ! se moqua Plume de Faucon. Il se prend pour Étoile de Feu. Il fait son courageux.

— Comment expliquez-vous la bataille dans les montagnes, dans ce cas ? demanda Nuage de Lion. Je n'ai même pas été blessé !

— Tu as vaincu un ramassis de chats errants sans expérience et à moitié morts de faim, ricana Plume de Faucon. Waouh. Quel grand guerrier tu fais ! »

Nuage de Lion cligna des yeux. Le sol lui semblait soudain plus froid encore. Et s'ils avaient raison ? On ne pouvait pas comparer les chats errants à de féroces guerriers. La Tribu aurait pu les battre sans aucune aide. Elle n'avait pas besoin que le plus grand guerrier de tous les temps remporte la bataille à sa place. Et si la prophétie n'était *vraiment* qu'un rêve ?

« Tu n'es plus si sûr de toi, pas vrai ? insista Étoile du Tigre. Je sais qu'il doit être plaisant de se prendre pour le meilleur du monde, mais Étoile de Feu aurait-il vraiment envoyé trois chats si importants dans les montagnes se battre au péril de leur vie ? »

Le doute serra le ventre de Nuage de Lion. Étoile de Feu n'avait jamais évoqué la prophétie. S'il y avait vraiment cru, il n'aurait pas accepté qu'ils aillent risquer leur vie. Il les aurait gardés au camp, en sécurité, où ils pouvaient veiller sur le Clan tout entier.

Étoile du Tigre se pencha si près que son souffle fit vibrer les moustaches de Nuage de Lion.

« Il n'y a qu'une seule voie à suivre, sifflat-il. *L'entraînement*. Entraîne-toi à te battre, sans relâche, et un jour tu seras peut-être le plus fort de la forêt. » Il recula en ajoutant d'un ton plus dur : « Maintenant, recommence ton attaque ! Et sans sortir les griffes, cette fois-ci. Sauf si *moi*, je te le demande. »

CHAPITRE 4

NUAGE DE GEAI plaça le rayon de miel collant sur la grande feuille de rhubarbe posée sur le sol de sa tanière. Malgré l'oseille qui l'emballait déjà, le miel dégoulinait. Craignant qu'il ne poisse les autres remèdes de la réserve, Feuille de Lune avait demandé à son apprenti de l'envelopper de nouveau.

Le novice replia les bords de la feuille de rhubarbe en espérant que le miel les maintiendrait collés le temps qu'il attache des bandes d'écorce tout autour.

Un couinement le figea sur place. Un chaton souffrait. Dressant l'oreille, il reconnut le geignement de Petit Crapaud et fila aussitôt vers la sortie, où il dut s'arrêter net devant Chipie. Il huma l'odeur de sa peur et reçut un petit coup de griffes lorsqu'elle passa devant lui. Elle devait porter le chaton par la peau du cou.

« Pose-le près de la flaque d'eau, ordonna-t-il.

— Il pourchassait une abeille lorsqu'il est tombé dans les orties, haleta la reine après avoir lâché son petit.

— Stupide abeille ! » se plaignit celui-ci.

Nuage de Geai poussa un soupir de soulagement. *Des piqûres d'orties !* Vu le tapage, Nuage de Geai pensait qu'il s'était fait attaquer par un renard.

« Étoile de Feu devrait faire arracher ces orties, se lamenta Chipie. Je savais qu'il y aurait un accident tôt ou tard.

— Les orties ne sont pas mortelles », rétorqua l'apprenti guérisseur en reniflant son patient.

Cette fois-ci, il reçut un coup de patte sur le museau. La petite boule de poils se tournait dans tous les sens pour tenter de lécher ses piqûres tout en se frottant la truffe du bout de la patte.

« Tiens-toi tranquille.

— Mais ça fait mal ! »

Son duvet de chaton ne l'avait guère protégé et Nuage de Geai sentait l'inflammation sur sa truffe et ses oreilles, là où la peau nue avait déjà commencé à gonfler.

« Je vais te chercher de l'oseille », annonça l'apprenti guérisseur. Il se dirigea vers la réserve.

Angoissée, Chipie tournait autour de son chaton et Nuage de Geai trébucha sur la queue de la chatte. Il prit quelques feuilles dans la réserve et les mâcha pour les réduire en pulpe : le suc soulagerait rapidement Petit Crapaud s'il arrivait à le lui appliquer sur la fourrure.

Tout en continuant à mâcher, le jeune chat tigré revint vers le chaton agité. Il cracha la mixture sur sa patte pour l'appliquer sur l'oreille du blessé.

D'instinct, le chaton recula.

« Ne me touche pas ! » s'écria-t-il en donnant un coup de patte dans la pulpe, qui fut projetée dans la flaque. Nuage de Geai l'entendit tomber dans l'eau avec un petit « plop ». Bouillonnant d'impatience, il retourna au tas de feuilles.

« Plus vite je te soignerai, plus vite la douleur disparaîtra. » Il percuta alors Chipie qui tournait toujours autour de son fils. *Pour l'amour du Clan des Étoiles !* « Va donc surveiller Petite Rose ! Il ne faudrait pas qu'elle finisse elle aussi dans les orties. Je m'occupe de Petit Crapaud... Enfin, s'il peut rester tranquille !

— Tu es certain qu'il s'en remettra ? »

Nuage de Geai inspira profondément. *Rester calme, c'est mieux pour toi et ton patient.*

« Personne n'est mort d'une piqûre d'orties, rétorqua-t-il en serrant les dents.

— Essaie de ne pas bouger, chéri, lança la reine à son fils en sortant de l'antre. Je vais m'assurer que Petite Rose va bien et je reviens.

— Prends tout ton temps ! » marmonna Nuage de Geai, qui revint vers son patient la gueule pleine de pulpe de feuilles.

Le chaton se débattit de nouveau. Nuage de Geai le cloua au sol.

« Ne bouge pas », ordonna-t-il en traitant les oreilles du chaton. Petit Crapaud eut beau hurler, Nuage de Geai continua jusqu'à ce qu'elles soient recouvertes de suc. « Je sais que ça pique, poursuivit-il en le relâchant, mais ce n'est pas grave. Reste là pendant que je vais chercher de quoi soigner ta truffe. »

En se tournant, il sentit la fureur monter chez le chaton et entendit un frôlement de fourrure sur le sol : Petit Crapaud allait lui sauter sur la queue !

Nuage de Geai fit volte-face.

« Tu n'as pas intérêt à faire ça ! » le rabroua-t-il.

71

Petit Crapaud, qui se retrouvait presque truffe contre truffe avec Nuage de Geai, poussa un cri de surprise.

« C... comment savais-tu ce que j'allais faire ?

— Je ne suis pas aussi aveugle que tu le penses.

— Pardon, murmura le chaton.

— Tu vas te tenir tranquille, maintenant ?

— Oui. »

Nuage de Geai, qui s'en voulait un peu de l'avoir terrifié ainsi, retourna chercher de l'oseille. Cette fois-ci, il déposa la pulpe devant le malade.

« Étale ça sur tes pattes et appliques-en sur ta truffe », ordonna-t-il.

D'un mouvement tremblant, le chaton obéit. Nuage de Geai perçut que sa douleur diminuait. Le suc d'oseille faisait effet. Soulagé, l'apprenti guérisseur retourna en chercher et aida Petit Crapaud à traiter sa peau sous son pelage jusqu'à ce que, à eux deux, ils aient recouvert toutes les piqûres. *Je donnerai une graine de pavot à Chipie à son retour. Elle pourra la faire avaler à son fils pour qu'il passe une bonne nuit malgré les démangeaisons.*

Les ronces frémirent. Feuille de Lune était revenue, la gueule pleine d'herbe à chat. Elle posa son fardeau et s'approcha du petit malade.

« Chipie m'a dit que tu t'étais fait piquer... Beau travail, dit-elle à son apprenti après avoir reniflé le chaton. Tu as mis juste ce qu'il fallait d'oseille. »

Nuage de Geai se demanda s'il devait lui dire à quel point Petit Crapaud avait été difficile.

« Tu devrais lui donner une petite graine de pavot, lui conseilla-t-elle, pour que les piqûres ne l'empêchent pas de dormir. »

Merci du conseil ! se retint-il de répondre. Il devait s'habituer à entendre des leçons dont il n'avait plus besoin ; contrairement à Nuage de Houx et Nuage de Lion, il serait encore traité comme un apprenti pendant des lunes et des lunes. En tant que guérisseur, on attendait de lui qu'il suive les enseignements de son mentor et obéisse à ses ordres, même après avoir reçu son nom définitif.

« Merci, Nuage de Geai. » Le murmure du chaton le prit par surprise. « Désolé d'avoir été aussi bête.

— Tu avais mal, et tu étais apeuré, répondit-il avec bienveillance le prenant en pitié.

— Maintenant, ça va, grâce à toi, lança Petit Crapaud en se dirigeant vers la sortie.

— Tu n'attends pas que Chipie vienne te chercher ?

— Je crois que je suis à peu près capable de retrouver le chemin de la pouponnière ! »

Petit polisson ! Nuage de Geai était fier de lui. Ce n'avait pas été facile, mais il avait gagné le respect du chaton.

« Je lui porterai la graine de pavot ce soir », promit-il à Feuille de Lune avant qu'elle le lui rappelle.

Son mentor semblait plongé dans ses pensées. *Quelque chose la préoccupe.* Son esprit, même s'il lui restait fermé, semblait dégager une énergie malsaine, comme un ciel chargé de nuages d'orage. D'un pas lourd, elle s'approcha du miel à moitié empaqueté. Elle semblait épuisée. *Elle a dû travailler deux fois plus dur pendant mon absence.* Il se hâta de nettoyer le reste de pulpe et d'aller aider son mentor.

« Désolé, je n'ai pas eu le temps de terminer. »

73

Il posa les pattes sur la feuille de rhubarbe pour que Feuille de Lune finisse de l'envelopper dans les bandes d'écorce.

« Tu as dû t'occuper de Petit Crapaud », répondit-elle d'une voix empreinte de fatigue.

Pourquoi ne s'en était-il pas aperçu plus tôt ?

« Je vais vérifier les réserves, annonça-t-il en léchant le jus d'oseille sur ses pattes. Comme ça, nous saurons quoi ramasser avant l'arrivée de la saison des feuilles mortes. »

Il se faufila dans la fissure au fond de l'antre sans laisser à la chatte le temps de lui proposer de l'aide.

Ils avaient découvert récemment ce creux bien utile lorsque Feuille de Lune avait arraché le lierre qui envahissait une partie de sa tanière. L'ouverture était étroite, juste assez large pour qu'un petit chat s'y glisse, mais la cavité s'élargissait ensuite suffisamment pour abriter un nid. Nuage de Geai y renifla les différents tas de remèdes, de racines et de baies alignés le long de la paroi.

« Passe-les-moi, lui ordonna Feuille de Lune. Nous y verrons plus clair. »

Il obéit et, lorsqu'il ressortit de la réserve, Feuille de Lune avait reconstitué des petits tas bien nets. Sa truffe sensible identifia chaque odeur. Ainsi, il eut une image mentale claire de la rangée de remèdes : consoude, mauve, thym, herbe à chat, graines de pavot empaquetées avec soin dans de l'écorce de chêne, et beaucoup d'autres encore.

« Il n'y a presque plus de feuilles de mauve, constata Feuille de Lune. Et je dois retourner chercher de l'herbe à chat. J'en ai rapporté autant que possible, dit-elle. Mais il en reste encore dans la forêt. Autant en profiter tant qu'elle est à maturité. Nous la ferons sécher pour la mauvaise saison. »

Dessécher les remèdes au soleil était la meilleure solution pour éviter qu'ils pourrissent dans la réserve.

Du bout de la patte, Nuage de Geai tapota le thym, qui lui chatouilla les coussinets. Son odeur était un peu éventée.

« Depuis quand l'avons-nous ?

— Depuis la saison des feuilles vertes passée, je dirais, vu l'odeur. Il a dû perdre de son efficacité. Nous devrions aller en chercher du frais.

— Est-ce qu'il nous faut des baies empoisonnées ? »

Nuage de Geai avait entendu Petit Orage mentionner les baies fatales lors de leur dernière réunion à la Source de Lune. On ne l'utilisait que pour éviter aux chats les plus malades une trop longue agonie. Il en poussait un buisson sur le territoire du Clan de l'Ombre, et Petit Orage avait proposé de leur en donner. Feuille de Lune avait refusé et Nuage de Geai sentait que sa question la mettait mal à l'aise.

« Je ne me sers pas de ces baies, murmura-t-elle avant d'examiner un tas de pas-d'âne. Les guérisseurs du Clan de l'Ombre en ont toujours en réserve, ajouta-t-elle. Ils enseignent leurs usages à leurs apprentis. » Sa voix était rauque, comme voilée par un mauvais souvenir. « Mais je n'en ferai rien. »

Et pourquoi ? Nuage de Geai était intrigué par l'idée de détenir le pouvoir de vie et de mort entre ses pattes.

Feuille de Lune, elle, ne voulait clairement pas en entendre parler.

« Nous devons faire tout notre possible pour aider nos camarades, mais il revient au Clan des Étoiles de choisir le moment de leur mort. » Elle poussa un tas de feuilles vers son apprenti. De la consoude, à l'odeur. « Examine ça et jette toutes celles qui ont pris l'humidité ou qui commencent à perdre leur fumet. »

Il obéit pendant que son mentor déchirait des feuilles de pas-d'âne pour les rouler ensuite.

« Je n'ai pas eu l'occasion de te demander comment s'était passé votre voyage, déclara-t-elle.

— Plutôt bien. »

Nuage de Geai se remémora le saut terrifiant qu'il avait dû exécuter sans savoir où il atterrirait ni si la faille était très profonde. Il frémit.

« Qu'as-tu pensé des membres de la Tribu ?

— Ils sont étranges... La vie dans les montagnes est difficile ; je pensais que ça les avait rendus plus résistants, alors qu'ils n'avaient aucune idée de la façon dont ils pourraient repousser les envahisseurs. »

On aurait dit un Clan qui se cache de quelque chose. Nuage de Geai avait eu pitié d'eux, recroquevillés dans leur caverne derrière la cascade, toujours en train de guetter le moindre signe de danger.

« Et j'ai rencontré la Tribu de la Chasse Éternelle », admit-il.

La guérisseuse poursuivit son travail, mais l'odeur du pas-d'âne devint plus profonde, comme si ses pattes tremblaient un peu.

« Comment sont-ils ?

— Un peu comme le Clan des Étoiles. » *Ils savaient que je viendrais. Ils connaissaient la prophétie.*

« Sauf qu'ils n'ont même pas essayé d'aider la Tribu à vaincre ses ennemis.

— Parfois, même nos ancêtres sont incapables de nous aider.

— Ce n'est pas tout… On aurait dit qu'ils étaient perdus. »

Nuage de Geai ne pouvait se défaire de l'idée que la Tribu n'avait pas toujours connu les montagnes, qu'ils avaient vécu bien loin des vents mauvais et des pics acérés, parmi d'autres chats – ceux qui, les premiers, avaient reçu la prophétie.

Feuille de Lune s'était enfin arrêtée et il sentait sur lui le poids de son regard curieux.

« J'ai été surpris que Conteur soit à la fois chef et guérisseur, miaula-t-il avant qu'elle ne l'interroge davantage à propos de la Tribu de la Chasse Éternelle.

— Oui, c'est beaucoup de responsabilités pour un seul chat, convint-elle tout en se remettant au travail. Un savoir immense est souvent synonyme de solitude. »

Le cœur de Nuage de Geai fit un bond dans sa poitrine. *Parle-t-elle de la prophétie ? Est-elle au courant ? Non ! Elle m'en aurait parlé…* Son pouls se calma aussitôt. Feuille de Lune n'aurait jamais pu garder un tel secret. Néanmoins, il tenta de percer ses pensées pour s'en assurer. Le brouillard habituel lui barrait la voie. Il sentit juste qu'elle baignait dans un lac de nostalgie. Elle n'était peut-être pas au courant pour la prophétie, mais quelque chose d'autre la préoccupait.

Pourquoi semblait-elle si malheureuse ? Il voulut lui changer les idées.

« Est-ce que tu veux une part de gibier ? demanda-t-il.

— Non, répondit-elle en frémissant, comme pour écarter une idée déplaisante. Tu peux commencer à ranger nos réserves. »

Alors qu'il remettait un tas de remèdes dans la fissure, une voix résonna à l'entrée de la tanière.

« Feuille de Lune ? Ah, tu es là… », miaula Flocon de Neige avec soulagement.

Nuage de Geai continua à rouler les feuilles de consoude et à les remettre en place.

« Tu es blessé ? s'enquit la guérisseuse.

— Non, soupira-t-il en faisant les cent pas. Je m'inquiète pour Nuage de Cendre. »

Nuage de Geai dressa l'oreille. Jusqu'à présent, seuls Feuille de Lune et lui savaient que Nuage de Cendre était la réincarnation de l'ancienne guérisseuse du Clan du Tonnerre, Museau Cendré. Elle avait eu une deuxième chance de vivre la vie dont elle avait toujours rêvé : celle d'une guerrière du Clan du Tonnerre. Nuage de Cendre elle-même n'en avait pas conscience. Cependant, des bribes de connaissances qui ne lui appartenaient pas refaisaient parfois surface et elle parlait de l'ancienne forêt comme si elle y avait vécu. Flocon de Neige commençait-il à soupçonner quelque chose ?

« Elle va bien ? s'inquiéta la guérisseuse.

— Oui. Tu crois qu'elle est prête pour sa dernière évaluation ? Nuage de Miel et Nuage de Pavot le sont, mais je ne veux pas imposer ce test à Nuage de Cendre avant que sa patte soit complètement guérie. »

Feuille de Lune hésita.

Pourquoi ne répond-elle pas ? Inquiet, Nuage de Geai tenta de nouveau de percer ses pensées, bien décidé à pénétrer le brouillard. Il retint soudain son souffle. Un souvenir embrasait l'esprit de son mentor, un souvenir si fort qu'elle ne pouvait le dissimuler.

Il vit un ravin rempli de neige. Aussitôt, Nuage de Geai reconnut le camp de l'ancienne forêt qu'il avait visitée dans le rêve de Nuage de Cendre. Une couche de poudreuse coiffait les tanières et les buissons. La clairière centrale avait été dégagée et une chatte grise la traversait en boitant, la queue basse, les moustaches ourlées de givre. Elle était si maigre que ses os pointaient sous sa fourrure. Un vent mordant soufflait des nuages de neige dans les tanières. Nuage de Geai trembla de froid, prisonnier du souvenir de son mentor.

Feuille de Lune s'approcha de la chatte grise, le pelage constellé de flocons. Elle faisait toute jeune, avec son visage rond comme celui d'un chaton et sa fourrure ébouriffée pour lutter contre le froid.

« Museau Cendré, laisse-moi te rapporter une part de gibier, l'implora-t-elle. Une patrouille de chasse vient justement de revenir avec un merle.

— Un merle ? répéta Museau Cendré avec espoir. Nous n'avons pas eu de si gros gibier depuis longtemps.

— Je peux t'en apporter un morceau », insista Feuille de Lune.

L'expression de son mentor changea aussitôt. Ses yeux semblaient à présent deux éclats de glace.

« Ce serait du gâchis ! rétorqua-t-elle. Les anciens et les reines doivent se nourrir en premier.

Et ensuite les guerriers et les apprentis. Ils ont besoin de prendre des forces pour trouver plus de nourriture.

— Mais toi aussi, tu as besoin de prendre des forces. Tu t'occupes de ceux qui sont atteints du mal blanc. Et si cela tourne au mal vert ? Ils auront besoin de toi plus encore. »

Museau Cendré baissa la tête pour reprendre d'un ton plus doux :

« Avec ma patte folle, je ne peux pas aller très loin. Encore plus en ce moment – par ce froid, elle me fait mal. J'ai moins besoin de manger que les autres. »

Sa voix trahissait sa peine et ses regrets. Nuage de Geai devinait ce qu'elle taisait : *Si je n'étais pas infirme, je pourrais sortir en forêt, et chercher de la nourriture pour mes camarades…*

Le miaulement joyeux de Feuille de Lune le ramena à la réalité.

« Elle est prête, assura-t-elle à Flocon de Neige. Rien ne l'empêchera de devenir une guerrière.

— J'ai remarqué que sa patte se raidissait pendant certaines attaques. J'ai peur qu'elle ne me cache ses douleurs.

— C'est sans doute qu'elle n'a jamais mal.

— Tu pourrais peut-être la regarder durant un entraînement ? Pour être sûre ?

— Inutile. Elle sera une guerrière redoutable. Tu devrais être fier d'elle.

— Je le suis. Mais je ne veux pas la brusquer. Si elle a besoin d'une convalescence plus longue, j'attendrai volontiers.

— Tu ne la brusques pas, j'en suis certaine.

— Je suis soulagé de l'entendre. Tu veux manger ? Une patrouille de chasse vient de rentrer. »

Le novice attendit que les deux félins s'éloignent avant de s'extirper de la fissure. Le chagrin de Museau Cendré continuait à le tourmenter, telle une blessure à vif. Feuille de Lune avait dû l'éprouver tout comme lui, puisque ce souvenir était le sien. Pourtant, elle avait répondu d'un ton joyeux à Flocon de Neige. *Un peu trop joyeux.* Comme pour se convaincre elle-même. Nuage de Geai prit un paquet de pas-d'âne dans la gueule et retourna dans la réserve. Il espérait que Feuille de Lune avait raison d'être optimiste, pour la blessure de Nuage de Cendre.

CHAPITRE 5

FEUILLE DE LUNE partageait une souris avec Flocon de Neige lorsque Nuage de Geai émergea à son tour du rideau de ronces.

Il y avait l'embarras du choix, dans la réserve. Les patrouilles de chasse du matin l'avaient bien garnie. Alors qu'il tirait une musaraigne de sous le tas – encore toute chaude –, l'image de Museau Cendré affamée dans le camp enneigé lui revint en tête. Est-ce que Feuille de Lune pensait à elle en mangeant sa pièce de viande ?

« Nuage de Geai ! lança Plume Grise en accourant jusqu'à lui. Gobe ça en vitesse ! Nous partons chasser.

— Vous voulez que je vienne ? s'étonna-t-il, tout joyeux.

— Poil de Châtaigne, Patte de Mulot et moi, nous nous occuperons de la chasse », le détrompa le matou gris. Il dut deviner la déception de l'apprenti guérisseur, car il se dépêcha de poursuivre : « Tu as une mission très importante. Feuille de Lune veut que tu nous accompagnes pour ramasser des remèdes. »

Génial. Nuage de Geai n'avait plus faim, tout à coup. Il repoussa la musaraigne dans le tas.

« Je mangerai en revenant, bougonna-t-il.

— Nous descendons au lac.

— Au lac ? » répéta l'aveugle avec intérêt. Son bâton aux encoches était toujours sur la rive. « Bon, j'imagine que me dégourdir les pattes me fera du bien.

— Voilà qui est mieux. »

Le matou se dirigea vers le tunnel de ronces, où Poil de Châtaigne et Patte de Mulot faisaient les cent pas – Nuage de Geai les entendait aller et venir avec impatience. Il se lança à la poursuite de Plume Grise et la patrouille gagna la forêt.

Patte de Mulot – guerrier depuis peu – bouillonnait d'excitation.

« J'espère que j'attraperai une belle proie ! Un écureuil, peut-être…

— Les écureuils vont avoir du souci à se faire », ronronna Plume Grise.

Les bois semblaient somnoler dans la chaleur – aucun bruit ne sortait des taillis lorsque Nuage de Geai les frôlait. Le bourdonnement des abeilles résonnait dans l'air. Patte de Mulot fila à toute allure pour prendre la tête du groupe, bientôt suivi par Plume Grise.

« J'aimerais que la saison des feuilles vertes dure toujours, murmura Poil de Châtaigne, qui marchait tout près de Nuage de Geai pour que leurs fourrures se frôlent.

— Moi aussi… »

Il s'écarta d'elle, puisqu'il connaissait ce coin de la forêt suffisamment pour ne pas avoir besoin de guide. À son tour, il se mit à courir sur le sol couvert de feuilles en suivant le sentier habituel.

« Attends-moi ! » lança sa camarade, surprise.

Ils rattrapèrent Plume Grise et Patte de Mulot au sommet de la crête. Les arbres s'arrêtaient là, et la forêt laissait place à une pente verdoyante qui menait au lac.

Patte de Mulot était hors d'haleine.

« Il a failli avoir son écureuil, annonça Plume Grise. Mais il a filé dans cet arbre.

— Si ce merle stupide n'avait pas donné l'alerte…, grommela l'apprenti malchanceux.

— Tu attraperas le prochain, l'encouragea le matou gris.

— Moi, j'ai hâte de chasser avec mes petits, déclara Poil de Châtaigne avec fierté. Nuage de Miel, Nuage de Pavot et Nuage de Cendre vont passer leur dernière évaluation d'un jour à l'autre.

— Ce sera chouette de les avoir avec nous, dans la tanière des guerriers, répondit Patte de Mulot. Ça empêchera peut-être les vieux guerriers de garder pour eux les meilleurs nids et la mousse la plus douce.

— Nous, les vieux guerriers, nous avons besoin de la plus douce des mousses pour nos pauvres vieux os, ronronna Plume Grise, amusé.

— Je ne parlais pas de vous ! miaula Patte de Mulot, embarrassé.

— Je suis certaine que Cœur d'Épines et Pelage de Poussière seront ravis de l'apprendre, le taquina Poil de Châtaigne.

— Vous n'allez pas le leur dire ? gémit le jeune guerrier.

— Mais non ! le rassura la guerrière en se lançant dans la descente. En plus, nous ne sommes pas vieux. Et dès que les petits de Millie seront là, Plume Grise se sentira plus jeune que jamais. »

Nuage de Geai s'élança après elle, heureux de humer la brise qui ébouriffait sa fourrure. Elle portait l'odeur du lac.

Sur la rive, Plume Grise marqua une pause.

« Est-ce que le coin est bon pour les remèdes ?

— Oui. Je trouverai des mauves sur la berge.

— Patte de Mulot pourra t'aider, décida Poil de Châtaigne.

— Et mon écu…

— Ton écureuil peut attendre, le coupa Plume Grise.

— Oui, sans doute… En plus, si nous allons sur la rive, je pourrai peut-être attraper un poisson ! »

Seulement si tu as eu un deuxième mentor dans le Clan de la Rivière… Nuage de Geai s'aventura dans les galets, qui s'entrechoquaient sous ses pattes.

Patte de Mulot le suivit.

« Le lac est aussi lisse qu'une feuille de laurier. »

Nuage de Geai l'avait déjà deviné. Il entendait le léger clapotis des vaguelettes qui venaient doucement lécher la berge.

« À quoi ressemble la mauve ? demanda Patte de Mulot.

— Aucune idée, je n'en ai jamais vu.

— Oh, pardon !

— Ne t'inquiète pas. » Ce n'était qu'une bête étourderie. « Au *toucher,* elle est douce et un peu duveteuse. Les feuilles sont très grandes. »

Nuage de Geai leva la truffe. Il se souvenait d'être déjà venu ici pour cueillir des mauves. Et pour confirmer cela, une douce fragrance vint caresser sa truffe. Nuage de Geai tendit la queue vers le bord de l'eau.

« Tu vois cette plante, là-bas ? C'est une mauve.

— Vraiment ? » s'étonna le jeune guerrier.

Le novice ne prit pas la peine de répondre. Ses pattes le démangeaient. Le bâton devait être juste là, sur la côte.

« Tu veux bien aller ramasser des feuilles ? demanda-t-il à son camarade. Je dois vérifier quelque chose un peu plus loin.

— D'accord, répondit le jeune guerrier, qui se tourna vers le lac. Il t'en faut combien ?

— Autant que tu peux en porter ! »

Nuage de Geai poursuivit le long de la berge. Il remonta jusqu'à l'orée des bois, où des racines noueuses se faufilaient entre les galets, et flaira le sol jusqu'à ce qu'il repère le bâton. Il était là où il l'avait laissé, sous la racine d'un sorbier, à l'abri des vagues.

Il le tira de là et fut aussitôt soulagé de sentir le bois lisse sous ses coussinets. C'était bien lui, avec ses encoches familières. Nuage de Geai s'interrogeait beaucoup sur le Clan de Feuille Morte, d'où venait ce bâton. Et sur la Tribu. Les deux étaient-ils liés ? Est-ce que tous les Clans, Tribus et autres, malgré leurs différences, étaient unis d'une façon ou d'une autre ?

Bientôt, Patte de Mulot accourut vers lui ; il embaumait la mauve. Nuage de Geai, que sa hâte rendait maladroit, fourra le bout de bois derrière la racine. Les galets s'entrechoquaient sous les pattes du guerrier.

« Qu'est-ce que tu fais ? s'enquit le guerrier, la gueule pleine.

— Je vérifiais quelque chose.

— Un *bâton* ? s'étonna Patte de Mulot après avoir craché les feuilles.

— Rien d'important, mentit l'aveugle. Des trucs de guérisseur... Tu ne comprendrais pas. »

Il se prépara à une volée de questions, mais Patte de Mulot se contenta de ranger sa récolte en tas.

« Si tu le dis. Je ne suis plus apprenti. Je suis un guerrier – je chasse et je me bats. Je te laisse tes bizarreries de guérisseur. » Son miaulement fut de nouveau étouffé car il reprit son paquet dans la gueule. « Je suis bien content de ne pas avoir besoin de me souvenir d'autant de choses que toi. »

Tu ne crois pas si bien dire...

La voix de Plume Grise résonna entre les arbres au-dessus d'eux.

« Tu as attrapé un poisson, Patte de Mulot ?

— Non, mais j'ai attrapé des mauves ! »

Dans son empressement à répondre, le jeune guerrier avait craché une partie des feuilles sur Nuage de Geai. Celui-ci se retint de feuler. Il les ramassa une par une et les prit dans sa propre gueule. Il suivit ensuite Patte de Mulot jusqu'à la lisière des bois, où Plume Grise et Poil de Châtaigne attendaient. À l'odeur, Nuage de Geai comprit qu'ils avaient attrapé des souris et son estomac gargouilla. Il regretta de ne pas avoir mangé quand il en avait eu l'occasion.

« Rapportons ça au camp, miaula Poil de Châtaigne. On dirait que quelqu'un a faim. »

Sur ces mots, elle disparut dans les taillis. Les autres la suivirent. Une fois au sommet de la crête, Nuage de Geai s'immobilisa.

« Qu'y a-t-il ? l'interrogea Plume Grise.

— Une patrouille, qui vient droit sur nous. »

Leur odeur leur parvenait déjà. Un instant plus tard, Nuage de Geai entendit Cœur d'Épines et son apprentie, Nuage de Pavot, cavaler à travers le sous-bois. Cœur Blanc et Bois de Frêne les talonnaient. Leur excitation était palpable.

Ils jaillirent soudain des buissons, sur la crête.

« Le Clan du Vent a franchi la frontière ! lança la guerrière blanche.

— Ils sont encore sur notre territoire ? s'enquit aussitôt Plume Grise en lâchant sa prise.

— Non, gronda Cœur d'Épines. Mais leur trace est fraîche. Ils n'ont visiblement pas écouté la dernière mise en garde d'Étoile de Feu, et ils ont de nouveau chassé sur notre territoire.

— Avez-vous renouvelé le marquage ?

— Bien sûr, aussitôt, le rassura Bois de Frêne tout en faisant les cent pas autour de ses camarades.

— Bien. Nous devons avertir Étoile de Feu tout de suite. »

Le camp baignait dans la même touffeur que celle qui régnait dans les bois. Personne ne remua lorsque la patrouille déboula dans la clairière.

« Cœur Blanc ? Où vas-tu ? fit Flocon de Neige qui, à en juger par son miaulement ensommeillé, faisait la sieste devant le gîte des guerriers.

« — Je reviens tout de suite », promit-elle tout en escaladant l'éboulis à la suite de Cœur d'Épines.

Patte de Mulot posa son paquet de feuilles près de Nuage de Geai.

« Tu peux te débrouiller avec ça ? Je veux prévenir Truffe de Sureau et Plume de Noisette. »

C'était le premier incident depuis que Patte de Mulot avait reçu son nom de guerrier. Nuage de Geai comprenait son excitation.

« Pas de problème. »

Il posa son propre paquet sur celui du guerrier pour n'en faire qu'un seul.

« Tu veux de l'aide ? demanda Nuage de Houx, venue près de lui.

— Oui, merci. »

Nuage de Geai ne supportait plus le goût des mauves.

« Pourquoi tout ce tapage ? s'enquit sa sœur en se constituant son propre paquet.

— Le Clan du Vent a de nouveau franchi la frontière.

— Je pensais qu'après ce qui s'est passé... »

Nuage de Geai haussa les épaules. Manifestement, avoir sauvé les trois chatons de leurs voisins ne suffisait pas à apaiser leur hostilité grandissante. L'apprenti guérisseur s'attendait à ce que Nuage de Houx lui serve un discours indigné, insistant sur le fait que les véritables guerriers respectaient les frontières. Il fut donc surpris de découvrir qu'elle pensait à tout autre chose.

« Nuage de Cendre vient de me dire qu'elle passe sa dernière évaluation demain. »

Si tôt ?

« Est-ce qu'elle s'est déjà plainte de sa patte ? Est-ce qu'elle a mal ? s'enquit-il.

— Hein ? Pourquoi ? Qu'est-ce qui ne va pas ? Elle est guérie, n'est-ce pas ?

— Selon Feuille de Lune, oui.

— Alors il n'y a aucune raison de s'inquiéter. Si seulement je pouvais la regarder…

— Pendant son évaluation ? demanda-t-il, avec une petite idée derrière la tête.

— Oui, ce serait chouette ! »

Nuage de Geai réfléchit à toute allure. Il pourrait surveiller Nuage de Cendre pendant l'épreuve. Et s'assurer que tout se passait bien.

« Et pourquoi on ne le ferait pas ?

— Hein ? Mais c'est interdit, non ?

— Interdit par quoi, le code du guerrier ?

— De quoi vous parlez, tous les deux ? les coupa Nuage de Lion en les rejoignant.

— De la possibilité d'aller voir l'évaluation de Nuage de Cendre, demain, expliqua la jeune chatte noire.

— On a le droit ? s'étonna Nuage de Lion à son tour.

— Sans doute pas, admit Nuage de Geai. Peu importe, nous ne comptons pas annoncer nos intentions à tout le monde du haut de la Corniche.

— Alors c'est d'accord ! s'écria Nuage de Lion.

— Si quelqu'un nous surprend, nous pourrons toujours expliquer que nous cherchions juste à nous faire une idée de l'épreuve avant notre propre évaluation. Personne ne pourra nous le reprocher. »

Les pépiements des oiseaux réveillèrent Nuage de Geai le lendemain. *C'est l'aube.* Il s'étira et sortit de son nid en frissonnant. La fraîcheur du petit matin était tombée sur la combe comme pour rappeler au Clan que la saison des feuilles mortes serait bientôt là. Il se nettoya les pattes et le museau en vitesse. L'évaluation commencerait de bonne heure et il avait promis de retrouver Nuage de Lion et Nuage de Houx à l'extérieur du camp.

« Où vas-tu ? »

Alors qu'il se dirigeait vers la sortie, le miaulement de Feuille de Lune le fit sursauter.

« Hier, j'ai laissé quelques tas de feuilles, mentit-il.

— Tu pourras les retrouver seul ?

— Je sais exactement où je les ai posées. Je ne suis pas une cervelle de souris », rétorqua-t-il.

Il savait que Feuille de Lune craindrait de le vexer en posant d'autres questions.

Il gagna la clairière et traversa le tunnel de ronces. Dehors, Cœur Blanc gardait l'entrée.

« Tu sors tôt.

— Je vais chercher des remèdes pour Feuille de Lune.

— Tu as besoin d'une escorte ?

— Non, merci.

— La patrouille de l'aube est déjà partie. Et l'évaluation va bientôt commencer. Tu auras donc des camarades tout près si tu as besoin d'aide. »

Il suivit le sentier habituel puis, une fois certain que la guerrière ne pouvait plus le voir, il se faufila dans les buissons. Nuage de Lion lui avait dit de le retrouver près du chêne où poussent des champignons. À cette période de l'année, leur odeur était si forte que même un chat sans odorat pouvait les repérer de loin. Il les flairait déjà. Il suivit la piste jusqu'à sentir sous ses coussinets le sol tourbeux où ils poussaient.

Aucun signe de son frère ni de sa sœur.

Puis une horrible odeur de crotte lui envahit la truffe. Les buissons frémirent derrière lui.

« Désolé pour le retard, haleta Nuage de Houx.

— Comme on n'arrivait pas à trouver une excuse pour sortir du camp, on est passés par le "petit coin". »

Nuage de Geai fronça le nez. Le « petit coin », c'était la clairière où tous les membres du Clan allaient faire leurs besoins.

« J'avais deviné. »

Ils puaient encore plus que les champignons tout autour d'eux.

« Et j'ai des épines plein la fourrure, gémit Nuage de Houx.

— Essayez de vous rouler dans la terre, suggéra l'apprenti guérisseur. Cela vous débarrassera de l'odeur et des épines.

— Bonne idée ! s'écria-t-elle avant de mettre en pratique le conseil de son frère. Ça marche ! s'étonna-t-elle en se reniflant ensuite.

— Je te l'avais bien dit.

— À moi, annonça Nuage de Lion en imitant sa sœur.

— Maintenant vous sentez le champignon, soupira Nuage de Geai.

— Ce sera un bon camouflage, lui fit remarquer sa sœur.

— La pauvre Nuage de Cendre va croire qu'elle se fait poursuivre par des bolets ! gloussa Nuage de Lion.

— Chut ! » fit Nuage de Geai, l'oreille dressée.

Il entendait les buissons frémir non loin. Les odeurs de Tempête de Sable, Flocon de Neige et Cœur d'Épines leur parvinrent, portées par la brise matinale.

« Suivez-moi, et taisez-vous. »

Alors qu'il s'était mis à ramper comme s'il traquait une proie, il se prit la patte dans une racine et trébucha.

« Je vais passer devant, annonça Nuage de Lion. Dis-moi dans quelle direction aller.

— Droit devant, marmonna l'apprenti guérisseur. Cœur d'Épines et les autres ne sont pas loin. »

Après avoir rampé quelques instants dans les broussailles, Nuage de Houx tira la queue de Nuage de Geai.

« Je les entends. »

Nuage de Geai avait lui aussi entendu le miaulement grave de Cœur d'Épines. Il disait à Nuage de Pavot : « J'espère que tu es prête. »

« Il y a un roncier, juste là, le mit en garde Nuage de Lion. Reste derrière moi, et aplatis-toi. »

Nuage de Geai obéit et sentit les épines lui râper le dos.

La voix de Flocon de Neige était très nette, à présent :

« Je sais que vous ferez tous de votre mieux. Rappelez-vous que vous ne devez pas surpasser les autres, mais vous-mêmes.

— Vous ne pouvez pas non plus vous entraider, ajouta Tempête de Sable. C'est un test pour évaluer vos compétences individuelles.

— Nous vous observerons, même si vous ne nous voyez pas », conclut Cœur d'Épines.

Nuage de Lion s'immobilisa. Nuage de Geai se faufila à côté de lui malgré les ronces qui lui rentraient dans la peau. Nuage de Houx les rejoignit à son tour.

« Comme c'est palpitant !

— Chut ! » la rabroua Nuage de Lion.

Les guerriers et leurs apprentis devaient être à une longueur de queue, droit devant eux. Nuage de Geai faisait confiance à son frère pour leur avoir choisi une bonne cachette, tout en espérant que l'odeur de champignon suffirait à dissimuler leur présence. L'excitation des trois apprentis qui attendaient leur évaluation était presque palpable.

« Nuage de Cendre ne tient pas en place, remarqua Nuage de Houx.

— La pauvre Nuage de Miel paraît terrifiée, souffla Nuage de Lion. Mais Nuage de Pavot semble aussi calme qu'une renarde.

— Rien ne peut déstabiliser Nuage de Pavot. »

Nuage de Geai ressentait avec force l'intensité de leur espoir et leur détermination.

« Bonne chance », miaula Cœur d'Épines.

Les trois guerriers disparurent dans la forêt en laissant seules les apprenties.

« À votre avis, où est-ce que je dois aller chasser ? demanda Nuage de Miel, nerveuse.

— Fie-toi à ton instinct, lui conseilla Nuage de Pavot. Moi, je vais par là. »

Nuage de Geai entendit les pas de l'apprentie écaille se diriger vers le roncier où ils étaient cachés. N'osant pas reculer de peur de faire frémir le buisson, il s'aplatit contre le sol. Nuage de Lion et Nuage de Houx se crispèrent près de lui.

Tous retinrent leur souffle lorsque la fourrure de Nuage de Pavot frôla les feuilles.

Pourvu qu'elle ne nous voie pas !

Nuage de Houx planta ses griffes dans la terre meuble.

Chut ! Nuage de Geai se tendit, avant de pousser un profond soupir de soulagement lorsque l'apprentie s'élança dans la montée.

« Elle va vers le lac, devina Nuage de Houx.

— Et Nuage de Cendre ? voulut savoir l'aveugle.

— Elle hume l'air, murmura sa sœur à son oreille. Elle a dû flairer une proie. Ça y est, elle démarre.

— Allez, siffla Nuage de Lion. Suivons-la. »

Il s'extirpa tant bien que mal du buisson. Nuage de Geai le suivait de si près que la queue de son frère lui chatouillait la truffe. Dans la clairière, il reconnut bientôt le terrain : ils suivaient le bas de la pente. Entre son frère devant lui et sa sœur à côté de lui, il n'eut aucun mal à se maintenir à l'allure de Nuage de Cendre.

« Elle a l'air sûre d'elle ! miaula Nuage de Houx. Sa queue reste dressée.

— Attention, elle fait demi-tour ! » feula Nuage de Lion en s'arrêtant tout à coup.

Nuage de Geai évita de justesse son frère. Nuage de Houx le saisit par la queue et le tira en arrière, puis Nuage de Lion le poussa de côté, si bien qu'ils tombèrent tous les trois dans un bouquet de fougères juste avant que Nuage de Cendre ne leur passe devant.

« On l'a échappé belle ! » haleta Nuage de Lion.

Au loin, un cri déchira le silence, suivi d'un battement d'ailes.

« Crotte de souris ! grogna un chat en colère.

— On dirait que Nuage de Miel a raté sa première prise, devina Nuage de Lion.

— Ne t'occupe pas de Nuage de Miel, reprit Nuage de Houx. On va perdre Nuage de Cendre ! »

La jeune chatte jaillit des fougères et se lança à la poursuite de sa camarade. Nuage de Lion poussa Nuage de Geai pour qu'il la suive et ils se retrouvèrent de nouveau à cavaler derrière l'apprentie.

« Un écureuil ! » s'écria Nuage de Geai, qui en avait reconnu l'odeur.

Nuage de Cendre accéléra encore la cadence.

« Elle le suit, annonça Nuage de Lion.

— Je la vois ! renchérit Nuage de Houx. Elle le traque bel et bien. Aussi discrètement qu'un serpent.

— Est-ce que l'écureuil l'a vue ? s'enquit Nuage de Geai.

— Il s'enfuit, en tout cas, répondit son frère. Mais il est toujours au sol. Je crois qu'il a senti quelque chose…

— Il essaie de s'échapper, murmura Nuage de Houx. Nuage de Cendre va devoir attaquer bientôt.

— Il court le long d'un arbre couché, vers un chêne. Elle doit passer à l'action tout de suite ou bien elle va le perdre.

— Ça y est ! s'écria Nuage de Houx. Quel saut… »

Elle laissa sa phrase en suspens.

« Quoi ? Que se passe-t-il ? la pressa Nuage de Geai, avant d'entendre un bruit de bois qu'on griffait suivi d'un choc sourd.

— Elle a mal anticipé son saut ! hoqueta Nuage de Lion.

— Elle s'est écrasée sur l'arbre couché ! »

Nuage de Geai fut traversé par une décharge de douleur.

« Elle est blessée ! » hurla Nuage de Houx, mais Nuage de Geai courait déjà vers l'apprentie en priant pour ne pas trébucher.

Sa sœur le doubla et bondit sur le tronc vers son amie qui gémissait, inerte. Nuage de Geai escalada l'écorce en envoyant des éclats d'écorce au passage. Haletant, il s'accroupit près de Nuage de Cendre.

Flocon de Neige jaillit des buissons.

« Elle est blessée ? »

Nuage de Geai pressa sa joue contre la patte brûlante de la jeune chatte grise – elle gonflait déjà et tremblait.

« C'est sa mauvaise patte ! lança l'apprenti guérisseur.

— Elle s'est raidie quand j'ai sauté, parvint à articuler la novice malgré sa respiration saccadée.

— Je savais qu'elle n'était pas prête ! se lamenta Flocon de Neige en écartant Nuage de Houx pour s'approcher de sa protégée.

— Nous devons la ramener au camp, l'avertit Nuage de Geai. Nuage de Houx, pars devant pour avertir Feuille de Lune. »

La chatte noire hésita, elle ne voulait pas abandonner son amie.

« Vas-y ! » lui ordonna son frère, et elle disparut à toute allure dans les broussailles.

« Tout va bien, Nuage de Cendre, murmura Flocon de Neige. On va te ramener au camp. » Il tendit le cou pour s'adresser à Nuage de Lion, resté en contrebas. « Je vais la prendre par la peau du cou pour sauter. Tu devras t'assurer que sa patte blessée ne touche rien, et surtout pas le sol. Tu crois que tu peux faire ça ?

— Oui. »

Nuage de Cendre gémit tandis que Flocon de Neige la soulevait avec précaution. Fermement campé sur ses pattes arrière, Nuage de Lion se dressa pour l'aider. Nuage de Geai le rejoignit d'un bond. Tout doucement, Flocon de Neige se laissa glisser le long du tronc. Nuage de Cendre gémit lorsqu'il atterrit et la déposa sur le sol.

Nuage de Geai pressa sa joue contre le flanc tremblant de l'apprentie. Son pouls était fort et régulier.

« Peux-tu marcher sur trois pattes ?

— Je crois, grogna-t-elle.

— Nous t'aiderons », la rassura Nuage de Lion.

Nuage de Geai l'entendit se mettre péniblement debout. Il s'écarta du passage pour que Nuage de Lion et Flocon de Neige puissent l'encadrer. Lentement, l'apprentie avança en boitant.

Chaque pas transperçait Nuage de Geai comme un aiguillon.

« On ne peut pas la porter ? s'enquit-il, contrarié. Feuille de Lune doit la voir le plus vite possible.

— Il ne vaut mieux pas, répondit Flocon de Neige. On risquerait d'aggraver sa blessure. »

À l'allure d'un escargot, ils finirent par atteindre la barrière de ronces. Nuage de Houx les attendait au bout du tunnel, la fourrure hérissée par l'inquiétude.

« Elle marche !

— Pas vraiment, grommela la blessée.

« — C'est grave ? voulut savoir Plume Grise.

— Elle s'est recassé la patte ? demanda Chipie, à l'entrée de la pouponnière.

— Impossible de le dire tout de suite. »

Nuage de Geai tournait autour de sa patiente tandis que Nuage de Lion et Flocon de Neige l'aidaient à claudiquer jusqu'à la tanière de la guérisseuse. Nuage de Houx écarta les ronces pour les laisser entrer.

« Allonge-toi », ordonna Feuille de Lune.

À l'odeur qui régnait là, Nuage de Geai devina que son mentor avait déjà préparé une litière de mousse fraîche dans un coin tranquille de l'antre.

Nuage de Cendre poussa un grognement de douleur lorsque sa patte frôla la mousse.

« Sortez, s'il vous plaît, déclara Feuille de Lune en chassant Nuage de Houx et Nuage de Lion.

— Mais je veux rester avec elle ! protesta la jeune chatte noire.

— Tu lui rendras visite plus tard, rétorqua la guérisseuse en les poussant résolument vers la sortie. Que s'est-il passé ? lança-t-elle ensuite d'un ton sec à Flocon de Neige.

— Elle voulait sauter par-dessus un tronc…

— Ma stupide patte m'a lâchée ! le coupa Nuage de Cendre. Et j'ai raté mon évaluation !

— Ce n'est pas grave, tenta de la rassurer son mentor.

— Bien sûr que si, c'est grave ! Je ne veux pas que Nuage de Miel et Nuage de Pavot gagnent la tanière des guerriers sans moi. Je voulais veiller avec elles, pas toute seule !

« — Tu es sous le choc, murmura Feuille de Lune. Laisse-moi voir si je peux te soulager. » Malgré son ton calme, Nuage de Geai devinait sa détresse à mesure qu'elle faisait glisser ses coussinets sur la patte blessée. « Rien de cassé. C'est moins grave que la dernière fois.

— Ça me semble pire...

— Tu t'es juste déchiré les muscles, lui assura-t-elle. Ils guériront avec du repos.

— Pourquoi elle a lâché ? »

Feuille de Lune ne répondit pas. Elle se tourna vers Flocon de Neige.

« Laisse-la-moi, miaula-t-elle doucement. Je te donnerai de ses nouvelles dès que j'aurai fini de la soigner. »

Nuage de Geai s'écarta pour laisser sortir le guerrier. Il se demanda s'il devait proposer son aide, mais Feuille de Lune semblait si occupée à soigner la blessure qu'il resta silencieux, tapi près de l'entrée au cas où elle aurait besoin de lui.

« Pourquoi a-t-elle lâché ? répéta l'apprentie d'une voix plus forte. Elle n'était pas bien guérie ? Elle restera toujours faible ? Et si je ne pouvais jamais devenir une guerrière ? »

La panique de Feuille de Lune frappa Nuage de Geai avec la force d'une bourrasque.

« Tout ira bien, déclara la guérisseuse. J'ai préparé un emplâtre. » Elle gagna le fond de son antre. Nuage de Geai flaira une odeur d'orties et de consoude lorsqu'elle rapporta le remède qu'elle appliqua sur la patte blessée. « Avale ces graines de pavot. Elles t'aideront à te reposer. »

Nuage de Geai écouta la respiration de Nuage de Cendre ralentir et s'approfondir. Feuille de Lune restait immobile, près d'elle, et elle ne se détourna qu'une fois certaine que sa protégée s'était endormie.

Elle fut surprise de voir Nuage de Geai.

« Tu es encore là ?

— Je n'allais pas partir alors que nous avions une patiente à soigner, répondit-il en se redressant, les membres engourdis d'être resté tapi si longtemps.

— Je croyais que tu étais sorti avec les autres.

— Tu n'aurais pas dû dire à Flocon de Neige qu'elle était prête pour son évaluation.

— Ce n'est pas à toi d'en juger, rétorqua-t-elle d'une voix tremblotante.

— Tu n'as même pas été la voir à l'entraînement pour t'assurer qu'elle était totalement remise.

— Tu ne comprends pas !

— Si », la contredit-il en lui faisant signe de le suivre vers un coin où personne ne pourrait les entendre. Nuage de Geai inspira profondément et reprit : « Je sais que tu veux que Nuage de Cendre devienne une guerrière le plus vite possible. Tu ne veux pas qu'elle ait le même destin que Museau Cendré.

— Et quel mal y a-t-il à cela ? Ne pas pouvoir devenir une guerrière lui avait brisé le cœur. »

Il y a des destins pires encore.

« Tu es obsédée par le passé, la mit-il en garde. Tu veux t'assurer que les choses tournent comme tu le juges bon.

— Je veux simplement faire ce qui est le plus juste.

— Ce n'est pas toujours possible. Même si tu ne souhaites rien de plus au monde.

— Je sais. » Son chagrin était plus profond, plus intense que Nuage de Geai ne s'y attendait. « Mais j'essaierai toujours. »

CHAPITRE 6

Nuage de Houx regardait le ciel pâlir. Était-il trop tôt pour rendre visite à Nuage de Cendre ? Feuille de Lune l'avait chassée la veille au soir car sa patiente dormait.

La barrière de ronces frémit, annonçant le retour de la patrouille de l'aube.

Plume Grise et Pelage de Poussière entrèrent dans le camp, suivis par Aile Blanche et Nuage de Givre. Aile Blanche tentait de persuader son apprentie de se taire.

« Tu as bavardé sans cesse depuis notre départ, la grondait-elle. Nous sommes de retour au camp, et tes camarades dorment encore.

— Mais je demandais juste à Plume Grise si je pouvais l'accompagner pour avertir Étoile de Feu. »

C'était sa première patrouille matinale et la jeune apprentie débordait d'énergie.

« Ce sont des nouvelles importantes, expliqua le guerrier gentiment. Je ne suis pas certain qu'Étoile de Feu apprécierait que tu sautes partout dans son antre pendant que je les lui annonce.

— Quelles nouvelles ? s'enquit Nuage de Houx en s'approchant d'eux.

— Tu le sauras bien assez tôt », répondit-il en suivant Pelage de Poussière dans l'éboulis menant à la Corniche.

Déçue, la jeune chatte noire se tourna vers la tanière de la guérisseuse. *Je vais juste jeter un coup d'œil, histoire de voir si quelqu'un est réveillé.* Elle s'approcha de la fissure et se faufila à travers le rideau de ronces qui en gardait l'entrée. Elle cilla pour s'habituer à la pénombre et vit Feuille de Lune en train de mélanger des herbes au fond de son repaire.

« C'est pour Nuage de Cendre ? s'enquit Nuage de Houx en entrant.

— Oui, confirma la guérisseuse sans lever les yeux.

— Je suis venue la voir. Elle est réveillée ?

— Il y a une éternité que je suis réveillée », lança une voix rauque venue d'un nid plongé dans l'ombre.

Nuage de Cendre avait l'air de souffrir horriblement. Nuage de Houx se précipita vers son amie. L'apprentie grise gisait sur la mousse, sa patte tendue en dehors, les yeux dans le vague.

Feuille de Lune déposa une bouchée de feuilles près du nid.

« Elle va bien ? lui demanda Nuage de Houx, inquiète.

— Elle s'est déchiré un muscle.

— Ce n'est pas grave, se réjouit Nuage de Houx. Il faudra juste un peu de rééducation.

— Facile à dire, grommela l'intéressée.

— Allez, essaie de l'étirer. »

Nuage de Cendre, tremblante, tenta de tendre la patte.

« Je ne peux pas ! »

Le cœur de Nuage de Houx se serra. Son amie n'avait jamais eu l'air si malheureuse.

« C'est normal que ta patte soit raide », déclara Feuille de Lune.

Nuage de Houx plissa les yeux, étonnée par son ton sec. Était-elle agacée que Nuage de Cendre le prenne si mal ?

« Essaie encore, lui ordonna la guérisseuse.

— Oui, renchérit Nuage de Houx. Plus tôt tu recommenceras à t'en servir, plus vite tu te remettras. »

Nuage de Cendre s'efforça de se lever en grimaçant.

« Essaie de t'appuyer un peu dessus », suggéra Feuille de Lune.

Nuage de Cendre obéit prudemment.

« Aïe ! gémit-elle en se laissant tomber dans son nid. ça fait trop mal, et je suis trop fatiguée.

— Avale ces feuilles, répondit la guérisseuse en poussant les remèdes vers elle. Je vais chercher un autre cataplasme pour que ta patte dégonfle plus vite. »

Son expression était sombre. Était-elle inquiète, ou agacée ?

En attendant qu'elle revienne, Nuage de Houx décida de distraire son amie.

« Nuage de Givre a participé à sa première patrouille.

— Vraiment ? » miaula Nuage de Cendre sans conviction.

Nuage de Houx se creusa les méninges pour trouver d'autres choses à lui raconter. Devait-elle lui dire ce que Griffe de Ronce avait annoncé la veille au soir ? *Elle finira par l'apprendre, de toute façon.*

« Nuage de Pavot et Nuage de Miel recevront leurs noms de guerrières aujourd'hui. »

Nuage de Cendre tourna la tête et ferma les yeux.

« Ton tour viendra bientôt...

— Je veux juste dormir, marmonna Nuage de Cendre.

— Entendu. » Démoralisée, Nuage de Houx se dirigea vers la sortie. « N'oublie pas de prendre tes remèdes ! » lança-t-elle.

Son amie se contenta de grogner. Quand Nuage de Houx sortit de la tanière, elle croisa Nuage de Geai.

« Tu es debout de bonne heure, s'étonna-t-elle.

— J'étais parti examiner Millie. Tu as rendu visite à Nuage de Cendre ?

— Oui... Elle semble plus mal encore que la dernière fois.

— Elle se sentira mieux quand sa patte aura désenflé.

— Est-ce qu'elle pourra remarcher un jour ? demanda Nuage de Houx.

— Évidemment ! Ce n'est qu'une déchirure. Elle devrait guérir plus vite, cette fois. »

C'est vrai ? Elle scruta le visage de son frère.

« Nuage de Cendre refuse de bouger. La dernière fois, c'était l'inverse, elle refusait de se tenir tranquille !

— Elle est juste contrariée... Elle était tout près de devenir une guerrière, et à présent elle doit patienter.

— Mais Feuille de Lune semble vraiment inquiète.

— Pfff... Feuille de Lune... », siffla-t-il avec colère, avant de disparaître dans la tanière.

Elle le regarda partir avec stupeur. S'était-il fâché avec son mentor ?

« Nuage de Houx ! »

C'était Nuage de Renard. Le jeune apprenti faillit la percuter tant il arrivait vite.

« Le baptême de Nuage de Pavot et Nuage de Miel va bientôt commencer ! »

En levant la tête, la jeune chatte noire aperçut Étoile de Feu qui contemplait la clairière.

« Que tous ceux qui sont en âge de chasser s'approchent de la Corniche pour une assemblée du Clan ! » lança-t-il.

Cœur d'Épines et Tempête de Sable attendaient déjà avec leurs apprenties – elles avaient fait une toilette soignée et leur pelage luisait au soleil. Quant à leurs yeux, ils brillaient de mille feux.

Nuage de Houx se pressa de rejoindre Nuage de Lion au bord de la clairière. Elle frissonna. Elle n'avait qu'une lune de moins que Nuage de Pavot et Nuage de Miel. La prochaine fois, ce serait son tour.

« Imagine un peu ce qu'on doit ressentir quand on devient un guerrier ! murmura-t-elle à son frère.

— Quand ce sera à nous, tout le monde nous prendra enfin au sérieux », répondit-il, le poitrail gonflé.

Millie, dont le ventre était plus énorme que jamais, sortit de la pouponnière et inspecta la clairière. Son regard s'illumina lorsqu'elle aperçut Plume Grise. Poil de Souris sortit d'un pas raide de la tanière des anciens, au côté de Longue Plume. Il était dur de savoir qui guidait qui.

« À cette allure, il n'y aura bientôt plus d'apprentis pour aller chercher la mousse fraîche de ma litière », se plaignit Poil de Souris.

Nuage de Givre, qui passait à toute vitesse devant l'ancienne, s'arrêta net et la dévisagea d'un air grave.

« Moi, j'irai toujours te chercher la mousse la plus douce, Poil de Souris, promit-elle. Même quand je serai guerrière. »

La vieille chatte ronronna avant de la pousser affectueusement du bout du museau.

« File, canaille !

— Nuage de Givre doit être complètement folle », chuchota Nuage de Houx à Nuage de Lion, qui remua les moustaches d'un air amusé.

Flocon de Neige et Cœur Blanc s'étaient installés à l'ombre de la Corniche. Cœur d'Épines et Tempête de Sable les saluèrent d'un signe de tête. Les deux mentors s'étaient éloignés de Nuage de Pavot et de Nuage de Miel et s'étaient plaqués contre la roche comme pour permettre à Poil de Châtaigne et Poil de Fougère de venir dorloter leurs petits.

La guerrière nettoyait vigoureusement les oreilles de Nuage de Pavot.

« Je veux que tu sois toute belle, miaula-t-elle tandis que sa fille s'écartait.

— Elle est très jolie comme ça, ronronna Poil de Fougère avant de porter son regard plein de fierté sur Nuage de Miel. Elles le sont toutes les deux. »

Poil de Châtaigne baissa la tête, peinée.

« Petite Taupe devrait être là, lui aussi. »

Son seul fils était mort du mal vert avant même de quitter la pouponnière.

« Et Nuage de Cendre aussi. »

Flocon de Neige jeta un coup d'œil vers la tanière de la guérisseuse. Il redressa les moustaches en voyant les ronces remuer, puis les laissa retomber lorsque Feuille de Lune en sortit. Il avait sans doute espéré que son apprentie viendrait assister à la cérémonie.

Poil de Châtaigne quitta un instant ses deux autres filles pour courir vers la guérisseuse.

« Elle va bien ?

— Oui. Sinon, je ne l'aurais pas laissée seule. »

L'air inquiet de Feuille de Lune contredisait son ton joyeux. Poil de Châtaigne enfouit son museau dans l'épaule de son amie de toujours.

« Ça doit te rappeler l'accident de Museau Cendré », murmura-t-elle.

Feuille de Lune écarquilla les yeux comme si elle n'y avait jamais pensé avant.

« Et c'est exactement pour ça que je ne laisserai pas la même chose arriver à Nuage de Cendre.

— J'espère qu'elle a raison, cette fois-ci, marmonna Flocon de Neige à Cœur Blanc.

— Oui, tu verras. Le tour de Nuage de Cendre viendra bientôt. »

Nuage de Givre, elle, ne s'était pas calmée. Elle tournait autour de son frère en miaulant :

« J'ai hâte que ce soit mon tour. Je veux qu'on m'appelle Tempête de Givre. Tu crois que je pourrai choisir ?

— Non, c'est Étoile de Feu qui décide. Mais j'espère qu'il me nommera Chasseur de Renard.

— C'est un nom horrible !

— Pas du tout !

— Si, c'est vrai ! »

Fleur de Bruyère s'approcha de ses petits.

« Vous vous disputez encore ? s'enquit-elle en donnant un coup de langue sur le front de son fils pour aplatir une touffe de poils rebelles.

— C'est Nuage de Renard qui a commencé ! se défendit Nuage de Givre.

— Je me moque de savoir qui a commencé. Taisez-vous et écoutez Étoile de Feu. »

Paniquée, Nuage de Givre leva la tête et découvrit que son chef la toisait durement. À toute vitesse, son frère et elle contournèrent le groupe de chats rassemblés afin d'aller s'installer près de Nuage de Houx. Celle-ci ronronna en voyant la petite chatte blanche enrouler sa queue autour de ses pattes pour tenter de rester immobile.

Étoile de Feu s'approcha du bord de la Corniche.

« Moi, Étoile de Feu, chef du Clan du Tonnerre, j'en appelle à nos ancêtres pour qu'ils se penchent sur ces deux apprenties. Elles se sont entraînées dur pour comprendre les lois de votre noble code. Elles sont maintenant dignes de devenir guerrières à leur tour. » Il dévala l'éboulis et gagna le milieu de la clairière. D'un hochement de la tête, Tempête de Sable encouragea Nuage de Miel, qui paraissait avoir le trac. Cœur d'Épines poussa Nuage de Pavot en avant, et les deux novices approchèrent.

« Nuage de Pavot et Nuage de Miel, promettez-vous de respecter le code du guerrier, de protéger et de défendre le Clan, même au péril de votre vie ?

— Oui, murmura Nuage de Miel.

— Oui ! » s'écria Nuage de Pavot, dont le miaulement couvrit la réponse de sa sœur.

La jalousie serra la gorge de Nuage de Houx. Elle la repoussa. *Bientôt, ce sera moi.*

« Alors par les pouvoirs qui me sont conférés par le Clan des Étoiles, je vous donne vos noms de guerrières. » D'un mouvement de la queue, il fit avancer Nuage de Pavot. Elle obéit, le menton bien levé. Le museau contre la tête de la jeune chatte, Étoile de Feu poursuivit : « Nuage de Pavot, à partir de maintenant, tu t'appelleras Pavot Gelé. Nos ancêtres rendent honneur à ton courage et à ton sens de l'initiative. » Il jeta un coup d'œil à l'autre apprentie, qui s'avança à son tour. « Nuage de Miel, tu t'appelleras Pelage de Miel. Nos ancêtres rendent honneur à ton intelligence et à ta gentillesse. »

Du bout de la truffe, il lui frôla le front.

« Pavot Gelé ! Pelage de Miel ! » les acclamèrent leurs camarades.

Nuage de Houx miaula aussi fort qu'elle put, fière de ses deux camarades. Mais elle se tut dès qu'elle vit Pelage de Miel jeter un coup d'œil timide à Truffe de Sureau ; à croire que les félicitations du jeune guerrier comptaient plus pour elle que toutes les autres.

« J'aimerais bien que Nuage de Miel – euh, Pelage de Miel – arrête de soupirer après ce je-sais-tout, souffla-t-elle à l'oreille de son frère.

— Ce sera pire encore puisqu'ils vont de nouveau partager la même tanière. »

Nuage de Houx fut surprise par son ton méprisant. Après tout, il avait eu lui aussi des déboires sentimentaux. *Pense-t-il encore à Nuage de Myosotis de temps en temps ?* En tout cas, il ne mentionnait jamais son nom.

« On ne devrait jamais s'éprendre autant de quelqu'un, déclara-t-il, la tirant de ses pensées. Ça nous distrait et nous empêche de devenir les meilleurs guerriers possible. »

Soulagée par ses paroles, Nuage de Houx se colla à lui. Elle savait à quel point il lui avait été difficile de dire adieu à Nuage de Myosotis. Il avait pourtant fait le bon choix. Le *seul* possible.

Tandis que le silence revenait, Étoile de Feu reprit la parole :

« Je suis désolé de ne pas pouvoir baptiser Nuage de Cendre aujourd'hui. Cependant, je sais que, dès que sa patte sera guérie, le Clan tout entier sera ravi de l'accueillir comme nouvelle guerrière.

— Nuage de Cendre ! » clamèrent Pelage de Miel et Pavot Gelé, et tous reprirent en chœur.

Nuage de Houx jeta un coup d'œil plein d'espoir vers l'entrée de la tanière de Feuille de Lune. Est-ce que Nuage de Cendre s'était avancée sur le seuil ? Non, aucun signe de la blessée. Avait-elle seulement entendu la cérémonie ?

« Griffe de Ronce ! » Pendant que les guerriers retournaient à leurs tâches ou dans leurs gîtes, Étoile de Feu appela son lieutenant. « Va chercher Tempête de Sable, Poil de Fougère et Nuage de Houx. »

Nuage de Houx n'attendit pas que son père l'appelle. Elle se précipita sur la Corniche. Plume Grise y était déjà. Tempête de Sable et Poil de Fougère arrivèrent bientôt avec Griffe de Ronce.

« Que se passe-t-il ? » s'enquit le lieutenant.

Inquiète, Nuage de Houx tendit le cou, les moustaches frémissantes. Elle repensa aux paroles de Plume Grise : « Ce sont des nouvelles importantes. »

« La patrouille de l'aube a de nouveau flairé l'odeur du Clan du Vent de notre côté de la frontière, annonça le meneur avec gravité.

— Et cette fois-ci, nous avons trouvé la preuve qu'ils ne se sont pas contentés de pourchasser du gibier sur notre territoire. Ils l'y ont aussi tué.

— Tué ? répéta Poil de Fougère, sidéré.

— Comment osent-ils, après notre dernière mise en garde ?

— Nous ignorons leurs motivations, continua Étoile de Feu. Nous devons les découvrir avant de réagir.

— C'est évident, enfin ! s'emporta Griffe de Ronce. Ils sont avides !

— Nous n'en savons rien, rétorqua le meneur en gardant son calme.

— Nous devrions poster une patrouille à la frontière, déclara Tempête de Sable. Et les attaquer la prochaine fois qu'ils empiéteront sur notre territoire.

— Je sais ce que tu ressens. Cependant, ce n'est pas la meilleure solution. Je veux éviter un bain de sang.

— Ils nous volent notre nourriture ! rétorqua la guerrière, la fourrure hérissée.

— Et ils ne vont pas s'en tirer comme ça. Sauf qu'il est inutile de nous précipiter au combat alors que nous ignorons ce qui se passe.

— Tu refuseras donc toujours l'affrontement ? s'offusqua-t-elle.

— Je me battrai s'il le faut ! Mais je ne veux pas que le sang coule s'il y a un moyen pacifique de régler le problème.

— Nous avons déjà essayé de parlementer avec eux par le passé, rétorqua Griffe de Ronce. Tu agis comme s'ils étaient toujours nos alliés.

— Non. Je sais qu'ils ne le sont plus depuis longtemps…, répondit-il avec nostalgie. Les Clans sont tous rivaux, à présent. »

Nuage de Houx soutint le regard de son chef. *Pense-t-il au Grand Périple ? Ou à leur récent voyage dans les montagnes ?* Nuage de Houx sentit le doute l'envahir. Peut-être que ce voyage n'avait pas été une bonne idée. Peut-être que l'effacement des Clans menait à l'effacement des frontières. Et si les frontières disparaissaient, comment le gibier pourrait-il être partagé équitablement ? Il *devait* y avoir des règles, sinon seuls ceux qui étaient prêts à se battre en permanence survivraient ! C'était la raison pour laquelle le Clan des Étoiles voulait qu'ils suivent le code du guerrier. *Nous avons besoin du code tout autant que d'eau et de nourriture !* Nuage de Houx planta les griffes dans le sol. La survie des Clans dépendait du code. C'était aussi simple que ça.

« Alors quel est ton plan ? demanda Griffe de Ronce.

— Je veux que tu ailles voir Étoile Solitaire. Emmène Tempête de Sable, Poil de Fougère et Nuage de Houx. Découvre pourquoi il agit ainsi. Dis-lui que nous allons multiplier les patrouilles frontalières et que si nous surprenons des voleurs de gibier, nous les attendrons toutes griffes dehors.

— Très bien. Nous partons sur-le-champ. »

Le lieutenant s'en fut aussitôt en direction du tunnel de ronces, Poil de Fougère et Tempête de Sable sur les talons.

Je dois avertir Nuage de Lion ! Nuage de Houx inspecta la clairière. La queue de son frère dépassait de la tanière des anciens. Il devait sans doute nettoyer leurs litières.

Elle fila droit vers lui.

Son arrière-train se tortillait tandis qu'il jetait derrière lui des morceaux de litière défraîchie. De la mousse rance pleuvait tout autour de lui et il grommelait dans ses moustaches :

« Poil de Souris a raison. » Une boule de mousse frôla l'oreille de Nuage de Houx. « Il n'y a pas assez d'apprentis pour faire toutes les corvées et Petite Rose et Petit Crapaud ne deviendront pas des "Nuages" avant longtemps !

— Je pars pour le territoire du Clan du Vent », siffla Nuage de Houx.

Nuage de Lion fit volte-face.

« Pourquoi ?

— Nous allons prévenir Étoile Solitaire qu'il doit rester hors de notre territoire.

— Si seulement je pouvais venir… »

Le miaulement impatient de Griffe de Ronce retentit depuis le tunnel : « Nuage de Houx ! »

« Je te raconterai tout à mon retour ! »

Elle détala et disparut dans le tunnel avec le reste de la patrouille.

La forêt était lugubre. Pas un rayon de soleil ne filtrait entre les branches ; le ciel était bas et gris, l'air moite. Une odeur de feuilles sèches et d'écorce en décomposition flottait dans l'air. Les coussinets

117

de l'apprentie s'enfonçaient un peu dans le sol. La saison des feuilles mortes s'installerait bientôt.

Lorsque la patrouille sortit des bois, le vent aplatit les oreilles de Nuage de Houx et s'infiltra dans sa gueule. Il avait un goût de pluie. Elle plissa les yeux pour s'en protéger. En contrebas, la pente descendait jusqu'à la frontière ; la colline était couverte de bruyère.

« Pourquoi ne sommes-nous pas passés par le gué du torrent ? s'enquit-elle.

— Nous aurons une meilleure vue par ici, lui répondit Griffe de Ronce. Nous pourrons repérer de très loin une patrouille du Clan du Vent et leur faire signe sans poser une patte sur leur territoire. »

Nuage de Houx ouvrit la gueule afin de guetter le marquage du Clan rival. Une odeur forte lui emplit les narines. Elle fronça la truffe.

« Qu'est-ce que c'est que cette puanteur ? s'enquit-elle.

— Les moutons », lui apprit Poil de Fougère en plongeant dans un massif de bruyère.

Évidemment ! Elle sortit tant bien que mal de la haie derrière son mentor et elle reconnut les formes claires sur la colline.

« Pourquoi sont-ils si nombreux ? »

Ils parsemaient la lande comme autant de nuages sur un ciel gris-vert.

« La saison a dû être bonne pour eux, hasarda Poil de Fougère.

— Voilà la frontière », annonça Griffe de Ronce en s'arrêtant.

Nuage de Houx renifla la lande et détecta l'odeur éventée du Clan du Vent.

Tempête de Sable dressa soudain les oreilles.

« Des chiens ! »

Nuage de Houx se raidit. À moitié aveuglée par le vent cinglant, elle scruta les collines lointaines qui s'élevaient jusqu'à l'horizon gris. Elle discernait les silhouettes noir et blanc des cabots qui filaient dans la bruyère. Un Bipède restait près d'eux. Il agitait ses pattes avant et sifflait tel un oiseau poussant un cri d'alerte.

Est-ce que ces chiens chassent le Bipède ?

Elle observa plus attentivement. *Non.* Le Bipède semblait se servir des chiens pour chasser les moutons. Lorsqu'il tendait ses pattes avant, les molosses encerclaient les animaux pour les rassembler en un groupe bêlant de terreur. Avec un peu de chance, les moutons les occuperaient assez longtemps pour permettre à la patrouille d'atteindre le camp du Vent.

Griffe de Ronce scrutait la descente.

« Aucun signe de patrouille, annonça-t-il. Et, à en juger par leur marquage, ils ne sont pas venus ici depuis longtemps.

— C'est parce qu'ils sont trop occupés à chasser dans notre forêt, gronda Tempête de Sable.

— Est-ce qu'on rentre au camp prévenir Étoile de Feu ? demanda Poil de Fougère.

— Pas sans avoir parlé à Étoile Solitaire », répondit Griffe de Ronce.

Le lieutenant franchit la frontière et, d'un mouvement de la queue, il ordonna à sa patrouille de l'imiter.

Nuage de Houx suivait son mentor dans la bruyère du Clan du Vent, le cœur battant, la fourrure ébouriffée par les bourrasques. Griffe de Ronce menait le groupe, le menton levé, les oreilles dressées, aux aguets.

À mesure qu'ils progressaient, Nuage de Houx se sentait de plus en plus nerveuse. Quelque chose n'allait pas. Elle huma l'air, la truffe froncée à cause de la puanteur des moutons. Où étaient les oiseaux et les lapins ? Elle flaira de nouveau. Pas de patrouille ennemie, pas d'oiseaux, pas de lapins. À croire que la lande avait été désertée par tous sauf les moutons et les chiens.

Griffe de Ronce s'arrêta soudain, les poils dressés sur l'échine. Inquiète, Nuage de Houx releva la tête. Un gros rocher se dressait sur la pente verdoyante et, à son sommet, se découpait la silhouette d'un chat. Un guerrier du Clan du Vent !

« Restez où vous êtes ! »

Nuage de Houx reconnut Poil de Lièvre, un jeune mâle brun et blanc. Il les foudroyait du regard en montrant les crocs.

« Il n'y a pas suffisamment de gibier chez vous ?

— Comment ose-t-il nous accuser, nous ? feula Tempête de Sable.

— Attention, lui souffla Griffe de Ronce. Nous sommes bien sur son territoire. »

Deux autres félins apparurent près de Poil de Lièvre : Patte Cendrée, le lieutenant du Clan du Vent, et Plume de Hibou. La haine embrasait leur regard.

Griffe de Ronce s'avança sans laisser à Patte Cendrée le temps de s'exprimer.

« Nous sommes venus parler avec Étoile Solitaire.

— Nous venons en paix, ajouta Tempête de Sable.

— Retournez d'où vous venez ! ordonna Patte Cendrée.

« — Pas avant d'avoir vu Étoile Solitaire », insista Griffe de Ronce.

Plume de Hibou plissa les yeux et déclara :

« Le Clan du Tonnerre devrait arrêter de croire qu'il peut aller et venir sur le territoire du Clan du Vent comme bon lui semble ! Je parie que vous n'allez pas voir Étoile de Jais aussi souvent !

— Rentrez chez vous, gronda Patte Cendrée. Étoile Solitaire ne vous doit aucune faveur.

— Nous avons promis à Étoile de Feu que nous parlerions à Étoile Solitaire. Nous voulons seulement lui parler ! » feula Griffe de Ronce en avançant.

Poil de Lièvre sauta du rocher et atterrit juste devant Griffe de Ronce.

« Plus un pas ! »

Nuage de Houx sortit les griffes, prête à défendre ses camarades.

« Nous voulons voir Étoile Solitaire », répéta le lieutenant tacheté d'un ton calme.

Il leva la patte pour faire un pas supplémentaire.

Poil de Lièvre bondit sur lui, toutes griffes dehors.

D'un seul coup de patte, Griffe de Ronce fit tomber le jeune guerrier. Tout en le maintenant au sol, il décocha un regard noir à Patte Cendrée.

« Nous venons en paix », assura-t-il, la mâchoire serrée.

La guerrière sauta à son tour du rocher en jetant un coup d'œil plein de désarroi à son camarade.

« S'il te plaît, relâche-le ! l'implora-t-elle, et son ton désespéré étonna Nuage de Houx.

Griffe de Ronce recula et laissa Poil de Lièvre se relever. Le jeune félin lui cracha au museau.

Paniquée, Patte Cendrée s'interposa entre les deux mâles.

« Il faut vraiment que vous partiez, miaula-t-elle d'un ton presque suppliant. Étoile Solitaire n'a rien à vous dire. »

Griffe de Ronce hésita, avant de hocher la tête. Il fit demi-tour en agitant la queue. Au signal, Nuage de Houx suivit ses camarades pour regagner la frontière. La novice était si indignée que sa fourrure avait doublé de volume.

« C'est trop injuste ! lança-t-elle à Poil de Fougère. Nous n'avons rien volé, nous ! Nous étions juste venus pour donner à Étoile Solitaire une chance de s'expliquer !

— Tu ne trouves pas qu'ils avaient l'air maigres ?

— Les guerriers du Clan du Vent sont toujours maigres. »

Mais il avait raison. Les trois membres du Clan du Vent étaient encore plus décharnés que d'habitude.

Griffe de Ronce jeta un coup d'œil en arrière vers Poil de Fougère pour lui demander son avis :

« Tu crois qu'ils ont des problèmes ?

— Cela expliquerait qu'ils nous aient renvoyés, miaula Tempête de Sable.

— Ils ne voulaient sans doute pas que nous voyions à quel point ils sont affaiblis », ajouta le mentor de Nuage de Houx.

Celle-ci repensa à l'absence d'odeurs de lapins et d'oiseaux.

« Et qu'est-il arrivé à leur gibier ? » lança-t-elle à la cantonade.

Personne d'autre n'était assez rapide pour leur voler leurs lapins.

Poil de Fougère inclina la tête vers les moutons et les chiens qui aboyaient au loin.

« C'est peut-être eux qui ont effrayé les lapins et les oiseaux. »

L'estomac de Nuage de Houx se noua.

« Ça ne leur donne pas le droit de nous voler notre gibier ! » s'emporta-t-elle.

Les choses ne pouvaient pas changer. Il devait y avoir quatre Clans autour du lac. Si le territoire du Clan du Vent ne leur fournissait plus de quoi survivre, qu'allait-il arriver aux autres frontières ?

À leur retour au camp, Griffe de Ronce et Tempête de Sable bondirent vers la Corniche pour faire leur rapport à Étoile de Feu.

Nuage de Houx aperçut Nuage de Lion qui avançait la queue basse au bord de la clairière. Une grosse boule de mousse pendait de sa gueule, et des brins constellaient son pelage.

« Ne me dis pas que tu nettoies encore l'antre des anciens !

— J'ai fini depuis longtemps ! répondit-il en crachant la mousse. Je m'occupe de la pouponnière, maintenant.

— Laisse-moi t'aider.

— Je croyais que tu étais trop occupée à patrouiller le long des frontières...

— Arrête de ronchonner, rétorqua-t-elle en lui rabattant l'oreille. J'ai eu moi aussi ma dose de nettoyage de litières.

— C'est pas faux... »

— Sortons ces saletés du camp et allons chercher de la mousse propre. »

Elle prit une grosse boule dans la gueule qu'elle alla jeter dans des buissons de l'autre côté du tunnel de ronces.

Nuage de Lion balança son fardeau près du sien.

« J'en ai ras le bol de la mousse !

— Nous aurons fini en un rien de temps. Regarde ! Il y a de la litière fraîche entre les racines de cet arbre. »

Nuage de Lion la rejoignit tandis qu'elle commençait à décoller la mousse douce de l'écorce rêche.

« Tu ne veux pas savoir ce qui s'est passé ? s'étonna-t-elle.

— Désolé, soupira-t-il. Je suis de mauvais poil depuis ton départ. Un vrai chaton jaloux... Alors, que s'est-il passé ? s'enquit-il en arrachant une longue bande de mousse qu'il laissa pendre au bout de sa griffe.

— Patte Cendrée nous a chassés avant même qu'on arrive au camp.

— Elle vous a chassés ? s'exclama-t-il en laissant tomber la mousse.

— Nous n'avons même pas pu lui expliquer la raison de notre visite. Ils nous ont accusés de venir voler leur gibier.

— C'est un comble !

— Je sais bien ! dit-elle, et elle déposa une nouvelle bande de mousse sur leur tas. Mais je crois que nous avons découvert pourquoi ils le font.

— On s'en fiche, de savoir pourquoi !

— Leur propre gibier a disparu, poursuivit-elle, ignorant son commentaire.

— Ce n'est pas une excuse.

— Certes. Au moins, nous savons ce qui se passe. » *Et nous pourrons résoudre le problème avant qu'il s'aggrave.*

« J'espère qu'Étoile de Feu enverra une patrouille pour leur donner une bonne leçon. »

Nuage de Houx se retint de lui donner raison. Elle voulait rester rationnelle. Il fallait empêcher le Clan du Vent de voler leur gibier, sans l'affaiblir. Les quatre Clans devaient rester forts.

« Étoile de Feu pense que nous ne devons pas les attaquer, reprit-elle. Il va juste multiplier les patrouilles.

— On a déjà fait ça, s'emporta Nuage de Lion. Maintenant, il faut faire comprendre une bonne fois pour toutes qu'ils ne doivent pas chasser chez nous. »

Son regard était si féroce qu'elle se surprit à reculer.

« Tu veux qu'il y ait une bataille ? » hoqueta-t-elle.

Pensait-il seulement aux frontières ?

« Pas toi ? fit-il.

— Je veux que le Clan du Vent reste sur son territoire. Les frontières sont les frontières. »

Si elles disparaissaient, qu'adviendrait-il des Clans ? Le code du guerrier disparaîtrait-il lui aussi ? Un frisson d'effroi courut le long de son échine.

Nuage de Lion reprit sa tâche et arracha une nouvelle bande de mousse. L'écorce se brisa et projeta une pluie d'échardes dans le petit tas qu'ils avaient récolté.

Cette litière doit servir aux nouveau-nés ! songea Nuage de Houx, affolée par son insouciance. Elle devinait en voyant les muscles de son frère se contracter sous sa fourrure qu'il pensait déjà au combat, pas aux chatons. Était-ce là tout ce qu'il tirait de son pouvoir ? Le besoin de se battre à la moindre occasion ?

Nuage de Houx frémit. Dans ce cas, y aurait-il quelqu'un capable de vaincre son frère ?

CHAPITRE 7

Nuage de Lion ôta un énième brin de mousse de son pelage. À force d'en sortir et d'en remettre dans les tanières, il en avait plein les poils et ça le démangeait de partout. Sans parler des courbatures. Il soupira, la tête levée vers le soleil qui disparaissait derrière les arbres. La patrouille du soir était partie sans lui.

Quelle journée ennuyeuse ! Frustré, il se dirigea vers le repaire des apprentis. Il n'avait rien d'autre à faire que dormir, alors qu'il avait une folle envie d'aller courir dans la forêt pour se dégourdir les pattes et sentir le vent dans sa fourrure.

Il se glissa dans le roncier, où Nuage de Renard et Nuage de Givre bavardaient comme des pies.

« Aile Blanche m'a appris à rouler au sol, se vantait Nuage de Givre.

— Et moi, j'arrive à me battre sur mes pattes arrière, rétorqua Nuage de Renard. Tu veux voir ? »

Il fallut un instant à Nuage de Lion pour comprendre que le jeune apprenti s'adressait à lui. Las, il hocha la tête et regarda la boule de poils se dresser sur ses pattes flageolantes avant de trébucher dans la mousse de son nid.

« J'y arrivais mieux cet après-midi ! ronchonna Nuage de Renard en se relevant.

— Je n'en doute pas. »

Nuage de Lion enviait l'entrain de son petit camarade. Depuis leur retour des montagnes, il avait l'impression que sa vie n'était qu'une succession de corvées barbantes. S'il était utile de nourrir le Clan et de nettoyer les tanières, il lui tardait surtout d'avoir une nouvelle occasion de se servir du pouvoir qui palpitait dans ses pattes.

Il se roula en boule dans son nid.

« Regarde ! lança Nuage de Renard. J'y arrive, cette fois-ci. »

Nuage de Lion ne daigna même pas relever la tête.

« Montre-lui comment tu traques le gibier », l'encouragea Nuage de Givre.

Nuage de Lion sursauta lorsque Nuage de Renard lui sauta dessus, luttant avec sa queue comme s'il s'agissait d'un serpent. Furieux, Nuage de Lion repoussa l'apprenti.

« Hé ! protesta Nuage de Givre, comme pour protéger son frère.

— Restez dans vos nids et laissez-moi dormir !

— Tu n'es plus du tout drôle ! » grommela Nuage de Renard.

Le roncier frémit lorsque Nuage de Houx se faufila à l'intérieur.

« Nuage de Lion a poussé Nuage de Renard ! lança Nuage de Givre à l'apprentie noire.

— Je peux me défendre tout seul, objecta le petit rouquin.

— Je crois que Nuage de Lion est fatigué, les rassura Nuage de Houx. Je suis certaine qu'il voudra jouer avec vous demain matin. »

Elle s'installa près de son frère et se mit à lui faire sa toilette. Il la laissa le débarrasser des derniers brins de mousse avec reconnaissance, et les coups de langue cadencés finirent par le calmer.

« Réjouis-toi, miaula-t-elle. Poil de Fougère vient de me dire que nous partons tous deux en patrouille demain matin. »

Nuage de Lion dressa les oreilles.

« Étoile de Feu envoie des patrouilles supplémentaires sur la frontière du Clan du Vent, pour guetter d'éventuels envahisseurs. »

Enfin ! Nuage de Lion éprouva une espèce de joie sombre à l'idée d'affronter les voleurs de gibier.

« Nous ferions mieux de dormir, conseilla sa sœur. Nous devons être à la frontière dès l'aube. »

Nuage de Lion ferma les yeux, soulagé de pouvoir se montrer utile dans le domaine où il excellait.

« Nuage de Lion ! »

Le cri d'Étoile du Tigre l'éveilla. Lorsqu'il ouvrit les yeux, il vit qu'il se trouvait sur de la terre battue, au milieu d'une forêt dense où les pins semblaient murmurer dans le vent léger.

Il rêvait.

Scrutant la lugubre forêt, il aperçut son mentor nocturne qui sortait des bois. Plume de Faucon était déjà assis dans la combe semée d'aiguilles de pin – ses yeux ambrés luisaient dans le clair-obscur.

« J'espère que tu es prêt, le mit en garde Étoile du Tigre. Je vais t'apprendre à déséquilibrer n'importe quel guerrier, quelle que soit sa taille. »

Du bout de la queue, il fit signe à Plume de Faucon de s'approcher.

« Qu'est-ce que je dois faire ? s'enquit l'apprenti en sortant les griffes.

— Tu n'es pas encore assez lourd pour avoir le dessus sur n'importe qui, déclara Étoile du Tigre. Cela viendra. En attendant, sers-toi de ta petite taille comme d'un avantage. Tu devras être rapide. Glisse-toi discrètement sous ton ennemi afin de lui griffer les pattes arrière. Il se tournera, pensant te trouver derrière lui, alors que tu seras devant lui, pour profiter de son déséquilibre.

— Et comment je reste devant lui sans me faire lacérer ?

— Je te l'ai dit. Sois rapide ! Essaie sur lui », conclut-il en contournant son fils.

Nuage de Lion s'accroupit pendant qu'Étoile du Tigre s'écartait de son chemin. Il se concentra sur l'espace sous le ventre blanc de Plume de Faucon et banda ses muscles. Puis il bondit. Plongeant sous le guerrier haut sur pattes, il frappa, sans sortir les griffes, les pattes arrière du matou comme Étoile du Tigre le lui avait indiqué. L'autre se tourna au-dessus de lui, dressé sur ses pattes arrière. Nuage de Lion recula à toute vitesse et fit tomber sans effort son adversaire déjà déséquilibré.

« Excellent », ronronna Étoile du Tigre.

Plume de Faucon se remit sur ses pattes et s'ébroua pour faire tomber les aiguilles de pin de son pelage.

Nuage de Lion releva le menton et, tout fier, se tourna vers son mentor nocturne.

« Pas mal, hein ? »

Au même instant, deux pattes puissantes le firent basculer et il se retrouva cloué au sol. Nuage de Lion avait beau se débattre, hoquetant de surprise, Plume de Faucon tenait bon, ses larges pattes écrasant le flanc de l'apprenti.

« Ne jamais tourner le dos à l'ennemi avant de l'avoir tué ! lança Étoile du Tigre.

— Alors, qu'as-tu découvert de nouveau concernant ta prophétie ? le railla Plume de Faucon.

— Je n'y pense plus, mentit Nuage de Lion.

— Le Clan des Étoiles ne t'a pas encore nommé chef de la forêt, alors ? » ajouta le matou d'un ton sarcastique.

Une douleur fulgurante traversa les côtes de Nuage de Lion. Plume de Faucon le griffa profondément avant de le relâcher.

En se remettant d'un bond sur ses pattes, l'apprenti guerrier sentit le sang couler sur sa fourrure. Il vit rouge. Pourquoi ne prenaient-ils pas la prophétie au sérieux ? Cela pourrait être son arme la plus puissante. Néanmoins, ils avaient réussi à semer le doute dans son esprit. *Et s'ils avaient raison et que ce ne soit rien d'autre que le rêve d'Étoile de Feu ?*

« Debout ! »

Un museau s'enfonçait dans ses côtes, là où Plume de Faucon l'avait griffé. Il grimaça de douleur et se leva péniblement.

Nuage de Houx était assise près de lui.

« La patrouille va bientôt partir. »

La lumière du petit matin filtrait dans la tanière. Une pluie légère crépitait sur les branches.

Nuage de Houx se lécha la truffe.

« Du sang ? » s'étonna-t-elle avant de se lécher de nouveau en louchant vers le flanc de son frère.

Abasourdi, Nuage de Lion donna un coup de langue sur sa blessure. Il n'avait jusque-là pas compris que la frontière séparant le rêve de la réalité était si floue.

« Il doit y avoir une épine dans ton nid », conclut Nuage de Houx, qui poussa son frère pour inspecter la mousse.

Des pas résonnèrent dehors, dans la clairière.

« Nous la trouverons plus tard, miaula Nuage de Lion. On dirait qu'ils se préparent à partir. »

Le frère et la sœur sortirent sans bruit.

« Nous n'attendions plus que vous, déclara Pelage de Granit en remuant les moustaches pour en faire tomber des gouttelettes. Allons-y !

— Attends ! le héla Étoile de Feu, qui descendit de la Corniche. Rappelez-vous que vous allez chercher des preuves qu'on nous vole du gibier. Je ne veux pas que vous vous battiez avec d'éventuels intrus. Si vous en trouvez, venez me faire votre rapport, expliqua-t-il d'un air préoccupé. C'est bien plus grave qu'une simple escarmouche de frontière. S'il doit y avoir une bataille, elle doit être décisive, conclut-il en les passant en revue. C'est compris ? »

Nuage de Lion hocha la tête, tout comme ses camarades.

« Bien. »

Alors que le chef regagnait son antre, Poil de Fougère se glissa entre les deux apprentis.

« Vous êtes prêts, tous les deux ? »

Pelage de Granit détalait déjà vers le tunnel. Nuage de Lion s'élança à sa suite, les pattes claquant sur le sol boueux. Le tunnel l'abrita brièvement de la pluie, puis il se retrouva sous les arbres dégoulinants. Nuage de Houx et son mentor cavalaient derrière lui, ils les entendaient déraper sur les feuilles glissantes. Il sortit les griffes pour avoir plus de prise sur le sol. Une énergie brûlante envahissait tout son corps.

Pelage de Granit, qui filait en tête de la patrouille, semblait tout petit sous les arbres. Nuage de Lion allongea sa foulée et regagna du terrain. *Je pourrais atteindre la frontière d'un seul bond si je le voulais.* Un pouvoir immense coulait dans ses veines. *Et si nous croisons le Clan du Vent, je pourrai les battre jusqu'au dernier.* La douleur disparut de son flanc, comme s'il guérissait déjà. La pluie lava le sang de sa fourrure. *Plume de Faucon ferait bien de se méfier, la prochaine fois.*

Devant lui, Pelage de Granit obliqua pour suivre le sentier. Mais Nuage de Lion connaissait un meilleur chemin. Il coupa à travers les fougères. Lorsqu'il en rejaillit de l'autre côté, Pelage de Granit le regarda avec stupeur. L'apprenti était devant lui, à présent.

« Ralentis ! ordonna le guerrier. C'est moi qui dirige cette patrouille ! »

Nuage de Lion obéit et laissa Pelage de Granit le dépasser. Les yeux bleus du matou brillaient de colère.

Droit devant, le torrent qui marquait la frontière scintillait entre les arbres. Pelage de Granit pressa l'allure. Il sauta par-dessus un massif de carottes sauvages avant de s'arrêter au bord de l'eau. Nuage de Lion s'immobilisa derrière lui, la fourrure trempée par la pluie.

« Au nom du Clan des Étoiles, à quoi pensais-tu ? le rabroua son mentor. Tu aurais pu tomber dans une embuscade ! »

Nuage de Houx et Poil de Fougère les rejoignirent.

« Je voulais juste prendre un raccourci.

— Eh bien, la prochaine fois, reste à ta place !

— Il y a un problème ? s'enquit Poil de Fougère.

— Rien que je ne puisse régler seul », répliqua le guerrier gris.

Nuage de Houx lança à son frère un regard lourd de reproches. Celui-ci haussa les épaules.

Poil de Fougère huma l'air.

« La pluie a effacé toutes les odeurs.

— Nous trouverons peut-être d'autres indices, répondit Pelage de Granit. Séparons-nous, nous serons plus efficaces.

— Entendu. Mais restons à portée de voix. Nous ignorons ce que nous allons découvrir. »

Pendant que les autres s'éloignaient en reniflant la moindre feuille et la moindre brindille, Nuage de Lion scruta l'aval du torrent. Des buissons bordaient la rive. Était-il possible qu'un membre du Clan du Vent s'y soit abrité de la pluie ? Dans ce cas, l'odeur était peut-être toujours perceptible.

Il se glissa sous un groseillier, où le sol était plus sec. Il flaira le tronc. Rien. Lorsqu'il s'extirpa de sous l'arbuste, quelque chose lui piqua la truffe. Un large buisson de houx poussait à côté – ses feuilles cireuses luisaient sous la pluie. Plissant les yeux pour se protéger des piquants, il se faufila à l'intérieur. Au fur et à mesure de sa progression, de la boue se collait sur son ventre et des feuilles pointues lui grattaient le dos.

« Qu'est-ce que tu fais ? souffla Nuage de Houx, non loin. Tu te protèges de la pluie ?

— Chut ! » Nuage de Lion sentait une infime odeur de Clan du Vent.

Il remua prudemment les feuilles piquantes amassées au pied de l'arbrisseau.

« J'ai trouvé quelque chose ! s'exclama-t-il en s'extirpant de là à reculons, la fourrure ébouriffée et salie. Regarde ! »

Il sortit des branches les restes d'un merle.

« Qu'est-ce que c'est ? » s'enquit Pelage de Granit, qui avait accouru, suivi de Poil de Fougère.

Le paquet de plumes et d'os sanglants était encore chaud. L'odeur du Clan du Vent se mêlait à celle de la proie. Elle avait été attrapée par un chasseur rival et mangée aussitôt, à l'abri du buisson.

« On a dû les rater de peu », gronda Poil de Fougère.

Nuage de Houx contemplait la dépouille de l'oiseau avec stupéfaction.

« Belle trouvaille, pas vrai ? lui demanda son frère en lui donnant un petit coup dans l'épaule.

— Ils enfreignent le code du guerrier ! s'indigna-t-elle. Ils devraient rapporter leurs prises chez eux, pour les anciens et les reines. Au lieu de se goinfrer aussitôt !

— Tu parles, des chats capables de voler du gibier se moquent sans doute du code du guerrier !

135

— Ils doivent être désespérés », soupira Poil de Fougère.

Pelage de Granit poussa la dépouille vers lui en déclarant :

« Rapporte ça à Étoile de Feu. J'emmène Nuage de Houx et Nuage de Lion pour inspecter l'amont du torrent.

— Est-ce bien nécessaire ? s'étonna le guerrier doré, la queue tendue vers les ronces qui couvraient la rive plus haut. Le Clan du Vent n'a pas l'habitude de se frayer un passage dans ce genre de broussailles.

— L'un d'eux a pourtant réussi à se glisser sous le buisson de houx, contra Nuage de Lion, qui n'avait pas envie de rentrer tout de suite au camp.

— Ça vaut la peine de vérifier, confirma Pelage de Granit.

— Ne tardez pas », répondit Poil de Fougère, qui prit la carcasse dans la gueule et disparut entre les arbres.

Nuage de Lion scruta la rive du regard en plissant les yeux pour les protéger de la pluie. C'était une vraie jungle de ronces. Un guerrier du Clan du Vent s'y cachait peut-être. Il se dirigea vers une petite trouée dans la roncière en contractant les épaules, prêt à batailler avec les épines pour se frayer un passage.

« Attends ! le héla Nuage de Houx avant de le retenir par la queue. Tu vas te faire lacérer si tu essaies de te glisser dans ce trou de souris ! Laisse-moi y aller, je suis plus petite. Je passerai sans problème.

— Je ne serai pas blessé, la rassura Nuage de Lion. Ce ne sont que des épines.

— Allez, Nuage de Lion, ordonna Pelage de Granit. Laisse-la passer. »

Contrarié, le novice s'écarta et sa sœur se faufila prudemment dans les ronces.

« Nous irons par là, lui indiqua le guerrier tout en contournant la roncière pour aller renifler les racines mouillées d'un hêtre qui poussait sur la berge.

— Je vais aller voir plus près de l'eau. »

Nuage de Lion se laissa glisser dans la pente et longea le torrent malgré l'eau qui lui éclaboussait les pattes. Il renifla la moindre touffe d'herbe et écarta les feuilles de chaque plante pour vérifier que rien n'y était caché.

Un bouquet de fougères bloqua soudain sa progression. Il entrouvrit la gueule pour mieux détecter les odeurs. Lorsqu'il tendit la patte vers les frondes, un miaulement retentit au-dessus de lui.

« Rien dans la roncière ! » annonça sa sœur en dévalant la pente.

Ses yeux étaient écarquillés, et sa fourrure hérissée malgré la pluie.

« Tu en es certaine ? insista-t-il, étonné qu'elle semble si excitée alors qu'elle n'avait soi-disant rien trouvé.

— Certaine. Il n'y a que des épines. Pelage de Granit veut que nous retournions au camp. »

Toujours méfiant, Nuage de Lion la rejoignit en surplomb de la berge, où Pelage de Granit attendait.

« Le Clan du Vent est manifestement rentré chez lui, miaula le guerrier gris. Nous perdons notre temps.

— Oui, confirma aussitôt Nuage de Houx. Rentrons. »

Nuage de Lion la regarda à la dérobée. *Que manigance-t-elle ?*

Pelage de Granit s'éloignait déjà vers les arbres, suivi de Nuage de Houx. *Elle a découvert quelque chose. Pourquoi le cacher ?* Cette idée le tourmentait tandis qu'il bondissait pour les rattraper.

« Attends ! lança-t-il à Pelage de Granit, qui s'arrêta pour se tourner vers lui.

— Qu'y a-t-il ? s'enquit Nuage de Houx en pivotant vers lui, la fourrure en bataille.

— J'ai entendu quelque chose sur la rive, mentit Nuage de Lion. Je veux retourner voir ce que c'était.

— Qu'est-ce que tu as entendu ? demanda son mentor.

— Je ne sais pas trop… Rien, sans doute. Je préfère m'en assurer.

— Je viens avec toi, déclara Nuage de Houx, en agitant le bout de la queue.

— Non, ça ira. »

Sa sœur semblait sceptique.

« Je vous rattraperai sans doute avant même que vous soyez arrivés au camp, ajouta-t-il, le regard fuyant.

— Vas-y, dans ce cas, miaula Pelage de Granit. Mais si tu vois quoi que ce soit de louche, viens tout de suite m'avertir. Ne joue pas au héros. La situation est bien trop grave.

— Entendu. »

Il retourna à toute allure à la roncière. En s'y faufilant, Nuage de Houx avait un peu agrandi l'ouverture et il n'eut aucun mal à s'y introduire, malgré les épines qui lui chatouillaient le dos. Au moins, il était au sec.

Une odeur âcre lui parvint aussitôt. *Un renard !* Était-ce cela qui avait perturbé sa sœur ? Pourquoi ne pas avoir averti Pelage de Granit ? Il continua à avancer, mais avec prudence. Il se rappelait trop bien son équipée avec son frère et sa sœur, alors qu'ils étaient partis chasser le renard lorsqu'ils n'étaient encore que des chatons. Pour finir, ils s'étaient fait poursuivre par des renardeaux et avaient failli y laisser leur peau.

Soudain, les ronces s'espacèrent pour révéler une cavité dans le sol. *Nuage de Houx a trouvé une renardière !* Elle n'avait pas servi depuis longtemps, à en juger par l'odeur éventée.

Nuage de Lion rampa vers le trou et jeta un coup d'œil dans l'obscurité. Le parfum de sa sœur se mêlait à la puanteur du renard. Elle était entrée là ! Impressionné par son courage, il se glissa dans les ténèbres, le cœur battant. Le tunnel était si étroit que ses épaules frôlaient la terre froide. La pente s'accentua tout à coup. Nuage de Lion remua les moustaches en sentant la terre humide lui coller aux pattes. La tanière du renard ne devait plus être très loin. Cependant, le tunnel se poursuivit, encore et encore, toujours plus profondément, et Nuage de Lion commença à se demander s'il ne perdait pas son temps. Pourtant, *quelque chose* avait bel et bien effrayé Nuage de Houx, et il devait découvrir quoi. Il continua d'avancer, troublé par le silence. Quelle créature pouvait bien vivre si loin sous terre ?

Soudain un courant d'air lui chatouilla la truffe. Il y avait une ouverture, un peu plus loin. Il suivit le tunnel qui tournait brusquement et se rendit compte que ce n'était plus de la terre mais de la pierre, sous ses pattes. Le vent frais caressait ses moustaches. Le tunnel s'élargit devant lui et Nuage de Lion hoqueta de stupeur : ce n'était pas seulement une tanière de renard. La lumière filtrait juste assez pour qu'il devine que les parois étaient elles aussi en pierre et qu'une voûte hérissée de pointes rocheuses se trouvait au-dessus de sa tête. Une odeur d'eau et de pierre flottait là – odeur qu'il n'avait jamais flairée dans la forêt mais qui lui était pourtant douloureusement familière. *Ce tunnel doit mener à la rivière noire !* Des images de Nuage de Myosotis et de l'inondation des tunnels défilèrent devant ses yeux. Ses poils se dressèrent le long de son échine. Nuage de Houx avait trouvé une autre entrée !

Pourquoi le lui avoir caché ? Nuage de Lion griffa la roche sous ses pattes. En fait, il savait très bien pourquoi.

Elle a peur que je retourne voir Nuage de Myosotis ! La colère bouillonna en lui. *Je suis un guerrier loyal du Clan du Tonnerre ! Ne me fera-t-elle donc jamais confiance ?*

CHAPITRE 8

« **M**ES CHATONS ! »

Nuage de Geai ne put s'empêcher de soupirer. Chipie ne s'inquiétait toujours que pour ses petits. Le reste du Clan pouvait bien mourir de faim, elle ne s'en souciait guère. On reconnaissait à cela qu'elle n'était pas née dans le Clan. Depuis qu'Étoile de Feu avait révélé à tous que le Clan du Vent leur volait du gibier, il régnait une atmosphère d'inquiétude mêlée d'excitation dans le camp. La dépouille du merle gisait au centre de la clairière, où Poil de Fougère l'avait laissée tomber.

Chipie enroula sa queue touffue autour de Petite Rose et Petit Crapaud.

« Laisse-moi tranquille ! » gémit le petit chat gris, qui griffa le sol pour échapper à sa mère.

Bien fait ! se dit l'apprenti guérisseur en s'éloignant de la pouponnière, où il était allé examiner Millie.

« Nous devons leur apprendre à respecter les frontières ! gronda Cœur d'Épines.

— J'espère affronter un jour Étoile Solitaire, feula Pelage de Poussière, dont la queue balayait

141

le sol. Il nous a volé bien trop souvent, ce cœur de renard !

— Le Clan du Vent a tellement changé depuis la mort d'Étoile Filante... », gémit Poil de Souris, qui allait et venait devant la tanière des anciens.

Étoile de Feu se dressait sur la Corniche. À son côté, Poil de Fougère était encore essoufflé par sa course folle à travers la forêt.

« Nous déploierons des patrouilles supplémentaires, annonça le meneur pour rassurer son Clan. Dont une avant la patrouille de l'aube pour protéger notre gibier. »

Si son ton était neutre, Nuage de Geai percevait son angoisse, qui émanait de lui en vagues puissantes.

Le Clan du Vent ! songea Nuage de Geai en faisant le gros dos. Ils avaient peut-être du mal à se nourrir, mais le vol de proies était une solution de lâches. Étoile Solitaire était le chef d'un Clan de *guerriers*. Comment pouvait-il les transformer en voleurs ?

Il retourna à sa tanière, soulagé de voir que Feuille de Lune n'était pas là – partie chercher des remèdes, sans doute. Il n'était guère surpris qu'elle ne lui ait pas proposé de l'accompagner. Depuis leur dispute, ils s'étaient à peine parlé. Elle s'était mis en tête que Nuage de Cendre devait absolument devenir une guerrière. Pourquoi une telle obsession ? Elle était butée, voilà tout. Et la présence de Nuage de Cendre, prostrée dans son nid, lui rappelait sans cesse leur querelle.

Tandis qu'il se faufilait entre les ronces, une voix l'appela faiblement de l'intérieur.

« Pourrais-tu m'apporter de l'eau ? »

Nuage de Cendre n'avait pas essayé de quitter sa litière. Même lorsque Étoile de Feu avait rassemblé le Clan pour annoncer la mauvaise nouvelle.

« Tu peux te déplacer jusqu'à la flaque », miaula-t-il avec humeur.

Silence.

« S'il te plaît ! » gémit-elle.

Comment pouvait-elle l'implorer de la sorte ? Elle était presque une guerrière ! Nuage de Geai s'approcha jusqu'à ce que ses moustaches frôlent celles de la chatte.

« Ta patte va guérir, lâcha-t-il. À condition que tu t'en serves !

— Et si elle ne guérit pas ? » miaula-t-elle, pitoyable.

Dès qu'il entendit cette question, son esprit fut envahi par un tourbillon d'images et de bruits. Il avait l'impression que son cœur chavirait. Il se tenait sur une bande d'herbe étroite, devant un Chemin du Tonnerre aussi large que le lac. Un rugissement l'assourdit et il se recroquevilla, terrorisé, lorsqu'un monstre fila devant lui, si près que son souffle lui aplatit la fourrure. Un autre gronda, venant de l'autre direction, puis un autre encore. La puanteur étouffante des monstres finit par lui piquer les yeux.

Soudain, l'un d'eux quitta sa trajectoire et fonça droit sur lui. Il voulut s'enfuir mais ses pattes glissaient sur l'herbe mouillée. Puis un éclair de douleur fulgurant lui traversa une patte et tout devint noir.

Il ouvrit les yeux en cillant. La lumière l'aveugla un instant, plus claire encore que les rayons du soleil. Des fougères se dressaient tout autour de lui, et le sol était moelleux, couvert d'herbe parfumée. Couché dans une clairière, il entrevoyait le ciel azur entre les feuilles. En plissant les yeux, il reconnut Étoile Bleue et Croc Jaune, qui murmuraient près de l'entrée d'un étroit tunnel. De temps en temps, l'une ou l'autre lui jetait un regard angoissé. Une douleur sourde palpitait dans sa patte et, lorsqu'il essaya de bouger, il comprit que son membre pendait, inerte.

« Tu te remets bien. » Étoile de Feu était penché au-dessus de lui, le museau couvert de fourrure toute douce, comme s'il était bien plus jeune. « Non, tu ne deviendras jamais une guerrière, murmura-t-il soudain avec tristesse. Je suis désolé. »

Ce sont les souvenirs de Museau Cendré ! Le chagrin de la jeune chatte fendait le cœur de l'apprenti guérisseur. Son désespoir et sa panique lui déchiraient le ventre. *J'ai tout perdu ! Tout !*

« Nuage de Geai ! »

Le miaulement inquiet de Nuage de Cendre le ramena au présent.

« Je pensais que tu ne savais pas…, murmura-t-il, encore déphasé.

— Que je ne savais pas quoi ?

— Museau Cendré… »

Il s'interrompit en sentant les moustaches de sa camarade lui effleurer les pattes.

« C'était la guérisseuse d'avant, c'est ça ? miaula la blessée, comme pour l'encourager à poursuivre.

— Que se passe-t-il ? demanda Feuille de Lune en déboulant dans la tanière. De quoi parlez-vous ? »

Nuage de Geai se tourna, le souffle coupé par le déluge de peur et de colère qui émanait de son mentor.

« Elle sait, pour Museau Cendré, souffla-t-il.

— Je sais quoi ?

— Non, elle ne sait *rien*, siffla la chatte tigrée. Elle ne doit *jamais* le savoir, tu comprends ? »

Les oreilles rabattues, Nuage de Geai recula.

« Mais… Mais… elle se souvient ! bégaya-t-il.

— Ne t'en fais pas, Nuage de Cendre, dit la guérisseuse avec douceur en écartant son apprenti. Nuage de Geai se demandait juste si Museau Cendré aurait essayé un autre remède sur ta patte. »

Menteuse ! Le novice était si furieux que ses oreilles devinrent brûlantes. Pourquoi tenait-elle tant à garder le secret ?

Feuille de Lune caressa le dos de sa patiente avec sa queue.

« Je savais que tu n'arriverais pas à me soigner, gémit celle-ci. Je ne serai jamais une guerrière, c'est ça ?

— Tu as besoin de repos. Tes oreilles me semblent trop chaudes. » Au froissement de la mousse, Nuage de Geai comprit qu'elle réajustait encore une fois le nid de la blessée. « Apporte-lui de l'eau, s'il te plaît. »

À pas lourds, Nuage de Geai gagna la flaque, prit une boule de mousse sur la pile et la trempa dans l'eau froide. *Si elle la chouchoute comme ça, évidemment que sa patte ne guérira pas !* Feuille de Lune se trompait du tout au tout ! Il laissa tomber la mousse trempée près du nid de sa camarade et sortit prendre l'air.

Sa rancœur envers son mentor se mêlait à ses visions de monstres et au souvenir de la douleur dans sa patte. Il s'arrêta à côté du rideau de ronces et inspira profondément en espérant que l'air frais l'aiderait à s'éclaircir les idées.

Le miaulement de Feuille de Lune le surprit :

« Nuage de Geai ?

— Je croyais que tu étais occupée à dorloter ta patiente.

— Désolée d'avoir été sèche avec toi. Elle ne doit pas le découvrir.

— Pourquoi ?

— Parce que ce ne serait pas juste, répondit-elle en s'asseyant lourdement. Elle ne doit pas être influencée par sa vie antérieure, tu comprends ?

— Mais… tu l'es bien, toi ! La traites-tu vraiment comme tu soignerais Pavot Gelé ou Pelage de Miel ? Chaque fois que tu l'approches, tu ne penses plus qu'à elle. »

Tout en parlant, il entrevoyait des bribes de souvenirs qui défilaient dans l'esprit de son mentor : un blaireau forçant le passage dans la pouponnière et mordant Museau Cendré, qui se dressait devant les nouveau-nés de Poil de Châtaigne.

« Tu vois, tu continues à ne penser qu'à elle ! Ce n'est pas ta faute si Museau Cendré est morte.

— Si, c'est ma faute ! protesta la chatte tigrée d'une voix empreinte de chagrin. Si je n'avais pas quitté le Clan… »

Une brume voila aussitôt ses pensées et Nuage de Geai ne vit plus rien.

« Tu dois arrêter de lire dans mon esprit ! protesta-t-elle.

« — Je ne peux pas m'en empêcher, lui expliqua-t-il. Ça arrive tout seul.

— Rien n'arrive tout seul avec toi, Nuage de Geai.

— Qu'est-ce que tu veux dire, exactement ? »

Il sentait qu'elle essayait de se calmer.

« Rien, miaula-t-elle, et ce fut comme si elle sombrait dans une lassitude infinie. Le Clan des Étoiles a renvoyé Museau Cendré parmi nous pour qu'elle vive la vie dont elle avait toujours rêvé. En tant que guerrière du Clan du Tonnerre. Je veux juste m'assurer que c'est bien ce qui va se passer.

— Alors pourquoi la laisses-tu moisir dans son nid comme une infirme ?

— Je ne veux plus qu'elle souffre.

— Tu l'as abandonnée à son sort ! l'accusa-t-il. Elle a trop peur pour bouger et toi tu as trop peur pour l'y contraindre.

— Ce n'est pas vrai !

— Ah oui ? Alors pourquoi tu n'irais pas lui dire que, la prochaine fois, elle pourra se lever toute seule pour aller boire ?

— Parce que je ne sais pas si ça l'aiderait ou si ça la découragerait davantage. »

Nuage de Geai n'en croyait pas ses oreilles. Comment Feuille de Lune avait-elle pu perdre toute confiance en elle ?

« Tu as examiné sa patte ! Tu sais que ce ne sont que ses muscles qui sont blessés !

— Mais je me suis trompée, auparavant ! J'ai affirmé qu'elle était prête pour son évaluation, et j'avais tort. » Elle ajouta d'une voix à peine audible : « J'ai trahi sa confiance, comme j'ai trahi celle du Clan des Étoiles.

— Tu renonces toujours aussi facilement ? rétorqua-t-il, plus furieux que jamais. Je pensais que c'était important pour toi, mais ça ne l'est peut-être pas tant que ça ! »

Sans attendre sa réponse, il traversa la clairière. Il voulait quitter la combe et aller le plus loin possible de Feuille de Lune. Lorsqu'il sortit du tunnel de ronces, Bois de Frêne, qui était de garde, l'interpella :

« Hé, Nuage de Geai ! Tu veux que quelqu'un t'accompagne ?

— Non ! »

Se fiant à la direction du vent et à l'odeur qu'il lui apportait, il alla droit vers le lac. L'atmosphère était froide et humide – le refroidissement était net depuis les dernières pluies. Il avançait vite, suivant un itinéraire qu'il connaissait bien. À l'orée des bois, il s'arrêta un instant. Le vent troublait la surface du lac, qui semblait clapoter tout près. Peut-être que l'air humide portait le son plus facilement. Nuage de Geai descendit sur les galets de la berge. Il fit un pas en avant et… splash !

Il avait plongé la patte dans l'eau, peu profonde heureusement. Il recula d'un bond en tremblant. Depuis qu'il était tombé dans le lac quand il était chaton, l'eau le terrifiait. Il escalada la berge pour se mettre à l'abri, le cœur battant. Il avait tellement plu que les eaux du lac avaient dû monter.

Mon bâton ! Paniqué, il longea la rive en restant sur le coteau herbeux jusqu'à ce qu'il atteigne la rangée d'arbres qu'il cherchait. Il se faufila entre les troncs en essayant de deviner lequel abritait le bâton entre ses racines. À force de renifler soigneusement le sol, il retrouva le sorbier où il l'avait coincé. Il soupira, soulagé. Il grimpa sur une grosse racine et se pencha. En contrebas, les vagues venaient lécher le coteau. Les griffes de ses pattes arrière plantées dans l'écorce, il plongea la patte avant dans l'eau à la recherche de son bâton.

Il n'est pas là ! Il tâtonna le creux sous la racine. De plus en plus paniqué, il se pencha davantage. L'eau vint lécher son autre patte avant, cramponnée à l'écorce. Tendant la patte aussi loin que possible, il fouilla le fond du trou, cherchant désespérément son bout de bois lisse. Les vagues lui léchèrent le museau et il dut recracher de l'eau.

Où est-il ? Est-ce que le lac l'avait repris ? Il risquait de ne plus jamais le revoir !

Un objet dur vint heurter sa truffe. Il flottait à la surface. Il le renifla puis s'étrangla car il avait inspiré de l'eau par les narines. Cependant, il avait eu le temps de reconnaître le bâton. Il donna des coups de patte dans l'eau pour essayer de le ramener vers lui, mais le bout de bois tanguait, hors de portée, chaque fois qu'il essayait d'y planter une griffe. Pourquoi était-il si lisse ? La peur le disputait à la frustration en lui.

« Au nom du Clan des Étoiles, que fais-tu ? »

Des mâchoires se refermèrent sur sa queue et on le tira sur le coteau.

C'était Étoile de Feu.

« Je voulais juste… » Nuage de Geai s'interrompit. Comment expliquer qu'il avait besoin de ce bâton ? Dire qu'il risquait de dériver au loin pendant qu'il perdait du temps à réfléchir… « Il me faut ce bout de bois ! » s'exclama-t-il en priant pour que son miaulement désespéré suffise à convaincre son chef.

Il reprit espoir en sentant Étoile de Feu le frôler pour se pencher vers l'eau.

« Quoi ? Ce bâton lisse qui flotte près de la berge ?

— Oui !

— Il ne va pas couler, tu sais, le rassura Étoile de Feu. Le bois flotte toujours. Ce serait grave, si tu le perdais ?

— Oui… Il est très important… pour moi. »

Il s'efforça de rester calme tandis qu'il devinait le regard curieux de son chef. Il crut attendre une lune avant que ce dernier réponde enfin :

« Entendu. Je vais l'attraper. »

Il planta les griffes de ses pattes arrière dans les racines de l'arbre puis se pencha pour plonger la patte dans l'eau. Nuage de Geai entendit des bruits d'éclaboussures ainsi que le grognement d'Étoile de Feu qui avait saisi quelque chose entre ses mâchoires.

Il l'a eu !

Le bâton racla la berge boueuse lorsque Étoile de Feu le sortit de l'eau. Il le lâcha sur l'herbe.

« Oh, merci ! murmura l'aveugle en posant une patte sur le bâton mouillé.

— Tu veux que je le rapporte au camp ? proposa le rouquin.

— Non ! »

Nuage de Geai avait répondu sans prendre le temps de réfléchir. C'était son secret. Il frémit en imaginant les questions que poserait Feuille de Lune, en pensant à ses camarades qui lorgneraient son bâton, voyant ce que lui ne pouvait voir, touchant ce qui lui appartenait.

« Eh bien, il ne risque plus rien, maintenant, reprit le chef. Tiens, il y a de drôles de marques, dessus. C'est toi qui les as faites ?

— Non », répondit l'apprenti en toute franchise.

Il retint son souffle en espérant qu'Étoile de Feu ne poserait pas d'autres questions.

« Viens, ordonna le matou. On rentre. »

Merci, Clan des Étoiles ! Nuage de Geai fit rouler le bâton jusqu'à l'arbuste le plus proche et le poussa contre le tronc, coincé sous une racine noueuse. Dans le cas peu probable où l'eau monterait si haut, le bâton ne dériverait pas. *Au revoir,* songea-t-il avant de suivre son chef dans la pente herbeuse qui menait à la forêt.

Une fois sous les arbres, Nuage de Geai tenta de lire dans l'esprit d'Étoile de Feu. Il voulait savoir ce que son meneur pensait vraiment de lui, connaissant la prophétie. Mais, comme celles de Feuille de Lune lorsqu'elle était sur ses gardes, les pensées d'Étoile de Feu étaient voilées et impossibles à deviner.

« Comment va Nuage de Cendre ? » s'enquit le matou d'un ton qui trahissait son inquiétude.

Nuage de Geai se souvint de sa vision : c'était Étoile de Feu qui avait annoncé à Museau Cendré qu'elle ne serait jamais une guerrière. Il prit son chef en pitié. Le nouvel accident de Nuage de Cendre devait avoir rouvert d'anciennes blessures.

« Elle va guérir, n'est-ce pas ? insista-t-il.

— Elle souffre beaucoup, répondit prudemment l'apprenti guérisseur. La gravité de la blessure est difficile à déterminer. »

Il ne voulait pas contredire ce que Feuille de Lune avait pu affirmer devant lui.

« Museau Cendré... Nuage de Cendre... Ce nom doit porter malheur », murmura Étoile de Feu.

Nuage de Geai dut se retenir de lui apprendre que Nuage de Cendre ne partageait pas que le nom de l'ancienne guérisseuse, mais aussi son esprit.

Ils cheminèrent en silence jusqu'à la combe et, lorsqu'ils entrèrent dans le camp, Feuille de Lune accourut vers eux, hors d'haleine.

« Tout va bien ? demanda-t-elle à son apprenti.

— Oui, la rassura Étoile de Feu. Je l'ai croisé dans les bois et nous sommes rentrés ensemble. »

Nuage de Geai lui fut reconnaissant de ne pas parler du bâton.

« Viens avec moi, il nous faut de la bile de souris, lui ordonna Feuille de Lune. Chipie a une tique. »

Tandis qu'il se dirigeait vers la tanière, la guérisseuse le suivit sans un mot. Était-elle toujours fâchée après leur dispute ? Il repensa à son bâton, flottant sur l'eau. Il n'avait pas coulé. Selon Étoile de Feu, il *ne pouvait pas* couler. Nuage de Geai avait toujours considéré l'eau comme une créature sournoise, aspirant tout ce qu'elle touchait jusqu'à ses profondeurs glaciales. L'eau avait essayé de l'avaler lorsqu'il était chaton. Mais elle n'avait pas englouti le bâton. Elle l'avait maintenu à la surface.

Les membres du Clan de la Rivière savaient nager. Les anciens racontaient même qu'Étoile de Feu et Plume Grise avaient bravé jadis une inondation pour aller sauver une portée de chatons. Et lorsque son frère, sa sœur, lui et les autres avaient réussi à s'échapper des tunnels, ils étaient tous parvenus à regagner la terre ferme, pas vrai ?

Il repensa à cette nuit-là, où il avait battu des pattes, sans pouvoir se raccrocher à quoi que ce soit. L'eau avait imprégné son pelage, le tirant vers le fond, tant et si bien qu'il avait fini par cesser de se débattre. Alors il avait flotté, comme le bâton. Il se souvenait de la sensation de ses pattes s'agitant, de l'eau qui tourbillonnait autour de lui, le malmenant comme s'il se trouvait en pleine tempête. Il s'était senti aussi léger qu'une plume.

Il s'immobilisa.

« Qu'est-ce qu'il y a ? s'enquit Feuille de Lune, qui s'était arrêtée près de lui.

— Rien. »

Nuage de Geai venait d'avoir une idée.

Il cavala jusqu'à la tanière de son mentor.

Il fonça à travers le rideau de ronces et entendit bruire la mousse lorsque Nuage de Cendre remua dans son nid.

« Qu'est-ce qu'il se passe ? s'écria-t-elle.

— Tu dois nager ! annonça-t-il, tout excité.

— Nager ? Je ne sais pas comment faire !

— Il suffit d'essayer, répondit-il en s'approchant de son nid. Ceux du Clan de la Rivière le font tout le temps.

— Mais ils vivent pour ainsi dire dans l'eau !

— Tu ne comprends pas ? répliqua-t-il en faisant les cent pas devant elle. Tu pourras t'entraîner à te servir de ta patte dans l'eau, sans peser de tout ton poids dessus. Elle se rééduquera en douceur.

— Elle se rééduquera ? répéta-t-elle, perplexe.

« — Ce sera comme si tu marchais, en plus facile, insista-t-il.

— Et où est-ce que je vais nager ?

— Dans le lac, bien sûr !

— Et comment j'irai jusque là-bas ?

— Tu as réussi à rentrer au camp en marchant, pas vrai ? Et tu t'es bien reposée, depuis.

— Tu oublies que je ne sais pas nager !

— Je te montrerai. »

Nuage de Geai ignora le frisson de terreur qui le traversa à l'idée de se mouiller les pattes.

« Toi ? »

Un ronron amusé résonna dans la gorge de Nuage de Cendre. C'était la première fois qu'elle ronronnait depuis son accident. À présent, Nuage de Geai était certain de pouvoir la convaincre.

« Je ferai de mon mieux, promit-il.

— Feuille de Lune croira que nous sommes plus fous que des lièvres.

— Alors ne lui disons rien. Ce sera notre secret. Imagine comme elle sera surprise de te voir remarcher sur quatre pattes ! »

La novice ne dit rien, mais Nuage de Geai détecta la petite lueur d'espoir qui venait de s'allumer dans l'esprit de la blessée.

« D'accord, céda-t-elle enfin.

— Nous commencerons demain ! se réjouit Nuage de Geai. Tu te remettras en un rien de temps.

— Si je ne me noie pas avant », rétorqua-t-elle en lui rabattant l'oreille du bout de la queue.

CHAPITRE 9

Nuage de Geai ouvrit les yeux. Tout près, Feuille de Lune s'étirait dans son nid. *Ce doit être l'aube.* La guérisseuse s'assit en bâillant. Il attendit qu'elle quitte la tanière pour aller faire ses besoins, comme elle en avait l'habitude tous les matins au réveil.

L'air chaud et sec promettait une belle journée ensoleillée, idéale pour emmener Nuage de Cendre au lac. Il se leva à son tour en tentant d'ignorer le doute qui lui nouait l'estomac. Même si apprendre à nager à sa camarade ne sauvait pas sa patte, cela prouverait à Feuille de Lune que lui n'avait pas renoncé à la guérir.

« Nuage de Geai ? fit Nuage de Cendre, nerveuse. Feuille de Lune est sortie. Mais elle va bientôt revenir. Peut-être qu'on devrait remettre notre leçon de natation à plus tard.

— Si nous nous dépêchons, elle ne nous verra pas partir. Nous devons essayer. »

Nuage de Cendre soupira avec résignation et entreprit de se lever.

« Aïe !

— Ta patte est juste ankylosée, la rassura-t-il.

155

— Est-ce que tu pourrais me donner une ou deux graines de pavot, juste pour diminuer la douleur ?

— Non. Ça t'endormirait alors que tu auras besoin d'avoir les idées claires pour apprendre à nager. »

Silence.

Puis Nuage de Cendre miaula avec détermination :

« D'accord. »

Nuage de Geai se glissa à son côté et se colla à elle pour l'épauler. Elle pesait lourd et il lutta pour l'aider à sortir de la tanière.

Dans la clairière, il leva le museau et dressa l'oreille, guettant la moindre présence. Mal réveillée, Poil d'Écureuil sortait d'un pas hésitant du tunnel de ronces. Elle avait dû monter la garde toute la nuit.

« Ne bouge pas », ordonna-t-il à Nuage de Cendre, et ils restèrent tous deux immobiles jusqu'à ce que la guerrière regagne sa tanière.

L'entrée du camp ne serait plus gardée le temps que le remplaçant de Poil d'Écureuil arrive. La patrouille de l'aube allait bientôt rentrer, et Feuille de Lune n'allait pas tarder non plus.

« Allez. »

Du bout du museau, il poussa sa camarade et ils traversèrent la clairière cahin-caha. Nuage de Geai se crispait chaque fois que Nuage de Cendre trébuchait en gémissant. Il pria pour qu'elle garde courage et que personne ne l'entende. Alors qu'ils arrivaient à l'entrée du camp, les feuilles frémirent non loin.

Nuage de Geai renifla et se figea aussitôt.

Feuille de Lune.

À l'autre bout du passage, la guérisseuse sortait du tunnel secondaire.

Il se hâta de pousser Nuage de Cendre contre les ronces et lui plaqua la queue sur la gueule pour étouffer son hoquet de surprise. Il guetta le bruit des pas de son mentor et, dès qu'il entendit le rideau de ronces de sa tanière se refermer sur elle, il entraîna sa camarade dans le tunnel.

« Tu t'en sors très bien, l'encouragea-t-il.

— Ce n'est pas comme si j'avais le choix », grommela-t-elle.

Haletant sous l'effort, elle finit par gagner la forêt, où Nuage de Geai se détendit enfin. Là, le nouveau garde et la patrouille ne les verraient pas.

« Repose-toi un instant, miaula-t-il.

— Où vas-tu ? s'enquit-elle en s'asseyant avec soulagement.

— Je pars en éclaireur. »

Il alla tâter le terrain, guettant la moindre feuille glissante, la moindre branche morte qui les aurait entravés. Nuage de Cendre souffrait beaucoup et il voulait lui faciliter le trajet autant que possible.

À son retour, il la trouva affalée sur le flanc, mais sa respiration était calme et lente. Nuage de Geai flaira sa patte. Elle ne lui parut pas trop chaude, ni plus gonflée qu'à leur départ.

« Ta patte se porte à merveille.

— On dirait pas, gémit-elle.

— Imagine qu'on fait ça pour sauver un chaton de la noyade », suggéra Nuage de Geai.

Nuage de Cendre leva la tête.

« Tu ne laisserais pas une patte douloureuse t'empêcher d'arriver à temps, pas vrai ?

— Ça, c'est certain ! » répondit-elle en se forçant à se remettre sur ses pattes.

Voilà qui ressemble déjà plus à la Nuage de Cendre que je connais.

« Alors allons-y. »

L'apprenti guérisseur se colla de nouveau à elle pour l'aider du mieux qu'il pouvait.

Les moustaches de la novice remuèrent, chatouillant la joue de Nuage de Geai au passage.

« Un aveugle qui sert de guide ! s'esclaffa-t-elle.

— Je parie que tu ne l'aurais jamais cru possible », dit-il, content de l'entendre plaisanter.

Ils sortirent du couvert des arbres et glissèrent sur la pente herbeuse qui descendait jusqu'au lac.

« Tu es sûr qu'on n'aggrave pas ma blessure ? grommela-t-elle lorsqu'ils tombèrent pour la troisième fois.

— Ça en vaut la peine, je te le promets », lui assura-t-il en priant pour que ce soit vrai.

Est-ce que la nage était vraiment la solution ? *Guerriers de jadis, faites que j'aie raison !*

Une brise fraîche caressait leur fourrure lorsqu'il aida enfin sa camarade à traverser la petite plage. Les galets roulaient sous leurs pattes.

« Le lac est magnifique, aujourd'hui, murmurat-elle. La surface ondule sous le vent, on dirait un doux pelage gris. »

Nuage de Geai avançait prudemment. Il s'attendait à marcher dans l'eau à tout instant. Mais le niveau avait baissé depuis la veille. Il recula soudain d'un bond en sentant les vagues lui lécher les pattes.

« Elle est froide ?

— Pas trop. »

Il devrait rester dans l'eau avec elle, sans cela comment pourrait-il la mettre en confiance ? Il se raidit pour résister au courant et avança vaillamment en s'efforçant de dissimuler sa phobie de l'eau.

« Viens ! »

Il entendit des éclaboussures lorsqu'elle boitilla pour le rejoindre.

« Et maintenant ? s'enquit-elle.

— Continue à avancer jusqu'à ce que tu ne sentes plus les galets sous tes pattes.

— À t'entendre, c'est très simple.

— Ça l'est. » Nuage de Geai se souvenait de ses efforts pour regagner la rive après leur fuite des tunnels, de la sensation terrifiante de se faire aspirer vers le fond, de son combat pour rester à la surface. « Tu sauras quoi faire, je te le garantis. »

Après tout, même lui y était arrivé !

Nuage de Cendre se colla à lui, tétanisée par la peur.

« Je ne peux pas. »

Il essaya d'imaginer le lac qui s'étendait devant eux, mais son esprit fut envahi par une vision de forêt impénétrable. Des fougères d'un vert intense encerclaient une chatte grise. Nuage de Cendre était assise dans la tanière de la guérisseuse de l'ancien camp. La voûte nocturne, piquetée d'étoiles, s'étendait au-dessus d'elle.

« Je ferais n'importe quoi pour devenir une guerrière », murmurait-elle en regardant les cieux étincelants.

Nuage de Geai cilla pour chasser la vision.

« Tu veux être une guerrière ?

— Bien sûr », répondit-elle sans hésiter.

Il n'eut pas besoin d'ajouter quoi que ce soit. Nuage de Cendre avança dans le lac. Elle poussa un hoquet lorsque l'eau atteignit son ventre.

« Tu m'as dit qu'elle n'était pas froide !

— Tu vas t'habituer.

— L'eau alourdit ma fourrure !

— Réjouis-toi, tu n'auras pas besoin de faire ta toilette pendant des jours ! plaisanta-t-il en espérant qu'elle n'entendait pas sa voix trembler.

— J'en ai jusqu'au cou !

— Continue, tout doucement.

— L'eau a pénétré jusqu'à ma peau. Je me sens lourde comme une pierre ! »

Nuage de Geai entendit de gros bruits d'éclaboussures. L'avait-il envoyée droit à la noyade ?

« Je ne sens plus le sol ! Au secours ! »

Il se précipita en avant et l'eau lui monta jusqu'au poitrail.

« Nuage de Cendre ! hurla-t-il, le sang lui battant aux tempes. Reviens ! »

Il l'entendait battre des pattes.

« Que dois-je faire ? paniqua-t-elle en crachant de l'eau.

— Continue à remuer les pattes ! Imagine que tu es en train de courir. Utilise ta queue pour garder l'équilibre. »

Tout ce qui te permet de garder la truffe hors de l'eau.

Les éclaboussures cessèrent soudain.

« Nuage de Cendre ?! »

Pas de réponse. Pas de bruit, juste le clapotis des vagues sur la plage. Avait-elle sombré ?

« Nuage de Cendre ? Ça va ? lança-t-il, désespéré.

— Je nage !

— Vraiment ?

— Comment ça, "vraiment" ? »

Son miaulement plein de reproches fut noyé par une vague qui la fit tousser et cracher en même temps.

« Continue à bouger les pattes !

— C'est ce que je fais ! Et ça marche. Ça marche vraiment ! Je flotte ! crachota-t-elle encore.

— Concentre-toi sur la nage ! » lui ordonna-t-il.

Il l'entendait avancer dans l'eau, à présent. Elle se dirigeait vers la berge.

Soudain, un hurlement retentit depuis la rive.

« Nuage de Cendre ! Que fais-tu ? »

C'était Feuille de Lune.

« Je nage ! s'écria Nuage de Cendre, qui avait retrouvé pied et s'avançait, toute dégoulinante, vers la guérisseuse. Nuage de Geai m'a appris ! »

Ce dernier se tourna vers son mentor, rabattit les oreilles en arrière, prêt à entendre son sermon. Cependant, il comprit qu'elle était intriguée plus que fâchée.

« Je t'écoute, l'encouragea-t-elle.

— Je me disais que l'eau la porterait… Et que Nuage de Cendre pourrait remuscler sa patte sans peser de tout son poids dessus.

— Et comment va ta patte, maintenant ? demanda la guérisseuse à l'apprentie.

— Elle me fait toujours mal, mais moins que sur la terre ferme. Est-ce que je peux réessayer ? »

miaula-t-elle en s'enfonçant de nouveau dans l'eau sans attendre la réponse.

Les galets roulèrent sous les pas de Feuille de Lune, qui s'approcha de son apprenti.

« Beau travail, murmura-t-elle.

— Museau Cendré ne pouvait pas devenir guerrière. Nuage de Cendre, elle, le pourra, déclara-t-il, confiant.

— Je l'espère, répondit-elle en le caressant du bout de la queue. Nuage de Cendre ! Tu devrais sortir, sinon tu seras trop fatiguée pour marcher jusqu'au camp. » Elle se tourna vers Nuage de Geai et ajouta : « Ramène-la doucement, puis repose-toi. Ce soir, c'est la demi-lune et nous nous rendons à la Source de Lune. »

Les griffes de Nuage de Geai crissaient sur les rochers lisses tandis qu'il grimpait vers le sanctuaire des guérisseurs. *Encore quelques longueurs de queue, et j'y serai.* Il avait mal aux pattes et la fatigue lui donnait le tournis. Il avait lentement raccompagné Nuage de Cendre jusqu'au camp, et leurs camarades s'étaient rassemblés autour d'eux, stupéfaits de voir le pelage détrempé de la blessée.

« Tu es toute mouillée ! avait lancé Poil de Châtaigne.

— Tu es tombée dans le lac ? s'était inquiétée Nuage de Houx en tournant autour de son amie.

— Je suis allée nager ! » leur avait-elle annoncé fièrement.

Si elle boitait toujours, elle parvenait à marcher sans aide, à présent.

« Nager ? avait répété Nuage de Houx, incrédule.

162

— Elle ira au lac tous les jours pour renforcer sa patte, avait expliqué l'apprenti guérisseur avant d'éloigner sa patiente de la clairière pour l'installer dans sa litière.

— Merci, Nuage de Geai, avait-elle murmuré avec émotion. Devenir une guerrière, c'est tellement important pour moi !

— Je sais. »

Le novice sursauta lorsque le miaulement de son mentor le ramena au présent :

« Dépêche-toi ! »

Il escalada le sommet de la crête et une bourrasque lui plaqua les moustaches au museau. Suivant Feuille de Lune, il longea le sentier sinueux jusqu'au bassin. Comme toujours, la pierre lissée par le passage des chats des temps anciens lui sembla chaude et douce sous ses pattes.

Écorce de Chêne, le guérisseur du Clan du Vent, avait à peine parlé pendant le trajet. Et Feuille de Lune guère plus. La tension entre eux était telle que l'air crépitait comme avant un orage. Le matou n'avait pas amené Nuage de Crécerelle car celui-ci s'était soi-disant blessé la patte sur une épine. Cependant, Nuage de Geai devinait qu'il avait voulu protéger son apprenti des questions difficiles que Feuille de Lune aurait pu lui poser à propos du vol de gibier.

Papillon, Nuage de Saule et Petit Orage ne semblaient rien remarquer.

Les félins se déployèrent autour de la Source de Lune. Nuage de Geai suivit son mentor de l'autre côté et s'assit près d'elle, pressé de laper l'eau glacée. Il voulait parler de la prophétie à ses ancêtres.

Découvrir s'ils connaissaient la Tribu de la Chasse Éternelle. Le Clan des Étoiles pourrait-il lui expliquer pourquoi la Tribu connaissait la prophétie ?

Nuage de Geai releva le museau. Il percevait l'impatience d'un autre chat. *Papillon.*

La guérisseuse du Clan de la Rivière s'éclaircit la voix et déclara :

« Avant que nous partagions les rêves du Clan des Étoiles, je souhaite donner à Nuage de Saule son nom de guérisseuse.

— Déjà ? s'extasia l'apprentie. Oh, waouh ! Comment te remercier, Papillon ?

— Tu l'as bien mérité, répondit doucement la chatte dorée. C'est le fruit de ton travail.

— Oh, merci... Tu as été un mentor formidable.

— Et j'espère le rester. »

Nuage de Geai savait que Nuage de Saule continuerait d'être l'apprentie de Papillon tant que celle-ci vivrait, mais son nouveau nom – et son nouveau statut – lui apporterait le respect de ses camarades. Le novice gris tigré remua la queue. Combien de temps devrait-il attendre pour que Feuille de Lune fasse de même avec lui ?

Une idée lui traversa soudain l'esprit : comment Papillon pouvait-elle diriger la cérémonie du baptême si elle ne croyait pas au Clan des Étoiles ?

Les moustaches de son mentor lui effleurèrent la joue – Feuille de Lune s'était penchée vers lui.

« Le Clan des Étoiles l'entendra, même si elle, elle refuse de l'entendre.

— Comment... ? hoqueta-t-il.

— Je te connais plus que tu ne le crois, Nuage de Geai », ronronna-t-elle.

Il s'écarta, vexé que son mentor puisse deviner ses pensées.

Papillon débuta la cérémonie.

« Moi, Papillon, guérisseuse du Clan de la Rivière, j'en appelle à nos ancêtres pour qu'ils se penchent sur cette apprentie. Elle s'est entraînée dur afin de comprendre la voie du guérisseur et, avec votre aide, elle servira son Clan pour des lunes et des lunes. »

Était-ce son imagination ou bien la nuit étoilée lui réchauffait la fourrure, soudain ? Nuage de Geai ferma les yeux et projeta son esprit dans celui de Papillon. Sa joie le submergea.

« Nuage de Saule, promets-tu de respecter la voie du guérisseur, de rester en dehors des rivalités claniques, de protéger chaque guerrier équitablement, même au péril de ta vie ?

— Oui, murmura la jeune chatte, des étoiles dans les yeux.

— Alors par les pouvoirs qui me sont conférés par le Clan des Étoiles, je te donne ton nom de guérisseuse : Nuage de Saule, à partir de maintenant, tu t'appelleras Feuille de Saule. Nos ancêtres rendent honneur à ta loyauté et à ta compassion. Que ces qualités t'aident à servir ton Clan pour des lunes et des lunes. »

Nuage de Geai entendit le coup de langue que donna Feuille de Saule à Papillon.

« Feuille de Saule ! Feuille de Saule ! » l'acclamèrent Feuille de Lune, Écorce de Chêne et Petit Orage en levant le museau vers la Toison Argentée.

« Feuille de Saule ! » lança aussi Nuage de Geai, pris par l'excitation du moment.

Il entendit un léger clapotis lorsque sa camarade toucha l'eau du bout de la patte.

« Merci… à vous tous. Le Clan des Étoiles m'a guidée dans le moindre de mes actes et j'espère qu'il continuera à le faire jusqu'à la fin de mes jours.

— Qu'il en soit ainsi, murmura Écorce de Chêne.

— Félicitations, Feuille de Saule, miaula Feuille de Lune avec chaleur.

— Bravo, ronronna Petit Orage avant de s'allonger près de la Source de Lune. Le Clan des Étoiles doit avoir hâte de t'ouvrir ses rêves, j'en suis certain. »

Il lapa l'eau et s'immobilisa. Des frôlements de fourrure contre la pierre indiquèrent à Nuage de Geai que les autres suivaient son exemple. Alors que lui-même posait la tête sur la pierre, Feuille de Lune lui murmura :

« N'entre pas dans les rêves de Feuille de Saule cette nuit. Laisse-la rencontrer seule le Clan des Étoiles. »

C'était bien mon intention ! Il se réjouit de la méprise de son mentor. Elle ne pouvait pas lire dans ses pensées, finalement. Nuage de Geai ne comptait pas partager les rêves de qui que ce soit. Il voulait sa propre rencontre avec ses ancêtres, pour les interroger à propos de la prophétie.

Il lapa l'eau glaciale et son esprit fut aussitôt rempli d'images de verdure luxuriante – il était entré sur le terrain de chasse du Clan des Étoiles. Il n'y avait là aucun signe de la venue de la saison des feuilles mortes, juste des arbres touffus et des sous-bois grouillants de vie.

Des chats s'y déplaçaient, certains discutaient, d'autres chassaient, d'autres encore profitaient simplement du soleil. Un pelage roux brilla derrière un bouquet de fougères. Un matou gris faisait la toilette d'une chatte écaille, tandis qu'un félin au poil noir et blanc rampait dans l'herbe haute pour traquer une proie. Nuage de Geai s'irrita de ne reconnaître personne. *Des ancêtres des autres Clans.*

Il reprit espoir en remarquant un chat d'allure familière qui avançait vers lui. Puis il soupira en se rendant compte que c'était Petit Orage. Il n'avait eu aucune intention d'être là, dans le rêve d'un autre. Il allait faire demi-tour lorsqu'il remarqua un petit matou gris et blanc qui s'approchait du guérisseur du Clan de l'Ombre. Son museau était tout gris. *Il doit être très vieux !*

Petit Orage le salua en baissant la tête.

« Rhume des Foins. »

Le matou ne répondit que par un clignement d'yeux, sans cesser de renifler, la truffe humide.

Pas étonnant qu'ils ne s'effleurent pas le museau pour se saluer. Nuage de Geai se glissa derrière un arbre pour les épier. Il savait que Rhume des Foins avait été le guérisseur du Clan de l'Ombre, bien des lunes plus tôt. *Quel genre de guérisseur est incapable de traiter son propre rhume ?*

« Comment ça va ? » s'enquit l'ancêtre.

Petit Orage sembla hésiter à répondre.

« La chasse est bonne ? insista l'autre, qui plissa les yeux en voyant Petit Orage s'agiter devant lui.

— Oui, très bonne.

— Est-ce que les Bipèdes vous embêtent ? »

Petit Orage secoua la tête.

« Et les chatons de Pelage d'Or ? Ils sont en bonne santé ? demanda encore l'ancêtre en s'asseyant. Qu'est-ce qui ne va pas ?

— C'est Étoile de Jais ! » révéla enfin le guérisseur, qui avait prononcé le nom de son chef en jetant derrière lui un coup d'œil coupable. Il est si... » Il cherchait ses mots. « Si... distant.

— Distant ? Tu veux dire qu'il a quitté le Clan ?

— Non ! s'emporta Petit Orage. "Distant" comme "distrait". Il laisse Feuille Rousse organiser toutes les patrouilles et il commence à dire des choses...

— Quel genre de choses ?

— Il se demande si le Clan des Étoiles avait vraiment l'intention de nous guider jusqu'à ce lac !

— Alors tu as raison de t'inquiéter, soupira Rhume des Foins, la mine sombre.

— Vraiment ?

— Étoile de Jais est en train de perdre la foi.

— Comment est-ce possible ? Il a toujours cru en vous.

— Peu importe la raison, répondit son aîné en s'essuyant la truffe d'un revers de patte. Tu dois l'aider à retrouver la foi.

— Comment ? Que puis-je faire ?

— Aide-le à retrouver la foi », répéta l'autre.

Le vieux matou disparaissait peu à peu, tout comme les arbres autour de lui.

« Aide-moi ! » l'implora Petit Orage, mais la forêt s'était évaporée.

Nuage de Geai ouvrit les yeux et se retrouva de nouveau plongé dans les ténèbres, près de la Source de Lune. Il se leva, contrarié. Que lui importait qu'Étoile de Jais perde la foi ? C'était toujours mieux que si le Clan de l'Ombre était dirigé par un vieux chat sénile, non ?

« As-tu rêvé de quelque chose ? s'enquit Feuille de Lune en remuant près de lui.

— Non... Rien d'important, en tout cas. »

CHAPITRE 10

Un renard glapit au loin dans la forêt. Nuage de Houx remua dans son nid tandis que le cri de la bête résonnait dans la combe, jusque dans ses rêves.

« Pas dans les tunnels…, murmura-t-elle.

— Quoi ? »

Nuage de Lion s'était tourné vers elle, mais sa sœur ne répondit pas. Elle s'était rendormie, glissant de nouveau dans son rêve.

Une galerie s'étendait devant elle et disparaissait dans les ténèbres. La rivière noire écumait et tourbillonnait derrière elle. Des bruits de pas lourds et de griffes raclant le sol rocailleux lui parvenaient depuis le tunnel, droit devant. La puanteur d'un renard lui emplit la truffe. Terrorisée, elle reconnut la silhouette qui se formait peu à peu dans les ombres, les yeux qui brillaient dans l'obscurité. *Un renard !* Elle recula et sentit le cours d'eau souterrain autour de ses pattes. La forme s'approchait toujours, sans ciller, jusqu'à ce qu'elle émerge dans le clair-obscur.

C'était Nuage de Lion.

Elle se réveilla en sursaut lorsqu'une patte la secoua par l'épaule.

« Nuage de Houx ? » Poil de Fougère se tenait près d'elle. La tanière était plongée dans le noir – la douce lumière de la lune filtrait entre les branches. « Tout va bien ? »

Elle tremblait, brûlante de panique.

« Ce n'était qu'un cauchemar, expliqua-t-elle en se calmant aussitôt.

— Tu ne peux pas rêver en silence ? grommela son frère. J'étais dehors, avec la patrouille de minuit, pendant que tu ronflais. »

Il roula de l'autre côté, le museau coincé sous une patte.

« C'est ton tour, maintenant, Nuage de Houx », murmura Poil de Fougère.

Nuage de Renard et Nuage de Givre dormaient profondément dans leurs nids.

« C'est déjà l'aube ? s'étonna la jeune chatte noire, qui se frotta les yeux pour mieux se réveiller.

— Non, l'aube est encore loin. Nous partons pour la patrouille d'avant l'aube. »

Les patrouilles supplémentaires épuisaient le Clan, mais le plan d'Étoile de Feu semblait porter ses fruits. Il n'y avait eu aucun signe d'intrusion ou de vol de gibier depuis des jours. Nuage de Houx s'étira et suivit son mentor dans la clairière. Ses pattes étaient encore engourdies et même la fraîcheur du petit matin ne parvenait pas à chasser sa fatigue.

Une lune blanche illuminait le Clan. Assis devant le tunnel de ronces, Cœur d'Épines se tenait la queue d'une patte pour en laver le bout.

Poil de Châtaigne tournicotait autour de lui.

« Il fait trop froid pour rester immobile, gémit-elle.

— Nous aurons d'autres nuits plus douces avant la fin de la saison des feuilles vertes, lui promit Poil de Fougère qui alla se frotter à la guerrière écaille.

— Est-ce que Nuage de Houx est réveillée ? s'enquit Cœur d'Épines.

— Presque, répondit l'intéressée en sortant de l'ombre.

— Tant mieux. Dans ce cas, nous pouvons y aller. »

Un petit couinement leur parvint de la pouponnière.

« Est-ce que le renard est parti ? miaula Petite Rose avec angoisse. Je l'ai entendu glapir et il avait l'air tout près !

— Il est loin, très loin dans la forêt, ma chérie, la rassura Chipie. Maintenant, rendors-toi. »

Nuage de Houx se plaça derrière son mentor, tandis que la patrouille gagnait la forêt à la queue leu leu. Il faisait sombre, sous les arbres, et Nuage de Houx trébucha sur une racine dans la montée vers la frontière du Clan du Vent.

Poil de Fougère coula un coup d'œil vers elle.

« Tu dors debout ?

— Ça ira mieux dans un instant », lui assura-t-elle. Ils cheminèrent jusqu'au torrent frontalier et s'arrêtèrent sur la berge, au signal de Poil de Châtaigne, qui dirigeait la patrouille. La guerrière leva la truffe.

« Pas de traces fraîches par ici. »

Cœur d'Épines se laissa glisser jusqu'au bord de l'eau et inspecta les buissons un à un.

« Ici non plus. »

173

Ils suivirent le torrent en silence. Poil de Fougère se faufila dans un bouquet de fougères et en ressortit en secouant la tête.

« Rien à signaler. »

Cœur d'Épines renouvela le marquage au pied d'un chêne.

« Nous allons longer le torrent jusqu'à l'orée de la forêt, annonça Poil de Châtaigne. Puis nous nous occuperons du marquage sur la frontière en amont. »

Lorsqu'ils y arrivèrent, le clair de lune baignait la colline d'une étrange lumière laiteuse. Le silence qui régnait sur les bois et la lande fit frissonner Nuage de Houx.

« Il n'y a pas un bruit, murmura-t-elle.

— L'aube approche, répondit son mentor. Les oiseaux se réveilleront bientôt. »

Le vent balayait la lande, la bruyère frémissait.

« Cœur d'Épines, Poil de Fougère, je vous confie le marquage, déclara Poil de Châtaigne. Nuage de Houx et moi, nous allons inspecter les environs et guetter l'odeur du Clan du Vent. Suis-moi », ordonna-t-elle à l'apprentie.

D'un pas hésitant, Nuage de Houx descendit tant bien que mal la pente derrière la guerrière écaille en dérapant sur l'herbe. La truffe au sol, elle allait d'un buisson à l'autre, suivant l'arrondi d'une butte. La frontière était là, détectable davantage grâce au marquage du Clan du Tonnerre qu'à l'odeur éventée du Clan du Vent. À croire que cette frontière ne les intéressait plus. Ils devaient être trop occupés à chasser dans la forêt.

Nuage de Houx leva la tête vers le sommet de la colline, qui semblait dessiner le dos d'un chat géant sur le ciel couleur crème. À mesure que le soleil gagnait du terrain sur les ténèbres, le ciel jaunissait et baignait la butte d'une douce lumière rosée.

Nuage de Houx remarqua alors une silhouette sur la crête. Elle plissa les yeux pour l'identifier. Impossible de deviner sa taille mais, lorsque l'aurore éclaira la pente, elle reconnut un corps de félin, avec un museau allongé, un long dos lisse et une queue recourbée à l'extrémité touffue. Il était magnifique, avec son port de tête fier et ses grandes oreilles écartées.

« C'est un *lion* ! s'écria Nuage de Houx.

— Un lion ? Où ça ? » s'enquit Poil de Châtaigne en courant la rejoindre.

Du bout du museau, l'apprentie lui désigna le félin immobile.

« Ce n'est qu'un chat, la rassura la chatte écaille. Mais il n'a pas l'air du Clan du Vent. Il est trop musclé et ses poils sont trop longs. »

Nuage de Houx cilla en comprenant que sa camarade avait raison. Pourtant, l'espace d'un instant, elle avait vraiment cru voir un lion. Elle avait entendu parler d'eux dans les histoires qu'on lui murmurait jadis, dans la pouponnière – énorme et farouche, le fauve se levait tel le soleil pour vaincre tous ses ennemis.

« Nous avons renouvelé le marquage ! annonça Poil de Fougère depuis la lisière de la forêt. Nous devrions rentrer pour que la patrouille de l'aube puisse partir à son tour. »

Poil de Châtaigne s'élança aussitôt vers eux. À regret, Nuage de Houx quitta du regard l'étrange chat qui se dressait toujours à l'horizon. Est-ce qu'il les observait ?

« Nuage de Houx s'imagine qu'elle a vu un lion dans la lande, annonça Poil de Châtaigne aux deux guerriers sur le chemin du retour.

— Un lion ? répéta Poil de Fougère d'un air amusé. Tu es certaine que tu n'étais pas encore en train de rêver ?

— Sûre et certaine ! se défendit-elle. Ce chat ressemblait réellement à un lion.

— C'est vrai qu'il avait une drôle d'allure, convint Poil de Châtaigne. Ce n'était pas un guerrier du Clan du Vent, ça c'est sûr.

— Tant qu'il ne franchit pas notre frontière... », grommela Cœur d'Épines.

Nuage de Cendre sortait de la tanière de Feuille de Lune lorsque Nuage de Houx rentra au camp. Elle traversait la clairière en boitillant, vers le tunnel de ronces.

« Où vas-tu ? lui demanda Nuage de Houx.

— Je vais nager.

— Seule ?

— Nuage de Geai est occupé à ranger des remèdes et Feuille de Lune pense que ça ira si je marche doucement. »

Nuage de Houx remarqua alors que les paroles de Nuage de Cendre n'étaient plus ponctuées de hoquets de douleur.

« Ta patte va mieux ?

— Beaucoup mieux. »

Nuage de Cendre s'étira. Sa patte blessée trembla sous l'effort mais la jeune chatte ne grimaça pas.

« Est-ce que je peux t'accompagner ?

— Tu n'es pas fatiguée ?

— Plus maintenant. »

Voir le « lion » dans la lande l'avait complètement réveillée.

« Je serais ravie d'avoir de la compagnie, ronronna Nuage de Cendre. Tu veux que je t'apprenne à nager ? »

Nuage de Houx frémit en pensant à l'eau glacée trempant sa fourrure.

« Non, merci ! »

Elles traversèrent le tunnel de ronces l'une derrière l'autre. Le soleil qui se levait doucement dans le ciel réchauffait la forêt et les oiseaux pépiaient dans les bois. Nuage de Houx aimait l'air hirsute des arbres à la fin de la belle saison, les broussailles qui débordaient sur les sentiers, les jeunes pousses qui jaillissaient d'entre les racines – la forêt était plus luxuriante que jamais.

Elle ralentit dans la montée pour que Nuage de Cendre puisse la suivre malgré sa claudication.

« T'as vu comment Pelage de Miel suit Truffe de Sureau partout avec son air de crapaud mort d'amour ? lança Nuage de Cendre.

— Ne m'en parle pas ! À croire qu'il est l'envoyé du Clan des Étoiles !

— Ne voit-elle pas à quel point il peut être autoritaire ?

— Je crois qu'elle l'apprécie presque autant qu'il s'apprécie lui-même ! »

— Ah, l'amour ! gloussa la convalescente. D'ailleurs, tu as vu que Bois de Frêne et Aile Blanche avaient commencé à faire leur toilette ensemble ?

— La pouponnière risque d'être bientôt trop petite.

— Je ne sais même pas s'il restera de la place après la naissance des petits de Millie. Feuille de Lune pense qu'ils seront au moins trois.

— Est-ce que Millie leur a déjà choisi un nom ? lui demanda Nuage de Houx, en songeant que son amie avait peut-être entendu des commérages pendant son repos forcé dans la tanière de la guérisseuse.

— D'après Feuille de Lune, il faut voir un chaton pour pouvoir le nommer.

— Dans ce cas, je devais avoir la fourrure hérissée, quand je suis née », plaisanta Nuage de Houx.

Qu'il était bon de parler de tout et de rien. Comme au bon vieux temps, avant la prophétie. Pour la première fois depuis son retour des montagnes, elle avait l'impression d'être une apprentie comme les autres, aspirant à devenir une guerrière loyale.

Je dois aspirer à beaucoup plus que ça... même si j'ignore totalement à quoi.

CHAPITRE 11

Une douce brise soufflait sur la combe et apportait au camp les senteurs nocturnes de la forêt. La lune était haute ; Nuage de Geai devinait ses rayons sur son pelage. Il se dandina sur place, un peu engourdi par l'attente.

« Tu es certain que je ne peux rien faire ? » murmura-t-il à Feuille de Lune à travers les ronces qui masquaient l'entrée de la fissure.

Elle l'avait chassé dehors lorsqu'il avait renversé le tas de graines de pavot à force d'aller et venir. Son mentor les ramassait patiemment.

« Je pourrais t'aider à les ranger…

— Non, merci. Contente-toi de guetter le moindre bruit venant de la pouponnière. »

Millie tournait en rond dans sa tanière depuis midi et, même si les douleurs n'avaient pas commencé, Feuille de Lune l'avait avertie que les chatons pourraient arriver n'importe quand. Le reste du camp dormait, sauf Plume Grise qui montait la garde devant la pouponnière, plein d'angoisse. Nuage de Geai tentait de ne pas se laisser submerger par la peur qui émanait du guerrier.

Tout ira bien pour Millie.

Les ronces de la pouponnière frémirent et des bruits de pas résonnèrent dans la clairière.

« Les chatons arrivent ! lança Chipie à voix basse.

— Suis-moi ! » ordonna Feuille de Lune à Nuage de Geai en jaillissant de sa tanière.

Il courut derrière elle, le cœur battant, pendant que les deux chattes se faufilaient dans la pouponnière.

Le miaulement affolé de Plume Grise le fit sursauter :

« Prends soin de Millie. »

Le guerrier était si près que leurs fourrures se touchaient.

« Si tu dois choisir quelle vie sauver, sauve la sienne. »

Avant qu'il puisse répondre, Nuage de Geai fut aspiré dans les souvenirs du guerrier. Une chatte au pelage argenté gisait dans une mare de sang. Le chagrin déchira le cœur de Nuage de Geai. Il lutta pour quitter cette vision et poussa un soupir de soulagement lorsque le monde redevint noir autour de lui.

« Feuille de Lune veillera sur elle », promit-il.

Il se faufila bien vite entre les ronces, craignant de ressentir de nouveau le chagrin de Plume Grise. Il avait dû aimer très fort cette chatte argentée.

À l'intérieur, Millie respirait bruyamment. Elle poussa une longue plainte grave lorsque l'apprenti guérisseur se glissa près de son mentor.

« Elle va bien ? » murmura-t-il.

Après avoir manqué la naissance des petits de Chipie, il était tout excité à l'idée d'être présent quand Millie donnerait la vie à de nouveaux membres du Clan.

« Oui, tout se passe normalement.

— Si *ça* c'est normal, croassa Millie, alors je me demande… »

Une autre contraction la fit taire.

Petite Rose et Petit Crapaud gigotaient à l'autre bout de la tanière.

« Restez en arrière ! leur ordonna sèchement Chipie.

— Je veux voir les chatons ! gémit la petite chatte.

— Il y a du sang ? couina son frère.

— Chut ! » feula Feuille de Lune.

Millie haletait de nouveau.

« Tu te débrouilles très bien, la rassura la guérisseuse.

— Où est Plume Grise ?

— Juste devant.

— Tant mieux, soupira la reine tandis que la contraction passait. Ne le laissez pas entrer, pas encore. »

Feuille de Lune enroula sa queue autour de Nuage de Geai pour le faire approcher.

« Là, lui dit-elle en prenant sa patte doucement dans sa gueule pour la poser sur le ventre gonflé de Millie. Une autre contraction arrive. Elles viennent comme des vagues léchant la berge, l'une après l'autre, de plus en plus rapprochées et de plus en plus fortes. »

Nuage de Geai se sentit grisé lorsque le flanc de la reine se durcit sous sa patte.

« Ses muscles travaillent pour expulser les chatons, expliqua Feuille de Lune. Bientôt, elle devra pousser elle aussi.

— Maintenant ? fit Millie.

— Non, pas tout de suite. »

Feuille de Lune plaça sa patte près de celle de son apprenti et le spasme se dissipa. Une sérénité à toute épreuve émanait de la guérisseuse. Nuage de Geai en fut impressionné. Son propre cœur cognait si fort dans sa poitrine que les autres devaient l'entendre.

« Maintenant ! »

Une nouvelle contraction arrivait et l'apprenti guérisseur sentit la chatte se crisper et trembler sous l'effort.

« Le premier arrive, l'encouragea Feuille de Lune. Je le vois déjà. »

Millie poussa de plus belle et Nuage de Geai huma une nouvelle odeur, à la fois chaude, fraîche et musquée.

Feuille de Lune alla se placer devant la queue de Millie.

« Il est là », murmura-t-elle à Nuage de Geai, qui se pencha pour renifler le petit paquet mouillé remuant sous sa truffe. La joue de son mentor frôla la sienne lorsqu'elle lécha le nouveau-né. « J'ai ouvert la poche pour qu'il puisse respirer pour la première fois. »

Millie hoqueta.

« Voilà le deuxième », annonça Feuille de Lune.

Chipie écarta Nuage de Geai pour éloigner le premier chaton qu'elle commença à nettoyer.

« Tu lui fais sa toilette ? » demanda-t-il.

Au bruit des coups de langue, elle le léchait à rebrousse-poil.

« Non, c'est pour le réchauffer et l'aider à respirer », expliqua Chipie.

Nuage de Geai se pencha un peu plus et entendit un petit halètement lorsque la boule de poils inspira sa première goulée d'air.

Millie gémit longuement, et un autre petit paquet mouillé tomba sur la mousse.

« À toi, dit Feuille de Lune en poussant son apprenti. Ouvre la poche pour le libérer. »

Soudain nerveux, Nuage de Geai lécha la chose qui se tortillait devant lui et sentit la membrane gluante sur sa langue. Prenant soin d'éviter la chair tendre dessous, il donna un coup de dents dans la membrane qui se déchira aussitôt. Le chaton roula dans la mousse en couinant.

« Celui-là respire déjà, annonça-t-il à Feuille de Lune.

— Très bien. Maintenant, lèche-le comme le fait Chipie. »

Il le renifla une fois pour localiser la tête et se mit à lécher le chaton de la queue vers les oreilles. Trempé jusqu'aux os, le petit s'était déjà refroidi, mais il se réchauffa bientôt sous les coups de langue du novice.

Millie remua derrière lui et glissa son museau entre Chipie et lui pour renifler ses petits. Puis elle se rallongea en gémissant.

« Encore un autre », annonça Feuille de Lune.

Millie gémit moins fort, comme si la douleur s'estompait.

« Et voilà, murmura la guérisseuse lorsqu'un troisième petit paquet roula dans la mousse. C'est le dernier. Un mâle et deux femelles. »

La reine se tourna pour libérer elle-même le chaton de sa membrane. Elle lécha le petit corps en ronronnant puis se laissa retomber dans son nid, sans cesser de ronronner. Feuille de Lune souleva les deux petites femelles pour les placer contre le ventre de la reine.

« Il leur faut du lait », expliqua-t-elle à son apprenti.

Nuage de Geai souleva le chaton qu'il avait nettoyé et le déposa près de ses sœurs. Le petit se mit aussitôt à ramper vers le giron chaud de sa mère. Le novice s'assit et les écouta téter ; leurs petits ronrons étaient couverts par ceux de Millie et une vague de nostalgie s'abattit sur lui lorsqu'il sentit le doux parfum du lait.

« Vous avez de la chance d'être nés dans le Clan du Tonnerre », leur murmura-t-il en pensant à la prophétie pour la première fois de la soirée.

Les ronces ondulèrent et Plume Grise se faufila à l'intérieur. Feuille de Lune avait dû l'appeler. Il se tapit près de sa compagne et Nuage de Geai l'entendit renifler la fourrure de la reine avec soulagement.

« Tu as deux filles et un fils, lui annonça Millie d'une voix qui trahissait sa fatigue.

— Ils sont parfaits », répondit-il doucement.

Sa compagne s'efforça de redresser la tête pour regarder les petits qu'elle allaitait.

« Le mâle te ressemble comme deux gouttes d'eau, même s'il a plus de rayures noires que toi. Déjà grand et fort.

— Il ressemble à un bourdon, ronronna Plume Grise. Et si nous l'appelions comme ça : Petit Bourdon ? Et la femelle au pelage brun sombre pourrait être Petite Églantine.

— Ça me plaît. J'aimerais appeler la plus petite Petit Pétale. Les taches sur son pelage écaille ressemblent à une pluie de pétales.

— Petit Bourdon, Petite Églantine et Petit Pétale, murmura Plume Grise. Bienvenue dans le Clan du Tonnerre, mes précieux chatons.

— Ils n'ont plus besoin de nous, miaula Feuille de Lune à Nuage de Geai. Chipie gardera un œil sur eux et nous appellera s'il le faut. »

Alors qu'ils regagnaient leur antre sous le clair de lune, l'apprenti guérisseur sentit une bouffée de fierté monter en lui – il était fier de Millie, de lui-même et de Feuille de Lune.

« Tu as fait du beau travail, le complimenta-t-elle en lui frôlant la joue du bout du museau, comme si elle devinait son émoi.

— Merci », répondit-il avant de lui lécher l'oreille. Leur dispute était bien loin dans son esprit. « C'est la chose la plus incroyable qui existe !

— C'est vrai. »

Pourquoi ce ton triste ? songea-t-il. Elle était loin d'être aussi grisée que lui. Lui avait l'impression d'être léger comme l'air. Son mentor avait peut-être aidé tant de reines à mettre bas que cela ne l'émouvait plus. Ou peut-être qu'elle était jalouse d'elles, de leurs boules de poils minuscules qui savaient d'instinct qui était leur mère, qui l'aimaient absolument depuis leur première bouffée d'air. Nuage de Geai ralentit en essayant d'imaginer ce que Feuille de Lune ressentait vraiment devant ces naissances. Était-elle malheureuse de ne pouvoir porter ses propres petits ?

Le lendemain, Nuage de Geai fit une grasse matinée. Lorsqu'il sortit enfin dans la clairière, où le soleil lui réchauffa le dos, ses pensées étaient encore confuses. Un parfum délicieux lui parvint de la réserve de gibier. Affamé après sa nuit de travail, il prit une souris au sommet et se mit à manger.

« J'ai entendu dire que tu avais aidé à ta première mise bas ! s'écria Nuage de Houx en accourant. J'aurais voulu voir ça !

— C'était incroyable », confirma-t-il entre deux bouchées.

Plume Grise se faufila hors de la pouponnière. Il irradiait de bonheur.

« Félicitations, Plume Grise ! lui lança Longue Plume.

— Est-ce que Millie va bien ? s'enquit Nuage de Cendre, qui faisait sa toilette devant la tanière des apprentis.

— Oui, elle va très bien. Et les petits aussi.

— J'ai hâte de les voir ! piailla Nuage de Givre, qui sautait en tous sens, bouillonnant d'impatience.

— Nous, on les a déjà vus ! fanfaronna Petit Crapaud. Petit Bourdon jouera avec moi quand il sera un peu plus grand.

— Ils sont trop mignons, renchérit Petite Rose. Surtout Petit Pétale. Elle est minuscule ! »

Nuage de Geai entendait Plume Grise fouiller dans la réserve de gibier.

« Millie doit avoir faim, lança Poil de Souris depuis le seuil de son gîte.

— Et elle va avoir droit à la meilleure pièce de viande que je pourrai trouver !

— Comment s'appellent les petits ? voulut savoir Poil de Châtaigne.

— Petit Bourdon, Petite Églantine et Petit Pétale.

— Au moins, ils auront de vrais noms de guerriers, eux », marmonna Pelage de Poussière, qui n'avait visiblement pas oublié que Millie avait refusé de changer de nom.

Plume Grise ignora son camarade ronchon et continua ses recherches jusqu'à ce qu'Étoile de Feu descende de la Corniche.

« Vous avez choisi de beaux noms de guerriers », ronronna le rouquin, visiblement ravi pour son vieil ami.

Pourtant, Nuage de Geai distingua une sorte de tristesse qui unissait les deux guerriers, comme s'ils partageaient un lourd souvenir. Était-ce lié à la chatte argentée de sa vision ?

« Tu aurais dû appeler Petit Pétale Petite Pleureuse, parce qu'elle ne fait que se plaindre ! grommela Petit Crapaud.

— Ne sois pas méchant ! le rabroua sa sœur, qui sauta sur son frère pour le faire rouler au sol.

— Arrêtez, tous les deux ! »

Le miaulement sévère de Patte d'Araignée résonna partout dans la combe tandis qu'il les séparait.

« On ne faisait que jouer, gémit Petit Crapaud.

— Eh bien, jouez à autre chose de moins bruyant ! Je ne t'envie pas, Plume Grise. Deux chatons, c'est assez difficile comme ça. » Il poussa soudain un cri de douleur. « Petit Crapaud ! Quand je vous disais de faire autre chose, ce n'était pas pour que tu attaques ma queue ! »

Le tunnel de ronces frémit. Nuage de Geai avala sa dernière bouchée de souris. Griffe de Ronce, Pelage de Granit et Nuage de Lion rentraient au camp. Ils vinrent déposer leurs prises sur le tas.

« Où est la patrouille de l'aube ? lança Griffe de Ronce. Ils devraient déjà être rentrés, non ?

— Qui avais-tu envoyé ? demanda Patte d'Araignée à Étoile de Feu.

— Cœur d'Épines, Pavot Gelé et Bois de Frêne. »

Nuage de Geai se concentra sur le camp, à l'affût de l'odeur des guerriers absents.

« Ils ont peut-être décidé de chasser, suggéra Plume Grise.

— Ils devaient venir faire leur rapport sur-le-champ, lui rappela Griffe de Ronce.

— Dans ce cas, c'est qu'il n'y avait rien d'urgent à nous annoncer. »

Nuage de Geai ne flaira que des fumets éventés. Il projeta son esprit plus loin, au-delà de la combe. S'ils étaient près du camp, il détecterait peut-être une pensée ou une émotion. Il se figura des arbres et des buissons, paysage construit grâce aux images de ses rêves. Aucun signe de ses camarades.

Tout à coup, son esprit se vida, terrassé par des ténèbres soudaines. Il fut aussitôt saisi par le froid qui s'insinuait dans sa fourrure, jusqu'à ses os. Il voulut respirer, mais le vide l'étouffait, le suffoquait comme de l'eau, le noyait dans sa noirceur terrifiante.

Puis tout disparut et il put de nouveau visualiser la forêt, verte et tranquille.

Nuage de Geai s'efforça de reprendre son souffle, d'inspirer de l'air frais, revigorant.

« Tout va bien ? lui demanda Feuille de Lune, inquiète.

— Qu'est-ce qu'il a ? » gémit Nuage de Houx en se collant à son frère.

Combien de temps avait pu s'écouler ?

Plume Grise se tenait encore près du tas de gibier, un campagnol dans la gueule. Patte d'Araignée tentait toujours d'écarter son fils de sa queue. La vision ne l'avait subjugué qu'un instant.

« Quelque chose arrive, avertit Nuage de Geai d'une voix rauque. Quelque chose… d'épouvantable ! » conclut-il, en proie à une terreur indicible.

Feuille de Lune garda le silence. Elle avait tourné la tête en entendant le frémissement du tunnel de ronces.

« Pavot Gelé ! » salua Étoile de Feu lorsque la jeune guerrière s'extirpa des épines. Puis son miaulement s'aiguisa : « Tout va bien ? »

La jeune chatte était nerveuse. Bois de Frêne arriva après elle, d'un pas hésitant, suivi de Cœur d'Épines. Nuage de Geai se pencha en avant, les poils dressés sur son échine. Des pas étranges foulaient le tunnel. Une odeur nouvelle lui emplit la truffe tandis qu'un inconnu entrait dans la clairière.

« Qui est-ce ? souffla l'apprenti guérisseur.

— Je ne sais pas, murmura sa sœur.

— À quoi ressemble-t-il ? »

La novice ne répondit pas, trop préoccupée par l'arrivée de l'inconnu. Le pelage du matou sentait la bruyère et le parfum frais du vent et de l'eau, mais rien d'autre de familier. Lorsque Nuage de Geai voulut scruter l'esprit de l'étranger, il se retrouva ébloui par des images d'arbres, de ciel, d'éclairs,

189

de monstres rugissants, de vastes étendues d'eau verte agitée. Cependant, aucune d'elles ne durait assez pour qu'il les voie clairement. C'était comme essayer de regarder une chute d'eau reflétant le soleil.

« Alors ? demanda-t-il à sa sœur en lui donnant un petit coup d'épaule.

— Il... il est grand, murmura-t-elle, distraite. Plus grand qu'Étoile de Feu. Il a le menton pointu, de grandes oreilles écartées et son pelage est plus long que le nôtre – d'une couleur brune mouchetée de taches écaille – et sa queue... Je l'ai déjà vu ! C'est le lion.

— Quoi ? s'exclama son frère.

— Dans la lande, alors que le soleil se levait derrière lui. Il ressemblait à un lion », expliqua-t-elle plus bas encore.

Nuage de Geai voulait tout savoir, mais Étoile de Feu s'approchait déjà de l'étranger. La tension était palpable dans l'air.

« Cœur d'Épines, tonna le meneur, pourquoi as-tu amené ce chat ici, dans notre camp ?

— Je... je... »

Alors que le vétéran balbutiait, Nuage de Geai percevait la confusion qui régnait dans son esprit. Il ne savait même plus pourquoi il avait conduit un parfait inconnu au cœur du territoire du Clan du Tonnerre.

« Étoile de Feu, déclara l'étranger à la surprise générale, c'est un honneur de te rencontrer. Il y a longtemps que je voulais faire la connaissance du Clan du Tonnerre. »

Son miaulement était profond et son ton léger, comme pour accentuer son honnêteté.

« Comment peut-il nous connaître ? siffla Patte d'Araignée.

— D'où vient-il ? murmura Feuille de Lune.

— Tu voulais faire notre connaissance ? répéta Étoile de Feu, incrédule. Qu'est-ce que tu veux de nous ?

— On n'a rien pour lui ! gronda Poil de Souris. Qu'on le chasse !

— Je n'attends rien de vous. »

Les paroles du matou résonnèrent dans la combe.

« Alors que fais-tu là ? s'enquit le meneur, agacé.

— Je suis venu parce qu'il était temps.

— Il était temps de quoi ? lança Patte d'Araignée.

— Temps de vous voir. »

Nuage de Geai frissonna. Comment ce chat rendait-il des mots si simples si puissants ?

Étoile de Feu se dandina sur place.

« Il raconte n'importe quoi, marmonna Poil de Souris. Dites-lui de partir.

— Mais il vient juste d'arriver ! s'écria Petit Crapaud, tout excité. Qui es-tu ? » demanda-t-il en bondissant vers l'inconnu.

Ce dernier ronronna avant de répondre :

« Je suis Sol. »

Griffe de Ronce s'avança rapidement.

« Petite Rose et toi, vous devriez vous reposer dans la pouponnière, dit-il à Petit Crapaud. Vous n'avez pas dû dormir beaucoup cette nuit.

— Que s'est-il passé ? s'enquit Sol.

— Rien. » Le lieutenant suivit du regard les deux chatons qui regagnèrent leur gîte en grommelant.

Il attendit de les y voir entrer avant de se tourner vers Cœur d'Épines. « Où as-tu trouvé cet inconnu ?

— Sur la frontière du Clan du Vent. Il ne volait pas de gibier, n'essayait pas d'entrer sur notre territoire. Il ne faisait… qu'attendre.

— J'attendais une patrouille », leur apprit Sol.

Comment un solitaire peut-il connaître les patrouilles et les frontières ?

« Pourquoi ? demanda Étoile de Feu, ébahi.

— Pour qu'on m'escorte jusqu'ici. »

Nuage de Geai se concentra sur Sol, cherchant dans son esprit la raison de sa venue. Cependant, il ne trouva de nouveau qu'une nuée d'images scintillantes et incohérentes.

Ses camarades semblaient tous trop abasourdis pour parler.

Brisant le silence, Sol déclara :

« Je vois que je ne suis pas le bienvenu. » Le bout de sa queue effleura le sol. « Je pensais que le Clan du Tonnerre, entre tous, m'accueillerait. » Il braqua son regard tel un rayon lumineux sur Étoile de Feu. « Tu aimes aider les chats moins fortunés que toi, non ?

— Nous ne chassons pas ceux qui sont dans le besoin, rétorqua prudemment le rouquin, la fourrure en bataille. Or, toi, tu affirmes ne rien attendre de nous.

— Tu veux donc que je m'en aille », conclut Sol, sans pour autant faire mine de partir. Au lieu de quoi, il leva la truffe comme pour obtenir de plus amples informations sur ses hôtes. « Puis-je d'abord faire la connaissance de tes guerriers ? J'ai voyagé longtemps, et seul, et je serais ravi de frôler le pelage d'autres chats, ne serait-ce qu'un instant.

— Très bien. Voici Griffe de Ronce, mon lieutenant, déclara le chef, avant de tendre la queue de l'autre côté. Et Feuille de Lune, notre guérisseuse.

— Alors, c'est toi, la guérisseuse ? fit Sol, l'air enchanté.

— Euh… oui, confirma la chatte, mal à l'aise.

— Et voilà Cœur d'Épines, Plume Grise et Pelage de Poussière, conclut Étoile de Feu.

— Et moi, c'est Nuage de Givre ! lança l'apprentie en s'avançant. Et lui, c'est mon frère, Nuage de Renard.

— Ah… les "Nuages"… Vous apprenez à devenir des guerriers, c'est ça ?

— En effet, confirma Griffe de Ronce à la place de la novice. D'ailleurs, ils devraient s'entraîner, en ce moment même. Nuage de Givre, Nuage de Renard, vos mentors auraient dû vous emmener en forêt, non ?

— C'est vrai, répondit Aile Blanche en accourant. Viens, Nuage de Givre, allons réviser nos attaques. Nuage de Renard, tu pourras t'entraîner avec nous en attendant que Poil d'Écureuil revienne de la chasse.

— On ne peut pas rester ? » gémit le petit rouquin, alors qu'Aile Blanche les poussait déjà vers la sortie.

Petite Rose et Petit Crapaud choisirent cet instant pour sortir en trébuchant de la pouponnière.

« Je croyais vous avoir dit…, gronda Griffe de Ronce avant de s'interrompre en voyant que Chipie les chassait.

— Je vous l'ai répété, les chatons de Millie sont trop petits pour jouer ! Même si vous ne faisiez que les chatouiller avec une plume ! »

Le miaulement furieux de la reine s'arrêta net. Elle avait dû voir Sol.

« Allez, ouste ! souffla-t-elle à ses petits, gênée, en les poussant vers la tanière des apprentis. Jouez par là-bas et ne faites pas de bruit. Étoile de Feu est occupé.

— Elle n'est pas née au sein d'un Clan, pas vrai ? commenta Sol.

— Elle fait partie du Clan du Tonnerre, à présent ! gronda Patte d'Araignée.

— Bien sûr, susurra Sol.

— Je voulais juste dire que c'est une des nôtres, c'est tout », ajouta Patte d'Araignée, tête basse.

Nuage de Geai flaira une odeur de gibier frais au moment même où les ronces du tunnel s'agitaient. Poil d'Écureuil et Tempête de Sable revenaient de la chasse. Elles ralentirent en apercevant Sol, déroutées.

« Encore du gibier ? s'étonna le nouveau venu tandis qu'elles déposaient leurs prises sur la réserve, mal à l'aise. Vous arrive-t-il d'en manquer ? »

Griffe de Ronce traversa la clairière pour rejoindre Poil d'Écureuil. Nuage de Geai ne put entendre ce qu'il murmura à sa compagne. Le lieutenant se tourna ensuite vers Sol.

« Le gibier se fait rare durant la mauvaise saison, mais nous survivons.

— Je le vois, fit l'autre d'un ton approbateur.

— Nous pourrions peut-être t'offrir une pièce de viande avant que tu continues ton voyage, proposa Étoile de Feu.

— Je chasse moi-même, répondit Sol en s'asseyant.

— Il n'a pas compris le message, ou quoi ? »
murmura Nuage de Houx.

Nuage de Geai sentit soudain sur lui le regard
de Sol.

« Il y a des aveugles dans votre Clan ?

— Nuage de Geai est mon apprenti, miaula
Feuille de Lune en se plaçant devant lui dans un
geste protecteur.

— *Deux* guérisseurs... C'est encore mieux. J'ai
quelque chose à partager qui, je le crois, sera mieux
apprécié par un guérisseur que par un guerrier.

— Tu es donc bien venu pour une raison !
remarqua Étoile de Feu.

— Je ne fais que passer. Et pendant que je suis
là, je peux aussi bien partager mon savoir. » Il marqua une pause avant d'ajouter : « Préféreriez-vous
que je parte tout de suite ?

— Non ! lança Feuille de Lune en s'avançant.
Étoile de Feu, laisse-le me parler.

— Ce n'est pas pour toutes les oreilles, le mit en
garde l'étranger.

— Nous pouvons aller dans la forêt », suggéra la
chatte.

Elle aussi, elle sent son pouvoir !

Étoile de Feu hésita.

« Très bien, céda le meneur. Mais emmène
Nuage de Geai avec toi. »

Feuille de Lune conduisit Sol dans la forêt.
Nuage de Geai les suivit prudemment jusqu'à une
clairière mousseuse non loin de l'entrée du camp.

« Alors, qu'as-tu à nous dire ? lança Feuille de
Lune sans se laisser impressionner.

— Les ténèbres arrivent », annonça-t-il.

Une étrange énergie fusait de lui. Nuage de Geai retint son souffle. *L'obscurité suffocante !* Il écarta cette idée. Il devait entendre tout ce que ce félin avait à dire.

« Ce qui signifie ? s'enquit Feuille de Lune sèchement.

— Une ère de grand vide nous attend. Rien ne sera plus jamais comme avant. »

La voix de Sol était hypnotique et ses mots semblaient chargés de la sagesse des Clans anciens. Nuage de Geai se pencha un peu plus car Sol baissa d'un ton.

« Le soleil disparaîtra. »

Que veut-il dire ? L'apprenti s'efforçait de voir au-delà des mots, jusque dans les pensées du matou. C'était comme essayer d'attraper des poissons glissants.

« Le Clan des Étoiles ne m'a envoyé aucun signe à ce propos, rétorqua la guérisseuse, hésitante.

— Chère Feuille de Lune, soupira l'autre, ta foi est noble. Crois-tu donc que le Clan des Étoiles sait tout ?

— Mais...

— Ce ne sont que les esprits de félins ordinaires, comme toi et moi, n'est-ce pas ? »

C'est exactement ce que je pense ! La fourrure de Nuage de Geai se dressa sur son échine. *Sauf que, lui, il est suffisamment courageux pour le dire tout haut.* Il voulait en savoir davantage sur Sol. Avait-il rencontré le Clan des Étoiles ? La Tribu de la Chasse Éternelle ? *Pierre ?*

« Le Clan des Étoiles nous a guidés pour traverser maintes épreuves, rétorqua la guérisseuse avec fermeté. Nos ancêtres nous ont trouvé un nouveau territoire lorsque notre forêt a été ravagée par les Bipèdes. Nous continuerons à leur faire confiance pendant les lunes à venir.

— Je ne pensais qu'au bien des Clans », répondit Sol en se levant. Feuille de Lune l'avait-elle offensé ? « Mais ils peuvent se débrouiller seuls, naturellement, comme ils l'ont toujours fait.

— Oui, c'est ce que nous ferons. »

Feuille de Lune se redressa à son tour et prit le chemin de la barrière de ronces. Elle se moquait bien de savoir si Sol était vexé ou non.

Le visiteur la suivit lentement. Était-ce de la satisfaction que Nuage de Geai devinait en lui ? L'apprenti se mit en route à son tour.

Il s'immobilisa en entendant un murmure dans les taillis.

« Chut ! »

Il leva la truffe.

Nuage de Renard et Nuage de Givre !

« Je croyais que vous vous entraîniez », les rabroua-t-il.

Les fougères s'écartèrent et les deux apprentis quittèrent leur cachette.

« Aile Blanche nous a dit d'aller nous entraîner à traquer le gibier », expliqua timidement Nuage de Renard.

Nuage de Givre, elle, ne semblait nullement gênée.

« C'est vrai ? couina-t-elle. Le soleil va vraiment mourir ? » Elle tremblait, en proie à un mélange d'excitation et de terreur. « Pourquoi le Clan des Étoiles ne nous a-t-il pas prévenus ?

« — Taisez-vous ! » Nuage de Geai dressa les oreilles, craignant qu'Aile Blanche ne soit dans les parages. « Personne ne doit le savoir !

— Nous devrions prévenir les autres !

— En qui avez-vous le plus confiance ? rétorqua Nuage de Geai. Cet étranger ? Ou le Clan des Étoiles ? Répandre ce genre de rumeurs ne ferait que causer une vague de panique. Vous devez réfléchir comme des guerriers, pas comme des chatons. »

Priant pour que cela suffise à leur faire garder le secret, il les poussa vers le camp et les suivit tandis qu'ils s'engouffraient dans les ronces.

Nuage de Lion, dont le pelage portait encore le parfum de la forêt, se précipita à sa rencontre.

« Qu'as-tu découvert sur lui ? Nuage de Houx m'a dit que vous étiez partis dans la forêt pour discuter.

— Il a discuté avec Feuille de Lune, pas avec moi.

— Et qu'ont-ils dit ? »

Nuage de Geai dressa l'oreille. Étoile de Feu s'entretenait à son tour avec Sol.

« Une patrouille t'escortera jusqu'à la frontière, annonça le chef.

— Nous nous assurerons qu'il quitte bien notre territoire », gronda Pelage de Poussière, qui attendait près du tunnel avec Tempête de Sable et Patte d'Araignée.

Les oreilles de Nuage de Geai chauffèrent lorsque Sol se dirigea vers eux.

« Eh bien ? » insista Nuage de Lion.

Le parfum léger, étrange, de Sol monta aux narines de l'apprenti guérisseur. Le félin se pencha vers lui pour murmurer :

« N'oublie pas… Les ténèbres arrivent.

— Qu'est-ce qu'il a dit ? s'enquit Nuage de Lion tandis que l'intrus disparaissait dans le tunnel.

— Rien d'important », répondit Nuage de Geai en réprimant un frisson.

CHAPITRE 12

« **P**OURQUOI vous ne voulez pas dormir ? » grommela Nuage de Lion qui se retournait dans son nid.

Nuage de Givre et Nuage de Renard n'avaient pas cessé de chuchoter depuis qu'Aile Blanche les avait envoyés se coucher. Comme il ne restait que cinq apprentis dans la tanière, les bruits résonnaient davantage. Nuage de Houx s'était endormie la queue sur les oreilles et Nuage de Cendre, enfin rétablie, ronflait doucement à côté d'elle. Nuage de Givre et Nuage de Renard n'étaient donc pas fatigués ? Nuage de Lion essaya de se mettre à l'aise, mais la mousse de sa litière formait des boules inconfortables.

« De quoi est-ce que vous parlez, d'abord ? feula-t-il.

— De rien d'important », miaula Nuage de Renard.

Nuage de Lion se tortilla en sentant un gravier sous lui. Voilà peut-être pourquoi il ne parvenait pas à s'endormir. Il enfouit son museau dans la mousse à la recherche du caillou et pesta.

Les murmures reprirent de plus belle.

« La ferme ! siffla-t-il.

— Ce n'était pas nous ! » s'indigna Nuage de Givre.

Nuage de Lion se crispa. Qui était-ce, alors ? En se redressant, il entendit du bruit dans la clairière. Une ombre glissa sur les branches de la tanière. Nuage de Lion renifla. Une odeur musquée lui emplit la truffe. Pas celle du Clan du Tonnerre.

Il se figea.

Le Clan du Vent !

Étaient-ils venus demander de l'aide ? Pourquoi maintenant, au beau milieu de la nuit ? Il rampa jusqu'à la sortie de la tanière.

« Où vas-tu ? murmura Nuage de Renard.

— Chut ! »

En jetant un coup d'œil dehors, Nuage de Lion vit des ombres allongées se glisser dans le tunnel de ronces. Des silhouettes au pas léger se massaient dans la clairière, à peine visibles sous le ciel sans lune.

Il cilla, incrédule. Une invasion ?

« Alerte ! On nous attaque ! » rugit-il en jaillissant de la tanière.

Il percuta un membre du Clan du Vent, surpris par ce guerrier fantomatique. Des cris et des feulements retentirent tout autour de lui lorsque les envahisseurs l'encerclèrent. À coups de griffes, il tint bon face à ses ennemis.

Puis il se laissa retomber au sol et s'extirpa de la mêlée tandis que ses assaillants tombaient les uns sur les autres.

Les guerriers du Clan du Tonnerre jaillissaient de leur repaire, la fourrure en bataille, les yeux écarquillés. Nuage de Houx débatula dans la clairière avec Nuage de Cendre, Nuage de Givre et Nuage de Renard sur les talons.

« Pourquoi nous attaquent-ils ? »

Ce n'était pas le moment de se poser des questions.

« Contournez la clairière et affrontez les intrus ! » ordonna Nuage de Lion.

Il se baissa pour esquiver un guerrier du Clan du Vent qui lui sautait dessus, puis il fit le gros dos. L'assaillant lui roula gauchement par-dessus et retomba de travers, si bien que Nuage de Lion pivota et lui sauta à la gorge.

Au dernier moment, il tourna la tête pour le mordre derrière l'oreille avant de le jeter à terre. *J'ai failli le tuer !* Nuage de Lion comprit qu'il avait été à un poil de souris de l'égorger.

« Dégage de mon camp ! » feula-t-il en l'immobilisant avec ses pattes avant pour lui lacérer le ventre avec ses pattes arrière. *Ou je te tuerai pour de bon !*

Le guerrier du Clan du Vent s'arracha à son étreinte mais, au lieu de s'enfuir, il se jeta dans la mêlée.

Un éclair blanc ! C'était Flocon de Neige qui se frayait un passage au milieu des combattants. Puis l'apprenti distingua Tempête de Sable à l'autre bout du camp, suivie de Poil de Châtaigne et Cœur Blanc. Devant la tanière des anciens, Aile Blanche et son apprentie, Nuage de Givre, bataillaient ferme contre la ligne d'ennemis qui avançait vers elles. Plume Grise se dressa devant la pouponnière pour asséner une pluie de coups si puissants que son adversaire dut reculer en crachant.

Cœur Blanc roula tout à coup devant Plume Grise, aux prises avec un ennemi féroce. Le matou ardoise saisit ce dernier pour le détacher de sa camarade et le jeta au loin comme une pièce de gibier.

« Rentre dans la pouponnière ! » ordonna-t-il.

Cœur Blanc obéit pour défendre les reines et les chatons. Le guerrier se campa devant l'entrée, ses yeux scintillants mettant quiconque au défi de s'approcher.

« Nuage de Lion ! héla Pelage de Granit depuis la tanière des anciens. Viens ici, vite ! »

L'apprenti contourna la bataille en esquivant les coups de patte perdus. Aile Blanche et Nuage de Givre luttaient toujours contre leurs ennemis, le pelage rouge de sang.

« Il faut que nous fassions grimper Longue Plume et Poil de Souris sur la Corniche, gronda Pelage de Granit. J'aiderai Aile Blanche et Nuage de Givre pour retenir ceux-là. » Il roula soudain sur le dos pour repousser de ses pattes arrière un guerrier adverse. « Toi, tu aides les anciens à grimper l'éboulis. »

Nuage de Lion jeta un coup d'œil à Nuage de Givre, qui affrontait un jeune mâle. Ses yeux brillaient de fureur tandis qu'elle lui frappait les oreilles, encore et encore.

« Exécution ! » hurla Pelage de Granit.

Le novice se faufila dans la tanière des anciens. Longue Plume et Poil de Souris étaient tapis au fond de leur antre, la fourrure en bataille, les griffes sorties.

« Vous devez me suivre jusqu'à la Corniche.

— On devrait se battre, oui ! cracha Poil de Souris.

— Il le faudra peut-être. Pour l'instant, il nous sera plus facile de chasser le Clan du Vent si nous n'avons pas à nous en faire pour vous. »

Il savait qu'il se montrait brutal, mais il n'avait pas le temps d'être diplomate. Toutes leurs vies étaient en jeu. Il vérifia l'entrée du gîte – Pelage de Granit et Aile Blanche repoussaient leurs ennemis. Nuage de Givre, dont le museau dégoulinait de sang, avait vaincu son assaillant. Les yeux plissés, elle se jeta sur les pattes arrière de celui qui malmenait Aile Blanche.

Ils avaient suffisamment dégagé l'entrée pour que Nuage de Lion puisse faire sortir les anciens. Du bout du museau, il poussa Poil de Souris dehors, puis Longue Plume. Il restait tout près d'eux afin de les protéger d'éventuels coups de griffes, tandis qu'ils se frayaient un passage jusqu'à l'éboulis.

Dépêche-toi ! songea-t-il en encourageant Poil de Souris par la pensée.

Longue Plume escaladait déjà les rochers, mais Poil de Souris se traînait, comme si chaque pas était un combat. Appuyé contre elle, Nuage de Lion la souleva un peu pour l'aider à monter.

« Arrêtez ! » feula Étoile de Feu, qui se dressait sur la Corniche, les yeux brûlants de rage.

Son feulement retentit tel le tonnerre dans la combe.

Nuage de Lion s'immobilisa et bientôt tous l'imitèrent, la tête tournée vers le chef roux.

« Comment osez-vous ? »

La marée de chats se sépara en deux, révélant Étoile Solitaire. Leur chef avait mené l'attaque en personne ! Nuage de Lion se raidit. Ce n'était pas une attaque ordinaire. C'était la guerre.

La nuit étoilée se reflétait dans les yeux du meneur adverse.

« Nous l'osons parce que nous sommes de véritables guerriers, miaula-t-il d'un ton neutre. Cette bataille couvait depuis trop longtemps. Le Clan du Tonnerre doit comprendre qu'il n'est pas le plus puissant de la forêt. »

Étoile de Feu l'écouta, figé comme un roc.

« Tu regardes les autres souffrir en attendant qu'ils te supplient de leur venir en aide comme si tu appartenais au Clan des Étoiles, martela Étoile Solitaire, la queue battant furieusement l'air. Les suppliques, ce n'est pas pour nous. Nous sommes des *guerriers* ! Nous nous battrons pour obtenir le gibier et le territoire dont nous avons besoin pour survivre.

— Vous envahissez donc notre *camp* ? demanda Étoile de Feu, outré.

— Pour nous assurer que vous compreniez bien le message. Vous pensez qu'être un guerrier signifie aller secourir des chats des montagnes et recueillir des errants. Nous, nous pensons que cela implique de prendre soin de notre Clan. »

C'est si injuste ! Où seraient-ils, tous les Clans, si Étoile de Feu n'avait pas été là ? Nuage de Lion planta ses griffes dans le sol pour s'empêcher de sauter à la gorge du chef du Clan du Vent.

Étoile de Feu bondit de la Corniche, atterrit en toute légèreté et s'approcha de son ancien allié. Les guerriers s'écartèrent pour le laisser passer. Il s'arrêta sans ciller à un poil de l'autre meneur.

« Si c'est une bataille que tu veux, feula-t-il, alors tu vas l'avoir. »

La queue d'Étoile Solitaire claqua avec force et Nuage de Lion se crispa, prêt à pousser Longue

Plume et Poil de Souris en lieu sûr si le combat reprenait. Mais, à son grand étonnement, les guerriers du Vent se replièrent et disparurent dans le tunnel de ronces. Le bruit de leurs pas mourut au loin et la stupeur tomba sur le camp.

« Ah ! s'écria soudain Nuage de Givre en bondissant en avant. Ils ont trop peur pour nous affronter !

— Cela n'a aucun sens, gronda Pelage de Poussière. Pourquoi prendre la peine de nous attaquer de nuit si c'est pour repartir aussitôt ? Ils avaient l'avantage sur nous. Nous n'étions pas préparés.

— Ce n'est plus le cas, répondit Nuage de Renard en ruant pour répéter une attaque bien apprise.

— Je veux qu'une patrouille les suive, ordonna Étoile de Feu. Pour m'assurer qu'ils quittent bel et bien le territoire.

— J'irai ! proposa Pelage de Poussière.

— Entendu. Prends Bois de Frêne, Flocon de Neige… »

Voyant qu'il passait le Clan en revue, Nuage de Lion s'avança.

« Pelage de Granit et Nuage de Lion, vous allez avec eux. »

Oui ! Nuage de Lion dévala l'éboulis.

« Y a-t-il des blessés ? » lança le rouquin tandis que Feuille de Lune et Nuage de Geai se faufilaient déjà parmi les guerriers, la gueule pleine de remèdes.

Aile Blanche léchait le sang qui souillait son pelage.

« Aile Blanche ? miaula Étoile de Feu avec inquiétude.

— Rien que des égratignures. C'est surtout le sang de nos ennemis.

— Tant mieux. Je veux que tu emmènes une patrouille jusqu'à la frontière du Clan de l'Ombre pour vérifier que tout y est calme. Emmène Poil de Fougère et Poil de Châtaigne.

— Je peux y aller ? demanda Nuage de Houx en s'avançant.

— Oui. Nuage de Givre, tu les accompagnes aussi. »

Il se tourna alors vers Plume Grise, qui gardait toujours la pouponnière.

« Tu veux que j'y aille ? proposa le matou ardoise.

— Non. Il nous faut des guerriers puissants pour protéger le Clan au cas où ils reviendraient, et personne ne défendra mieux que toi la pouponnière. Griffe de Ronce ! Pourquoi n'y avait-il pas de garde à l'entrée, ce soir ?

— Les patrouilles supplémentaires nous ont tous épuisés, répondit-il, la mine sombre.

— Postes-y quelqu'un. À partir de maintenant, elle sera gardée jour et nuit, patrouille ou non. Nous devrons nous habituer à moins dormir jusqu'à ce que le danger soit passé. »

Des miaulements leur parvinrent de la pouponnière et Plume Grise se crispa. Cœur Blanc se montra sur le seuil et les rassura :

« Les petits ont eu peur mais ils vont bien.

— Je veux voir la bataille ! » s'écria Petit Crapaud en pointant le museau hors de la pouponnière.

Cœur Blanc le prit par la peau du cou et le ramena à l'intérieur.

« Tempête de Sable, poursuivit le meneur, l'accès au camp doit être davantage protégé. Nous y ajouterons toutes les ronces que nous pourrons trouver. Je veux que tout le monde y travaille. »

La guerrière s'inclina.

Nuage de Lion courut vers le tunnel, où Pelage de Poussière attendait déjà avec Flocon de Neige. Pelage de Granit et Bois de Frêne les rejoignirent.

Nuage de Lion ne tenait plus en place. Il voulait partir au plus vite pour voir le Clan du Vent franchir la frontière à toute allure comme des lâches.

« Venez. »

L'odeur du Clan du Vent était partout dans les bois. Le novice fronça la truffe. *Des guerriers ?* Ils n'étaient rien d'autre que des voleurs et des persécuteurs. *Nous les rattraperons peut-être avant qu'ils atteignent la frontière.* Il ne demandait qu'à se battre. Il vaincrait le Clan du Vent tout comme il avait vaincu les chats des montagnes. Ils n'étaient tous qu'une sale bande de voleurs de gibier !

Flocon de Neige, qui filait en tête, fit signe à la patrouille de ralentir. C'était le meilleur pisteur du Clan. Aucun fumet ennemi ne lui échapperait. Il les conduisit droit vers la frontière, s'arrêtant de temps à autre pour renifler des brindilles et des feuilles avant de hocher la tête et de guetter la trace suivante.

Alors qu'ils approchaient de la partie de la forêt qui appartenait au Clan du Vent, il s'arrêta devant un petit if. Il le flaira puis tourna la tête, les oreilles dressées. Il gagna une ravine, où il renifla un buisson de ronces d'un air interdit. Il sauta sur le talus, qui surplombait le torrent et ouvrit la gueule pour mieux détecter les odeurs. Il finit par secouer la tête et se tourner vers ses camarades.

« Qu'est-ce qu'il y a ? s'enquit Pelage de Poussière.

— Ils se sont séparés ici, miaula Flocon de · Neige.

— Quoi ? s'exclama le guerrier brun.

— Un groupe est parti par ici », expliqua le matou blanc, la queue tendue vers l'if.

Vers l'ancien Chemin du Tonnerre ! Nuage de Lion eut un mauvais pressentiment.

« Un autre par là, poursuivit Flocon de Neige, le museau pointant le lac. Et l'autre...

— L'autre ? le coupa Bois de Frêne, incrédule.

— Le *troisième* groupe s'est enfoncé dans les bois. »

Nuage de Lion déglutit. C'était là que se trouvait la renardière abandonnée.

« Donc *aucun* d'entre eux n'a franchi la frontière ? s'enquit Pelage de Granit, qui tournait autour de ses camarades, la fourrure en bataille.

— C'est ce que j'en conclus, confirma Flocon de Neige. Les odeurs ne vont pas plus près de la frontière.

— Il n'y a aucune trace fraîche sur la frontière ? » insista-t-il.

Flocon de Neige secoua la tête.

« C'est donc qu'ils ne sont pas venus par ici à l'aller non plus, déclara Pelage de Granit.

— Ils ont dû passer par la lande », conclut Bois de Frêne.

Nuage de Lion pria pour que ce soit vrai. Mais il ne pouvait oublier la renardière qu'il avait découverte après Nuage de Houx. Est-ce que le Clan du Vent l'avait trouvée aussi ? Était-il passé par là pour les envahir ? Il se retint de courir de toute urgence au roncier pour s'en assurer. Comment expliquer ses soupçons aux autres ?

« Nous devrions rentrer au camp, suggéra Bois de Frêne. L'ennemi est toujours sur nos terres. »

Les yeux ronds, il passa ses camarades en revue avant de détaler. Nuage de Lion fila derrière lui, Flocon de Neige et Pelage de Poussière sur les talons.

« Étoile de Feu ! » hurla Pelage de Poussière lorsqu'il débola dans le camp peu après.

À son grand soulagement, Nuage de Lion constata que le camp était calme. Nuage de Renard et Nuage de Givre passaient des tiges de ronces à Cœur Blanc pour renforcer leurs défenses. Patte d'Araignée en apportait d'autres qu'il prélevait derrière la tanière de la guérisseuse, pendant que Truffe de Sureau et Pelage de Miel déposaient de la boue et des feuilles à la base de la haie pour la consolider. Plume Grise faisait les cent pas devant la pouponnière, les poils hérissés. Poil de Souris et Longue Plume étaient tapis sur la Corniche.

Étoile de Feu, qui discutait avec Griffe de Ronce au milieu de la clairière baignée de lune, releva aussitôt la tête.

« Ils sont partis ? »

Pelage de Poussière fit non de la tête.

« Quoi ? s'étrangla le meneur, les griffes plantées dans le sol.

— Ils se sont séparés en trois groupes avant de disparaître.

— Ils se sont séparés ? répéta Plume Grise, qui accourut.

— Ils veulent nous affaiblir en nous forçant à diviser nos forces, gronda Griffe de Ronce.

— L'attaque du camp n'était que le début, conclut Étoile de Feu. Ils veulent nous attirer dans la forêt.

— S'ils se sont séparés, ils se sont affaiblis, eux aussi, fit remarquer Pelage de Poussière.

— Mais ils ont l'avantage de la surprise, marmonna Plume Grise. Ils savent que nous arrivons.

— Et nous ignorons où ils se cachent », finit Pelage de Poussière.

Cœur Blanc les rejoignit, tout comme Patte d'Araignée, Truffe de Sureau et Pelage de Miel.

« Nous savons quelles directions ils ont prises, précisa Flocon de Neige en expliquant sa découverte.

— Au nom du Clan des Étoiles, comment parviennent-ils à s'orienter ? se demanda Pelage de Poussière.

— On dirait qu'ils connaissent notre territoire bien mieux que nous ne l'imaginions.

— C'est impossible ! insista Griffe de Ronce. Nos patrouilles les ont empêchés de franchir la frontière. »

Nuage de Lion les écoutait en silence, le ventre noué. Il imaginait trop bien les guerriers du Clan du Vent sortant nuit après nuit de la renardière, se rendant jusqu'au cœur même du territoire du Clan du Tonnerre, guettant des endroits stratégiques pour se battre.

Le tunnel de ronces frémit, puis Aile Blanche déboula dans le camp.

« Aucun signe de trouble sur la frontière du Clan de l'Ombre ! »

Poil de Fougère et Nuage de Houx surgirent à sa suite, talonnés par Nuage de Givre et Poil de Châtaigne.

« Le Clan du Vent s'est séparé en trois groupes. Ils sont toujours sur notre territoire, leur annonça Étoile de Feu. Je vais désigner trois patrouilles de guerriers pour aller les débusquer. Une quatrième escouade restera en arrière pour défendre le camp. Plume Grise, elle sera sous tes ordres. »

Le matou hocha la tête.

« Je dirigerai une patrouille. Griffe de Ronce, tu mèneras la deuxième et Pelage de Poussière la troisième. »

Entre-temps, le Clan tout entier s'était rassemblé autour du meneur. Assis devant leur tanière, Feuille de Lune et Nuage de Geai écoutaient attentivement. Étoile de Feu scruta les visages anxieux de ses guerriers.

« Le Clan du Tonnerre défendra son territoire, promit-il. Pelage de Granit, Nuage de Lion, Truffe de Sureau, Patte d'Araignée, Pavot Gelé, suivez-moi. Griffe de Ronce et Pelage de Poussière, choisissez vos combattants. Feuille de Lune et Nuage de Geai resteront au camp avec les reines et les anciens. Cœur Blanc et Aile Blanche, vous les protégerez. Vous aussi, Nuage de Cendre, Fleur de Bruyère et Nuage de Givre. »

Nuage de Cendre faillit protester avant de se reprendre.

Nuage de Givre ne fut pas si avisée :

« Mais je…

— Tu crois que les chatons et les anciens ne valent pas la peine qu'on les défende ?

— S-si, bien sûr ! »

Pelage de Poussière et Griffe de Ronce rassemblèrent leurs patrouilles. Le Clan se répartit entre eux tel un torrent divisé par un rocher.

« Prêts ? » demanda le meneur.

Griffe de Ronce fit signe à Patte de Mulot et à Plume de Noisette de le rejoindre avant de hocher la tête.

« Et moi ? lança Nuage de Renard.

— Tu viens avec nous, bien sûr », lui répondit Poil d'Écureuil, assise à côté de Pelage de Poussière.

L'apprenti se précipita pour rejoindre son mentor.

« J'irai dans les bois près de la frontière », annonça Étoile de Feu.

Nuage de Lion dressa l'oreille. Aurait-il une chance d'aller voir la renardière ? Il pourrait peut-être même sceller l'ouverture…

« Griffe de Ronce, poursuivit le rouquin, tu iras sur la frontière du Clan de l'Ombre. Va voir le nid de Bipèdes abandonné. Pelage de Poussière… tu iras vers le lac. »

Nuage de Lion se précipita vers Nuage de Houx.

« Sois prudente, d'accord ?

— Je ferai mon devoir », répliqua-t-elle.

Le pelage gris tigré de Nuage de Geai brillait au clair de lune lorsqu'il s'approcha d'eux.

« Vous devez revenir *tous les deux* », miaula-t-il, une lueur de terreur dans ses yeux bleus.

La prophétie ! Il n'y avait donc rien de plus important pour lui ? Leur territoire était en jeu.

« Bien sûr que nous reviendrons », promit Nuage de Houx, la gorge serrée.

Elle frotta sa joue contre celle de son frère aveugle. Nuage de Lion se sentit un peu coupable. Peut-être que Nuage de Geai était simplement inquiet pour eux.

« Nuage de Lion ! » lança Étoile de Feu à l'embouchure du tunnel de ronces – la patrouille partait déjà.

« Bonne chance ! » murmura l'apprenti à son frère et à sa sœur avant de s'élancer derrière ses camarades.

Étoile de Feu les entraîna à toute allure dans la forêt, à l'abri des sous-bois. Nul ne parlait. Dans l'obscurité, Nuage de Lion se prenait les pattes dans les racines et trébuchait sur les pierres. Ils allaient au combat, mais son excitation habituelle était dominée par l'inquiétude. Et s'il avait vu juste ? Et si le Clan du Vent s'était bel et bien servi de la renardière pour arriver en douce ?

L'odeur du Clan du Vent empuantissait l'air. Pire, elle devenait de plus en plus prégnante à mesure qu'ils approchaient de la frontière, au point qu'il eut bientôt l'impression que chaque feuille, chaque brindille en était imprégnée. Le cœur de l'apprenti s'emballa. Pourquoi n'avait-il rien fait pour condamner l'ancienne renardière ? Il aurait dû avertir Étoile de Feu, ou la boucher lui-même.

Un feulement courroucé le fit sursauter.

« Les lâches ! Les sales cœurs de renard ! » feula Étoile de Feu.

En jaillissant des taillis, Nuage de Lion vit que son chef se dressait devant la roncière qui dissimulait l'entrée des souterrains. La patrouille se rassembla autour de lui. Même dans l'obscurité, les empreintes de leurs ennemis étaient visibles. Le sol de la forêt avait été retourné par les allées et venues des intrus.

« Il y a des lunes qu'ils doivent se servir de ce passage ! gronda Pelage de Granit.

— En tout cas, ils sont passés par là cette nuit, c'est certain », confirma le rouquin en reniflant l'ouverture.

Patte d'Araignée fit quelques pas dans la trouée où Nuage de Lion s'était faufilé quelques jours plus tôt.

« Il y a une galerie, là-dedans, confirma-t-il en ressortant. Je ne suis pas descendu très profondément, mais ça pue le Clan du Vent. Ça mène tout droit à leur territoire, c'est évident.

— Alors nous devons condamner l'entrée, ordonna Étoile de Feu. Plus aucun guerrier du Clan du Vent ne pourra nous envahir par ici.

— Ils sont déjà là, miaula Pavot Gelé en jetant des coups d'œil inquiets autour d'elle.

— Nous nous occuperons d'eux ensuite, promit Étoile de Feu avant de s'emparer d'une branche morte et de la fourrer au milieu de la roncière. Nous nous occuperons de la galerie plus tard. Bloquer ce passage suffira pour l'instant. »

Pelage de Granit se tourna et se mit à projeter de la boue dans l'ouverture, et les autres l'imitèrent aussitôt. Nuage de Lion prit une autre branche dans sa gueule et la fit glisser près de celle de son chef. Pourquoi n'avait-il pas fait cela plus tôt ?

Étoile de Feu l'écarta du bout du museau.

« Toi et Pavot Gelé, vous montez la garde. Les autres, vous venez avec moi, nous allons inspecter le reste de la frontière. »

Il les entraîna au loin en silence – ils rampaient tous comme s'ils traquaient du gibier. *Et le gibier est le Clan du Vent.*

Pavot Gelé faisait les cent pas devant Nuage de Lion, la truffe frémissante.

« Tu sens quelque chose ? » lui demanda-t-il.

Elle ouvrit la gueule pour répondre avant de se figer : un buisson avait frémi à quelques longueurs de queue.

Une ombre se glissa vers elle.

Belle-de-Nuit !

« On nous atta... »

L'alerte de Nuage de Lion fut coupée net lorsque Poil de Lièvre jaillit d'un bouquet de fougères et le fit tomber au sol. Feulant de plus belle, Nuage de Lion se remit sur ses pattes tandis que les guerriers ennemis surgissaient des ombres tout autour de lui.

CHAPITRE 13

LE VENT SE LEVA sur la forêt. Les branches claquè-
rent et une pluie de feuilles tomba sur la patrouille
de Nuage de Houx.

Il fait si sombre !

Elle leva la tête. Nulle étoile ne brillait dans le
ciel et les nuages avaient voilé la lune.

La queue de Poil de Fougère lui frôla la joue. Il
n'était qu'à quelques pas devant elle, mais elle le
voyait à peine.

« Reste près de moi », murmura-t-il.

L'escouade progressait lentement. Le Clan du
Vent pouvait être partout, à l'affût.

Soudain, le cri étouffé de Patte de Mulot venu de
derrière la fit sursauter :

« Aïe !

— Ça va ? s'enquit-elle.

— Une ronce m'a griffé l'œil. »

Nuage de Houx s'arrêta un instant pour examiner la coupure de son camarade. Du sang lui coulait
autour de l'œil, déjà gonflé.

Le jeune guerrier s'essuya la joue d'un revers de
patte.

« Ça ira, miaula-t-il.

— Ne traînez pas ! » leur lança Poil de Fougère.

Nuage de Houx pressa l'allure tout en guidant Patte de Mulot. Elle avait l'impression de courir à l'aveuglette. Ses coussinets foulaient des feuilles, de la boue ou des racines emmêlées. Le cœur battant, elle huma l'air pour essayer de deviner où elle se trouvait. Voilà ce que devait ressentir Nuage de Geai en permanence.

Lorsque ses griffes crissèrent sur de la pierre, elle comprit qu'ils avaient atteint l'ancien Chemin du Tonnerre. Il était semé de touffes d'herbes et elle devait prendre garde à ne pas trébucher.

« Restez groupés », ordonna Griffe de Ronce. Nuage de Houx devinait tout juste sa silhouette dans l'obscurité. « Le Clan du Vent n'aura aucun mal à nous prendre par surprise. »

Que veut le Clan du Vent ? Cette question tournait en boucle dans la tête de Nuage de Houx. *Tout notre territoire ? Alors où irions-nous ? Nous n'avons pas mérité ça !* Seul le Clan du Tonnerre s'était montré secourable quand tous les autres s'y refusaient. Chipie, Millie, Pelage d'Orage et Source auraient dû survivre comme des solitaires si le Clan du Tonnerre ne les avait pas accueillis. Et Étoile de Feu n'aurait pas pu sauver le Clan du Tonnerre – et tous les autres Clans – si Étoile Bleue ne l'avait pas recueilli alors qu'il était un chat domestique, bien des lunes plus tôt.

Pourquoi les autres Clans en faisaient-ils toute une histoire ?

Parce que le code du guerrier rejette les chats domestiques, les solitaires et les chats errants.

Nuage de Houx eut l'impression que la terre se dérobait sous ses pattes. Son Clan déviait de ce qui était le code du guerrier depuis toujours ! En relevant la tête, elle aperçut le nid de Bipèdes abandonné qui se dressait d'un air menaçant contre le ciel noir.

« Embuscade ! »

Le cri de Griffe de Ronce la tira de ses réflexions. Elle constata alors que le nid grouillait de guerriers ennemis. Ils attaquaient tel un escadron fantôme.

« Déployez-vous ! » ordonna le lieutenant.

Où ça ? Nuage de Houx tenta de voir dans quelle direction pointait sa queue, sauf qu'il faisait trop noir. Le Clan du Vent fondit sur le lieutenant et il disparut dans une masse de fourrures sombres. Terrifiée, elle vit deux guerriers ennemis – Poil de Belette et Patte de Braise – foncer droit vers elle. Dans leurs yeux brillait leur soif de sang. Incapable de réagir, elle se retrouva à rouler au sol sous leurs coups.

Rappelle-toi ton entraînement !

La colère fusa en elle telle la foudre et elle se releva d'un bond, toutes griffes dehors, prête à riposter. Elle blessa Poil de Belette au museau et sentit le sang du guerrier imprégner sa fourrure.

Patte de Mulot apparut près d'elle, son œil blessé à demi fermé, et se jeta sur Patte de Braise pendant que l'apprentie frappait de nouveau Poil de Belette. Elle dut reculer d'un bond pour laisser passer Poil de Fougère, qui roulait au sol avec Oreille Balafrée. Son adversaire en profita pour lui décocher un coup terrible à la tête qui la fit chanceler. Elle perdit l'équilibre et tomba sur le sentier de pierre. Une lueur triomphale embrasa le regard de Poil de

Belette qui se laissa tomber sur elle, les crocs décou-
verts. Le sang rugit aux oreilles de Nuage de Houx
qui lutta contre un accès de panique. Elle se tordit
juste à temps pour éviter les crocs acérés du guerrier et le frappa avec ses pattes arrière.

Oui ! Percuté en plein ventre, il fut forcé de reculer, ce qui permit à la novice de se relever d'un
bond et de lui mordre une patte.

« Bravo », la complimenta Poil de Fougère, arrivé
à la rescousse.

Il se dressa sur ses pattes arrière et cloua Poil de
Belette au sol. Nuage de Houx attaqua de nouveau
et sentit le goût du sang dans sa gueule lorsqu'elle
lui mordit une autre patte. Le guerrier du Clan
du Vent poussa un cri de douleur et s'enfuit dans
l'ombre.

Tout en reprenant son souffle, Nuage de Houx
balaya la mêlée du regard.

Cœur d'Épines luttait contre deux adversaires.
Tandis qu'il en repoussait un, l'autre lui mordait
les pattes.

La fourrure blanche de Flocon de Neige brillait devant le nid de Bipèdes. Il était encerclé.
Son pelage le trahit !

Tout près, Patte de Mulot poussa un cri soudain.
Alors que Patte de Braise l'avait cloué au sol, il se
débattait dans tous les sens, à demi aveugle à cause
de son œil blessé.

« Je m'en occupe, souffla Poil de Fougère. Toi, va
aider Flocon de Neige. »

Nuage de Houx s'élança, mais Griffe de Ronce,
qui l'avait prise de vitesse, avait déjà arraché les
deux matous du dos du guerrier blanc et il les jetait

au loin comme de vulgaires feuilles mortes. Ses yeux étincelèrent lorsqu'il vit sa fille.

« Nous sommes en infériorité numérique, sifflat-il. Tu dois aller demander de l'aide à Étoile de Jais !

— Moi ? » hoqueta-t-elle.

Comment pourrait-elle persuader le chef du Clan de l'Ombre de se battre pour le Clan du Tonnerre ?

« Vas-y ! hurla Griffe de Ronce. Étoile de Jais préférera partager sa frontière avec nous plutôt qu'avec ce ramassis de cœurs de renard ! »

Les deux guerriers du Clan du Vent s'étaient relevés et retournaient à l'assaut. Avant que Griffe de Ronce disparaisse dans un tourbillon de fourrure, il lui jeta un ultime regard en hurlant :

« Va-t'en ! »

Nuage de Houx détala aussitôt. Un sang glacé coulait dans ses veines. Comment parviendrait-elle à traverser le territoire du Clan de l'Ombre seule ? *Mes camarades ont besoin d'aide.* Cette idée lui redonna courage. Et son pelage noir la camouflerait.

Elle se glissa dans les ombres qui longeaient le Chemin du Tonnerre puis obliqua dans les bois dès qu'elle sentit la frontière. Elle n'était jamais allée par là. *Comment trouverai-je leur camp ?*

La truffe au sol, elle se fraya un passage dans la forêt qui changeait peu à peu sous ses pattes : les larges feuilles glissantes firent place aux aiguilles piquantes. Les taillis s'espacèrent, les troncs s'amincirent à mesure qu'elle quittait la forêt pour s'enfoncer dans la pinède. La forte odeur du Clan de l'Ombre la hérissa. Elle devait être en train de franchir la frontière. Elle rampait au ras du sol, soulagée qu'il fasse nuit. Elle ne voulait pas se faire surprendre par une patrouille méfiante, car elle comptait arriver directement au camp pour pouvoir parler à Étoile de Jais. Elle se faufila entre les arbres, rasant leur tronc pour que leur ombre la dissimule.

Où est le camp ? Son cœur cogna plus fort encore. Elle huma l'air. L'odeur du Clan de l'Ombre lui inonda la gueule. Reprenant espoir, elle continua à progresser, la truffe au sol. *Un sentier !* D'innombrables pattes de guerriers de l'Ombre étaient passées par ici. Il devait mener au camp !

Elle suivit la piste, les pattes tremblantes, puis, en relevant la tête, elle vit une ombre menaçante devant elle. Une énorme roncière bloquait le passage. Est-ce que derrière se trouvait leur camp ? Elle ralentit, les oreilles dressées. Elle entendit des miaulements étouffés. Un chaton gémit et le roncier frémit.

Aucun doute, c'est bien là.

Elle s'approcha plus près encore, contournant les épines en se demandant où était l'entrée.

« Qui va là ? »

Le feulement l'avait fait sursauter. Elle cilla et vit qu'une chatte bloquait le passage. C'était Plume de Lierre. Nuage de Houx la reconnut car elle avait déjà vu son pelage blanc et écaille lors des Assemblées.

« Je suis Nuage de Houx, du Clan du Tonnerre, expliqua-t-elle, le souffle court. C'est Griffe de Ronce qui m'envoie. Je dois parler à Étoile de Jais. »

Plume de Lierre avança prudemment et renifla l'apprentie en remuant les moustaches. Elle scruta ensuite la forêt.

« Où est le reste de ta patrouille ?

— Je suis seule. »

Nuage de Houx repéra une trouée dans la roncière. L'entrée ? Est-ce que la guerrière la gardait ?

« Aucun guerrier digne de ce nom n'enverrait une apprentie seule en territoire ennemi.

— C'est une urgence, et je dois parler à Étoile de Jais », insista la novice, les griffes plantées dans le sol.

Mes camarades sont en train de se faire réduire en charpie !

« Tu as l'intention de le distraire pendant que tes camarades nous attaquent ? feula la guerrière. Vous nous prenez vraiment pour des cervelles de souris ? »

Nuage de Houx perdit patience. D'un coup d'épaule, elle écarta la chatte blanche et écaille de son passage et fila droit vers l'ouverture. Plume de Lierre se lança à sa poursuite tandis qu'elle déboulait dans le camp du Clan de l'Ombre.

Un grand matou tigré pivota pour se retrouver nez à nez avec l'apprentie.

« Au nom du Clan des Étoiles, qu'est-ce qui se… ?

— Où est Étoile de Jais ? »

Le matou fit le gros dos, les yeux écarquillés.

« Nuage de Houx ! » lança alors une voix familière tout près d'elle.

La novice fut aussitôt soulagée en reconnaissant Pelage d'Or.

« Il faut que tu m'aides ! gémit-elle, au désespoir.

— Calme-toi et explique-moi ce qui se passe.

— Il n'y a pas de temps à perdre ! Le Clan du Vent nous attaque, et la patrouille de Griffe de Ronce n'est pas assez nombreuse. Il m'a envoyée chercher de l'aide ! »

Pelage d'Or se raidit.

« Suis-moi. »

Elle lui fit traverser la clairière et l'entraîna dans une ouverture au milieu des épines. À l'intérieur, Nuage de Houx cilla pour tenter d'y voir quelque chose.

« Étoile de Jais, lança Pelage d'Or à une ombre au fond de la tanière, le Clan du Tonnerre a besoin de notre aide. »

Du bout de la queue, elle caressa le flanc de Nuage de Houx pour l'inviter à parler.

« Salutations, Étoile de Jais, miaula l'apprentie en s'inclinant. Excuse-moi d'avoir pénétré dans votre camp, mais c'est une question de vie ou de mort. Le Clan du Vent a envahi notre territoire. Les guerriers grouillent dans notre forêt et ils sont trop nombreux pour nous. Tu dois nous aider ou ils nous chasseront. »

Étoile de Jais sortit de l'ombre, les yeux ronds.

« Va chercher Feuille Rousse », murmura-t-il à Pelage d'Or.

La guerrière se faufila hors de la tanière, laissant Nuage de Houx seule avec Étoile de Jais.

« Combien de guerriers du Clan du Vent ? lui demanda-t-il.

— Je crois que le Clan est venu tout entier, à l'exception des anciens et des chatons.

— Où sont-ils ?

— Griffe de Ronce affronte une patrouille près du nid de Bipèdes abandonné, répondit-elle en essayant de maîtriser sa voix tremblante. Étoile de Feu est parti vers la frontière et Pelage de Poussière traque une autre patrouille près du lac.

— Voilà qui ressemble à une invasion bien préparée, déclara Feuille Rousse en entrant avec Pelage d'Or.

— C'est le cas, confirma l'apprentie. Nous ne nous y attendions pas du tout. »

Le lieutenant agita les moustaches.

« Le Clan du Tonnerre s'est fait prendre par surprise, hein ? »

Son ton amusé mit Nuage de Houx hors d'elle.

« Mes camarades sont en train de mourir pendant que vous parlez !

— C'est vrai, reconnut la guerrière en s'asseyant. L'affaire est sérieuse. Nous ne pouvons pas laisser un Clan se faire chasser. »

Nuage de Houx contempla Étoile de Jais. N'avait-il donc rien à dire ?

« Il y a toujours eu quatre Clans dans la forêt, reprit Feuille Rousse. Étoile Solitaire semble l'avoir oublié. Nous serons tous fragilisés si l'un des Clans disparaît. Pourtant… est-ce que le Clan de l'Ombre doit risquer la vie de ses propres guerriers pour soutenir le Clan du Tonnerre ? »

Oui ! Nuage de Houx guetta la réaction du meneur. *Oh, pitié, dis oui !*

« Nous viendrons, annonça-t-il en se levant, au grand soulagement de la novice. Feuille Rousse organisera la patrouille. »

Dépêchez-vous ! Pelage d'Or dut lire dans ses pensées car elle la fit taire en faisant glisser le bout de sa queue sur son museau.

« Je peux partir sur-le-champ avec Nuage de Houx, suggéra la guerrière. Je les aiderai de mon mieux en attendant les renforts. »

Étoile de Jais plissa les yeux d'un air méfiant. Se demandait-il si Pelage d'Or s'inquiétait surtout pour son frère, Griffe de Ronce, et pour ses anciens camarades de Clan ?

Peu importe ! Allons-y !

« Très bien », fit le meneur.

Pelage d'Or s'inclina et sortit de la tanière à reculons.

« Oh, merci ! » s'écria la novice avant de suivre la chatte.

Elle faillit trébucher sur les chatons qui couraient dans les pattes de leur mère, juste devant l'antre de leur chef.

« Petite Aube, Petite Flamme, restez en dehors de mon chemin ! » les gronda Pelage d'Or.

Une troisième boule de poils sautait sur place devant elle.

« Nous voulons aller nous battre ! couina-t-il.

— Petit Tigre ! Tu nous as encore espionnés ? »

La chatte eut beau foudroyer son fils du regard, la tendresse se lisait toujours au fond de ses yeux.

Nuage de Houx ronronna malgré elle devant leurs petites queues gonflées.

« Désolée pour mes chatons, miaula la chatte. Ils ont hâte de devenir des guerriers.

— J'étais comme eux, je m'en souviens encore », ronronna Nuage de Houx.

Pelage d'Or poussa ses petits vers un if. Une reine blanche attendait à l'entrée.

« Veille sur eux, Oiseau de Neige, miaula la chatte écaille. Assure-toi qu'ils ne quittent pas le camp.

— Ne t'inquiète pas, je connais toutes leurs ruses, la rassura sa camarade.

— Je serai revenue dans un rien de temps… Si le Clan des Étoiles le veut », ajouta-t-elle dans un murmure.

Nuage de Houx jeta un coup d'œil vers le ciel. Les nuages s'effilochaient devant la lune.

« Guerriers de jadis, aidez-nous !

— Suis-moi », lui dit Pelage d'Or.

Elle lui fit traverser la pinède jusqu'à une clairière où passait un cours d'eau. C'était le bout de territoire que le Clan du Tonnerre avait cédé des lunes plus tôt au Clan de l'Ombre. Les Bipèdes y vivaient dans d'étranges nids colorés, mais seulement à la saison des feuilles vertes.

« Baisse-toi », lui conseilla la vétérante, qui traversa la clairière à toute vitesse et franchit le cours d'eau là où il était le plus étroit. Tout était silencieux autour d'elles.

Elles furent bientôt dans la forêt du Clan du Tonnerre. Pelage d'Or connaissait visiblement bien le terrain. Elle se dirigea droit vers l'ancien Chemin du Tonnerre et le suivit d'un pas presque silencieux sur la pierre.

Nuage de Houx dressa l'oreille, soudain terrifiée. Était-elle partie trop longtemps ? Est-ce que le Clan du Vent avait déjà chassé les siens ?

Un cri féroce l'informa que la bataille faisait toujours rage. Pelage d'Or se remit à courir et Nuage de Houx fila derrière elle. Le nid de Bipèdes abandonné se dressa soudain devant elles, des feulements déchiraient l'air. Flocon de Neige se battait avec deux guerriers du Clan du Vent. Sa fourrure, tachée de sang, pendouillait par endroits. Poil de Fougère poussa un cri de fureur tout en se débarrassant d'un matou tigré agrippé à son dos. Griffe de Ronce et Patte de Mulot se battaient côte à côte, repoussant une ligne d'ennemis contre la paroi de pierre du nid de Bipèdes. Pelage d'Or feula de rage et se jeta dans la bataille.

Nuage de Houx contempla la scène. Cette guerre ne finirait-elle donc jamais ? Elle sortit les griffes et courut défendre ses camarades.

CHAPITRE 14

« JE NE SUPPORTE PAS de les entendre se battre sans pouvoir les aider », se lamenta Fleur de Bruyère, tapie dans la clairière à côté de Nuage de Geai.

Au loin, des gémissements et des cris résonnaient dans la forêt.

« Nous avons besoin de toi au cas où le camp serait de nouveau pris d'assaut, lui rappela l'apprenti guérisseur.

— Attendre, c'est pire que se battre.

— Concentre-toi sur les bruits de notre camp.

— Quels bruits ? »

La guerrière se crispa près de lui, l'oreille tendue. Ne distinguait-elle pas les murmures et les frottements à l'intérieur de la tanière d'Étoile de Feu ?

Longue Plume et Poil de Souris s'y étaient réfugiés avec Millie, Chipie et les chatons. Ils semblaient un peu à l'étroit.

« Où est-ce que je suis censé m'asseoir ? se plaignait l'ancien.

— Reste où tu es, rétorqua Poil de Souris de sa voix rauque. Si tu bouges, tu risques d'écraser un autre chaton. »

Les miaulements reprirent de plus belle jusqu'à ce que Millie chuchote :

« Tout va bien, mes petits. N'est-ce pas amusant d'être dans l'antre du chef ?

— Je veux sortir pour me battre ! couina Petit Crapaud. Pas rester coincé dans ce trou.

— Tu vas faire vieillir ta mère avant l'âge, à parler comme ça, gronda Poil de Souris. Tu es trop jeune pour te battre. Arrête de te plaindre et rends-toi utile, comme Petite Rose. »

La petite chatte aidait les reines à calmer les nouveau-nés en miaulant doucement.

« Vous croyez qu'ils vont revenir ? s'inquiéta Chipie.

— Quoi qu'il arrive, personne ne fera de mal à nos petits », gronda Millie.

Pourtant, Nuage de Geai percevait sa peur. Elle ne pouvait rien faire pour aider ses camarades dans la forêt.

Plume Grise, Aile Blanche et Nuage de Givre patrouillaient devant le tunnel de ronces. Ils étaient trop occupés à guetter le moindre signe de danger pour discuter. Nuage de Geai entendait de temps en temps Nuage de Givre se rouler au sol. *Elle doit répéter ses attaques.*

Dans la combe même, Cœur Blanc tournait en rond. Elle s'arrêtait parfois et Nuage de Geai devinait qu'elle scrutait les rochers au sommet de la combe au cas où des guerriers du Clan du Vent chercheraient à descendre en douce. Nuage de Geai avait confiance en elle ; comme elle était borgne, son ouïe et son odorat étaient presque aussi bons que les siens. Personne ne pourrait entrer sans qu'elle s'en aperçoive. Quant à Nuage de Cendre, elle quadrillait la clairière, la fourrure en bataille.

« Tu es certaine que ta patte va bien ? » lui demanda Nuage de Geai.

Il avait peur qu'elle ne la fragilise à force de faire les cent pas.

« Elle est bien plus robuste depuis que je vais nager, le rassura-t-elle.

— Repose-toi un peu.

— D'accord, je vais m'asseoir sur la Corniche. »

Nuage de Geai voulut lui déconseiller de grimper l'éboulis, mais elle paraissait si déterminée qu'il renonça. L'attaque du blaireau, qu'il avait vue dans l'esprit de Feuille de Lune, lui revint en tête dans un tourbillon d'images et d'impressions confuses : une fourrure noir et blanc défonçant les haies de ronces, des mâchoires claquantes, la puanteur du sang, des cris de chatons terrifiés. Museau Cendré était morte pour les protéger. Est-ce que l'écho de ce souvenir résonnait dans l'esprit de Nuage de Cendre ? Si c'était le cas, alors *rien* ne la dissuaderait de protéger les petits.

Il pria pour que sa patte blessée ne glisse pas sur les pierres et poussa un soupir de soulagement en l'entendant s'installer devant la tanière d'Étoile de Feu.

Feuille de Lune était dans son antre, occupée à préparer des rations de remèdes. Leurs arômes puissants flottaient jusqu'à lui.

« Nous sommes parés à tout, miaula Nuage de Geai pour réconforter Fleur de Bruyère. Le Clan du Tonnerre ne se laissera pas vaincre aussi facilement qu'Étoile Solitaire semble le penser.

— Bon, et si tu me disais ce que tu penses vraiment...

— Comment ça ? »

Cela ne ressemblait pas à la guerrière de se montrer si sceptique.

« Il est de ton devoir d'encourager tes camarades, mais que t'a dit le Clan des Étoiles à propos de cette bataille ?

— Le Clan des Étoiles n'a rien dit, avoua-t-il.

— Rien du tout ?

— Non. »

Fleur de Bruyère se ramassa un peu plus sur elle-même, les moustaches frémissantes.

Est-ce que les guerriers de jadis étaient eux aussi surpris par cette attaque ? Ou étaient-ils juste du côté du Clan du Vent ?

« Comment Nuage de Cendre est-elle arrivée là-haut ? s'enquit Feuille de Lune en les rejoignant.

— Elle a grimpé toute seule. Je lui ai dit de ménager sa patte, ajouta-t-il en voyant son mentor se hérisser. Et il n'y a que là qu'elle acceptait de se poser.

— N'essaie pas de descendre toute seule ! lança la guérisseuse.

— Je n'ai pas besoin d'aide ! Ma patte va bien !

— Elle est suffisamment intelligente pour savoir qu'elle doit se montrer prudente. Elle a travaillé dur pour rééduquer sa patte et elle sait mieux que nous deux ce dont elle est capable ou pas. N'oublie pas qu'elle veut plus que tout devenir une guerrière. Elle ne fera rien qui risque de compromettre ses chances. »

Feuille de Lune ne répondit pas.

« Fais-lui confiance », insista l'apprenti guérisseur. *Et fais-moi confiance !*

Elle soupira avant de lui demander :

« Est-ce que tu arrives à savoir ce qui se passe dans la forêt ? »

Soulagé par ce changement de sujet, Nuage de Geai projeta ses sens hors de la combe, concentré sur les cris éloignés. Peu à peu, il put les identifier.

« La patrouille de Pelage de Poussière se bat près du lac. Celle d'Étoile de Feu est tombée dans une embuscade non loin de la frontière du Clan du Vent. Et l'escadron de Griffe de Ronce s'est fait attaquer devant le nid de Bipèdes abandonné. »

Finalement, il regretta qu'elle l'ait interrogé. À présent, des images de chats au corps à corps, de pelages ensanglantés, de chair déchirée sous les crocs défilaient dans son esprit. Il frémit.

« Laisse-moi y aller, la supplia-t-il.

— Hors de question !

— Certains de nos camarades sont blessés ! Je pourrais les ramener au camp. »

Il devait faire quelque chose pour aider les siens. Là, il était inutile, même en cas d'attaque du Clan du Vent.

« Je te rappelle que tu es aveugle !

— Et alors ? rétorqua-t-il en tournant vers elle son regard bleu immense. Il fait nuit, je serai avantagé. Je pourrai entendre les autres alors qu'eux ne pourront pas me voir.

— Bon… Sois prudent, d'accord ?

— Je ne laisserai personne m'approcher. »

La prophétie me protège.

« Mieux vaut commencer à soigner les blessés le plus tôt possible », conclut-elle d'une voix mal assurée.

Jamais ils n'avaient connu semblable bataille, livrée à plusieurs endroits à la fois sur un même territoire. En voulant lire dans les pensées de son mentor, il découvrit que son esprit n'était pas plongé dans le brouillard, mais dans les ténèbres.

Ils se battaient tous à l'aveuglette.

Nuage de Geai se dressa.

« J'y vais. Il n'y a pas de temps à perdre.

— Fais attention », murmura-t-elle en lui touchant la joue du bout du museau.

Lorsqu'il sortit du tunnel de ronces, Plume Grise lui lança, surpris :

« Où vas-tu ?

— Feuille de Lune dit que je peux aller chercher les blessés.

— Tu veux une escorte ? proposa Aile Blanche.

— Seul, j'aurai moins de mal à rester caché.

— Fais-toi discret, conseilla Plume Grise. Si tu entends du grabuge, garde tes distances.

— Promis.

— Que le Clan des Étoiles t'accompagne », lança Aile Blanche, tandis que l'apprenti guérisseur s'éloignait.

Tout en se frayant un passage dans les taillis, Nuage de Geai se demanda quels ancêtres l'accompagnaient. Les ancêtres de Feuille Morte, peut-être ? Ou ceux de la Tribu ?

Il s'arrêta, les sens en alerte. Quelle bataille était la plus proche ? Il entendit une plainte venue de la rive. Le lac. Il irait d'abord là-bas.

Il se laissa guider par l'odeur de l'eau et dérapa un peu dans une descente. Il se retrouva au pied d'une butte – derrière retentit un grognement. Quelqu'un venait de tomber au sol. En levant la truffe, Nuage de Geai reconnut les odeurs de Poil de Châtaigne et Pelage de Miel. Celle-ci feula tout en donnant un coup de griffes à un chat. Un cri s'éleva, suivi d'un grattement de pattes sur le sol couvert de feuilles. Qui donc affrontaient-elles ?

Il huma de nouveau l'air en s'attendant à découvrir l'odeur du Clan du Vent. Mais cette senteur était différente. Plus aquatique, avec des relents de poisson.

Le Clan de la Rivière !

Ils étaient deux.

Au nom du Clan des Étoiles, que font-ils ici ?

Il avança et se faufila sous un groseillier. Les feuilles douces lui caressèrent le dos. Il y serait sans doute bien caché. Il avança doucement en prenant soin de ne pas faire bouger l'arbuste.

L'un des guerriers ennemis terrorisait Pelage de Miel.

« Tu n'es même pas digne d'être une guerrière !

— Et toi tu n'es pas digne d'être un chat ! »

Les deux félins roulèrent au sol, au corps à corps.

Poil de Châtaigne poussa un gémissement de douleur.

Un léger courant d'air frôla le museau de Nuage de Geai. Puis une bouffée de puanteur de poisson suivit lorsque le guerrier passa juste devant lui. Poussant un cri de guerre, le novice bondit en avant, toutes griffes dehors, et lacéra son adversaire.

Le matou poussa un cri de surprise.

« Merci, Nuage de Geai ! » lança Poil de Châtaigne.

L'apprenti guérisseur recula pour laisser ses camarades reprendre l'avantage. Les deux guerriers ennemis étaient sur la défensive, à présent.

« Vous pensiez qu'on serait des proies faciles ? »

Le feulement de Pelage de Miel fut suivi par une plainte ennemie.

« Ils s'enfuient ! se réjouit Poil de Châtaigne.

— Suivons-les jusque chez eux ! s'écria Pelage de Miel, qui s'élança aussitôt à leur poursuite.

— Aïe ! gémit soudain Poil de Châtaigne alors qu'elle s'était elle aussi mise à courir.

— Qu'est-ce qui ne va pas ? s'enquit Nuage de Geai en jaillissant du buisson.

— Je me suis tordu la patte ! »

Il renifla le membre qu'elle tendait prudemment devant lui. Il était juste chaud, pas enflé. Il le prit avec douceur entre ses mâchoires, le souleva avant de le secouer gentiment.

Poil de Châtaigne eut un hoquet mais ne cria pas.

« C'est une entorse, pas une fracture, annonça-t-il en reposant la patte avec précaution. Je dois quand même te ramener au camp.

— Je ne peux pas partir maintenant ! Le Clan de la Rivière s'est joint à l'attaque ! Ils ont envahi la rive. Ils nous ont pris à revers pendant que nous affrontions le Clan du Vent. Qu'est-ce qu'on leur a fait, à part les aider ? s'indigna-t-elle. Pourquoi essaient-ils de nous chasser de chez nous ? »

Nuage de Geai fut incapable de répondre. Il ignorait la cause de ces combats, et le Clan des Étoiles n'était d'aucun secours.

« Est-ce que Pelage de Miel va bien ? voulut-il savoir.

— Elle n'a reçu que quelques égratignures. Quand nous serons certaines que nos deux attaquants sont rentrés chez eux, elle rejoindra la patrouille. C'est ce que je devrais faire, moi aussi. »

Nuage de Geai bondit devant elle, prêt à lui barrer la route, mais ce ne fut pas nécessaire. Elle hoqueta de douleur lorsqu'elle voulut s'appuyer sur son membre blessé.

« Allons nous occuper de cette patte », miaula-t-il en se collant à elle pour l'aider à descendre la pente jusqu'au camp.

Avec un pincement au cœur, il se souvint d'avoir aidé Nuage de Cendre de cette façon après son accident. Cela lui semblait bien loin.

Le souffle court, ils finirent par rejoindre le camp. Nuage de Geai trébuchait sous le poids de la guerrière. Il fut soulagé lorsque Plume Grise vint à leur rencontre.

« Laisse-moi prendre le relais. »

Feuille de Lune accourut à son tour, des feuilles de consoude dans la gueule.

« Pose-la ici », dit-elle au guerrier.

Elle est entre de bonnes pattes. Nuage de Geai se prépara à repartir.

« Attends ! lança Plume Grise. Comment ça se passe, là-bas ?

— Le Clan de la Rivière se bat au côté du Clan du Vent, lui apprit Nuage de Geai. Je vais tenter de découvrir jusqu'où ils ont progressé.

— Essaie de trouver Étoile de Feu. Préviens-le, pour le Clan de la Rivière, mais ne prends pas de risques. »

Nuage de Geai ressortit du camp et fila vers la frontière, où la patrouille d'Étoile de Feu se battait toujours contre le Clan du Vent. Le feulement aussi

désespéré que déterminé de Pelage de Granit retentit dans la forêt. Ils n'avaient pas encore été vaincus.

Nuage de Geai se faufila entre les troncs, guidé
par ses vibrisses. Il guettait le moindre bruit autre
que la clameur des combats.

Soudain, il recula dans un bouquet de fougères.

« Stupides ronces ! » miaula un chat inconnu.

L'apprenti guérisseur se figea, bien content
d'avoir pu se cacher.

« Tu as entendu ça ? »

La voix n'était qu'à quelques longueurs de queue
de lui. Nuage de Geai renifla l'air. *Encore le Clan de
la Rivière !*

« Entendu quoi ?

— Ce bruit de feuilles.

— Toutes les feuilles font du bruit dans ce fichu
endroit. »

Quatre guerriers du Clan de la Rivière progressaient gauchement dans les bois. L'un d'eux trébucha, ce qui agita tout un roncier.

« Essaie de faire un peu plus de bruit encore,
Cœur de Roseau !

— La ferme, Pelage de Mousse ! C'est toi qui as
couiné comme un chaton en tombant dans un ter-
rier de lapin ! »

Aussi patauds que des poissons hors de l'eau, songea
Nuage de Geai, amusé. Il attendit de voir la direction qu'ils prenaient. *Ils vont vers la frontière du Clan
du Vent.*

La patrouille d'Étoile de Feu !

Il devait y arriver en premier. Il sortit à reculons
des fougères aussi silencieusement que possible et
s'élança sur une sente de renard qui menait droit

au torrent frontalier. Pour une fois, la puanteur du renard l'arrangeait : le chemin en était d'autant plus facile à suivre et cela dissimulait sa propre odeur. Il se rapprocha de la clameur des combats. Nuage de Geai reconnut l'odeur du sang – la peur et la douleur étaient palpables dans l'atmosphère. Il ralentit en entendant des piétinements droit devant lui et leva la truffe.

Nuage de Lion.

L'odeur de son frère était forte. En tendant l'oreille, Nuage de Geai comprit que le novice se battait seul contre deux guerriers du Clan du Vent. L'apprenti guérisseur sortit ses griffes, espérant l'aider. Mais son frère semblait se débrouiller très bien tout seul. L'un de ses adversaires clopinait déjà sur trois pattes et les griffes de l'autre dérapaient sur le sol tandis qu'il battait en retraite.

« C'est ça, rentrez chez vous, bande de lâches ! les railla le jeune chat doré tandis qu'ils détalaient dans les taillis.

— Nuage de Lion ? souffla l'apprenti guérisseur.

— Nuage de Geai ? C'est toi ? s'étonna le novice en courant vers son frère. Tout va bien ? »

Il avait le souffle rauque et son pelage puait le sang. Des flots d'énergie se déversaient de lui comme si un feu brûlait dans son ventre, et Nuage de Geai devina son exultation.

« Quatre guerriers du Clan de la Rivière viennent par ici pour aider le Clan du Vent, le prévint-il.

— Le Clan de la Rivière ? Je m'en occupe. »

Il détala aussitôt.

« Tu ne peux pas les vaincre seul ! »

Son frère avait déjà disparu entre les arbres.

« Nuage de Geai ? miaula Étoile de Feu tout près de son oreille. Que fais-tu ici ?

— Le Clan de la Rivière s'est allié au Clan du Vent contre nous. »

Étoile de Feu retint son souffle. Nuage de Geai huma l'odeur soudaine de sa peur.

« Va prévenir Griffe de Ronce, ordonna-t-il d'un ton sinistre. Tu parviendras à le trouver ? »

Nuage de Geai hocha la tête.

« Ils sont trop nombreux pour nous. Il va peut-être falloir nous replier dans la combe et défendre le camp. »

La gorge de Nuage de Geai se serra. Un tel retrait laisserait le contrôle du reste du territoire au Clan du Vent. Il ne serait plus question de protéger les frontières, mais bien leurs propres vies. Il aurait tant voulu qu'Étoile de Feu le rassure ! Au lieu de quoi, le chef du Clan du Tonnerre était reparti au cœur des combats.

L'apprenti guérisseur leva la truffe pour s'orienter. La brise venue du lac soufflait dans son dos. À l'inverse, les cris de la patrouille du lieutenant venaient droit sur lui, de face. Il repartit donc dans les taillis, les moustaches frémissantes, testant le sol à chaque pas. Il ne pouvait risquer de se blesser bêtement en trébuchant.

Les oiseaux pépiaient dans les arbres, perturbés par le fracas de la bataille. L'air devenait doux. L'aube ne tarderait plus.

Nuage de Geai dérapa lorsque le terrain s'inclina tout à coup. Il dévala la pente, mi-courant, mi-tombant, et atterrit dans un bouquet de fougères. À quelques longueurs de queue, il entendit un crissement de griffes sur la pierre. Des chats huaient et feulaient, et l'odeur du sang était suffocante.

Comme celle du poisson. Le Clan de la Rivière était déjà là. Nuage de Geai avait trouvé la patrouille de Griffe de Ronce trop tard !

Nuage de Geai trembla lorsqu'il ressentit l'épuisement de ses camarades. Ils ne tiendraient plus longtemps.

« Nuage de Geai ? s'étrangla Nuage de Houx qui se fraya un passage vers lui dans les fougères. Il me semblait bien avoir reconnu ton odeur. »

Elle n'avait plus la force d'articuler et son pelage était poisseux de sang. Il ne l'avait jamais vue dans un tel état. Et pourtant, la détermination irriguait encore son corps meurtri.

J'aurais dû emporter des herbes fortifiantes.

« Que fais-tu là ? haleta-t-elle.

— Je suis venu vous prévenir que le Clan de la Rivière est venu aider le Clan du Vent.

— Merci, mais on le sait déjà, répondit-elle avant de le repousser violemment. Écarte-toi ! »

Un chat arrivait à toute allure. Un mâle du Clan de la Rivière.

Nuage de Houx gronda. Nuage de Geai perçut l'énergie qui émanait du guerrier de la Rivière. Ce n'était pas un combat équitable ! Nuage de Houx était épuisée. Il devait l'aider. Tapi à côté d'elle, il se dressa devant l'ennemi, les griffes plantées dans le sol.

Puis il se figea. Une autre odeur flottait dans l'air.

Le Clan de l'Ombre !

Pelage d'Or se battait tout près de Griffe de Ronce. Est-ce qu'ils devaient aussi affronter le Clan de l'Ombre ?

Des pas retentirent sur le Chemin du Tonnerre. D'autres membres du Clan de l'Ombre !

Nuage de Geai se sentit gagné par le désespoir. Comment pourraient-ils se battre contre trois Clans en même temps ? Est-ce que le Clan des Étoiles les avait totalement abandonnés ? Il recula dans les fougères. À présent, il ne pouvait plus rien faire pour sauver son Clan.

Un chat le frôla. Pelage d'Or était près de lui.

« Qu'est-ce que tu fais là ? demanda-t-elle.

— Comment peux-tu attaquer les membres de ta famille ? » s'indigna-t-il en tentant de lui griffer le museau.

Elle para son attaque en levant la patte.

« Nous sommes là pour vous aider, feula-t-elle. Nuage de Houx est venue nous chercher ! » Elle le repoussa plus loin dans les frondes. « Retourne au camp et reste en dehors des combats !

— Mais Nuage de Houx… ?

— Queue de Serpent et Nuage de Charbon l'aideront. »

Nuage de Geai leva la truffe. Deux camarades de sa tante se battaient au côté de sa sœur, et leur odeur se mêlait à celle du sang du guerrier de la Rivière qui l'attaquait. Lorsque les griffes de Nuage de Houx crissèrent sur le sol, Nuage de Geai devina qu'elle sautait à la gorge de son adversaire. Ce dernier s'enfuit dans la forêt en poussant un cri de rage et de douleur.

« Va-t'en immédiatement ! » feula Pelage d'Or.

Comme elle s'apprêtait à retourner au combat, Nuage de Geai posa sa patte sur son flanc.

« Étoile de Feu perd du terrain près de la frontière du Clan du Vent et Pelage de Poussière est en difficulté sur la rive du lac.

— Je vais envoyer des guerriers pour les aider. » Les fougères frémirent un instant puis la guerrière s'immobilisa. « Attends, emmène Patte de Mulot. Il est blessé à l'œil. »

D'un bond, elle s'en fut avant de revenir avec le jeune guerrier.

« Je veux rester pour me battre ! protesta-t-il.

— Tu ne peux pas avec un œil en moins.

— L'autre voit bien.

— Ça ne suffit pas.

— Tu pourras revenir une fois que je l'aurai nettoyé, le rassura Nuage de Geai, qui sentait une odeur de sang. Tu te battras encore mieux.

— Bon… d'accord. À condition qu'on se dépêche. »

Pelage d'Or replongea dans la bataille.

« Allez, viens », le pressa Patte de Mulot.

Côte à côte, ils longèrent à toute allure la haie sur le bord du Chemin du Tonnerre abandonné, droit vers le camp. Patte de Mulot se collait à lui pour le guider au milieu des broussailles qui envahissaient la piste. Le souvenir des bruits de la bataille et du sang qui giclait étourdissait Nuage de Geai. La forêt semblait s'être transformée en une marée de chats blessés, crachant et hurlant.

Les quatre Clans livraient bataille, et le Clan des Étoiles ne lui en avait rien dit.

CHAPITRE 15

Nuage de Lion se jeta sur le dernier guerrier du Clan de la Rivière. Les trois autres avaient déjà fui dans la forêt, mais celui-là était pris au piège, acculé contre un roncier si dense que même un membre du Clan du Tonnerre y réfléchirait à deux fois avant de s'y faufiler.

Pelage de Mousse. Nuage de Lion reconnaissait la chatte écaille aux yeux bleus pour l'avoir vue à des Assemblées. Il allait lui faire regretter d'avoir posé la patte sur son territoire.

Tremblante, elle s'était recroquevillée tandis qu'il s'approchait, aveuglé par la haine.

« Nuage de Lion ! »

Le miaulement d'Étoile de Feu le figea sur place. Pelage de Mousse en profita pour filer entre lui et les ronces et disparaître sous les arbres.

« Regarde ce que tu as fait ! lança Nuage de Lion à son chef. J'aurais pu en finir avec elle.

— Je crois qu'elle se savait déjà battue », rétorqua le meneur d'un air préoccupé.

Nuage de Lion baissa les yeux vers sa fourrure souillée par le sang, encore frais par endroits.

247

Qu'avait-il fait ? Dans le feu des combats, il n'était pas toujours certain de savoir se contrôler. Le plus souvent, l'odeur du sang l'enivrait et ses griffes déchiraient la chair.

« Et le Clan du Vent ? »

Nuage de Lion se demandait si les autres envahisseurs étaient déjà vaincus.

« Nous venons de poursuivre le dernier jusqu'à la frontière », répondit Étoile de Feu.

Pelage de Granit et Truffe de Sureau émergèrent des broussailles. Ils encadraient Patte d'Araignée et Pavot Gelé. Le poil du guerrier gris était tout poisseux de sang. L'une des oreilles de Truffe de Sureau était déchirée à la pointe. Patte d'Araignée boitait horriblement et Pavot Gelé, qui avait le pelage ébouriffé et les yeux ronds, semblait sous le choc.

« Et les autres patrouilles ? insista Nuage de Lion. Nous devrions aller les aider puisque nous avons fini ici.

— Patte d'Araignée a été grièvement blessé au ventre. Nous devons le ramener au camp avant d'aller inspecter le reste du territoire. »

Patte d'Araignée s'était couché sur le côté. Il gisait dans une mare de sang. Ses flancs se soulevaient à toute vitesse. Pelage de Granit glissa son museau sous l'épaule de son camarade pour l'aider à se relever.

« Allez, l'encouragea-t-il. Nous allons te ramener à Feuille de Lune. »

Truffe de Sureau alla se placer de l'autre côté du blessé et, à eux deux, ils entraînèrent leur camarade vers la combe.

« Je vais voir si je peux aider les autres patrouilles pendant que vous le ramenez », déclara Nuage de Lion, qui n'était pas prêt à rentrer chez lui.

Il entendait les autres batailles faire rage au loin. Sa place était là-bas, au cœur du combat.

« Je ne peux pas te laisser traverser seul la forêt », rétorqua Étoile de Feu.

Nuage de Lion crut voir une lueur de peur dans les yeux de son chef. Frustré, il rejoignit ses camarades sur le chemin du retour. Il voulut les inciter à presser le pas en passant devant eux, sauf qu'Étoile de Feu ne cessait de le rappeler en arrière. Patte d'Araignée haletait. Chaque pas lui arrachait un grognement. *Dépêchez-vous !*

Ils atteignirent enfin la descente jusqu'au camp. Pelage de Granit et Truffe de Sureau firent passer Patte d'Araignée par le tunnel. Étoile de Feu les suivit, mais Nuage de Lion hésita, intrigué par les frémissements des buissons derrière lui.

« Nuage de Geai ? s'étonna-t-il en voyant son frère sortir de l'ombre avec Patte de Mulot.

— Tu vas bien ? s'inquiéta l'apprenti guérisseur, qui fronça la truffe. Tu pues le sang.

— Ce n'est pas le mien. Qu'est-ce qu'il a ? s'enquit-il en regardant Patte de Mulot, dont l'œil enflé était gros comme une noix.

— Il faut juste désinfecter la plaie.

— C'est ma seule blessure, à part quelques égratignures », lui apprit fièrement le guerrier.

Nuage de Geai le guida jusqu'au camp et Nuage de Lion leur emboîta le pas. Il lui démangeait de retourner se battre.

« Le Clan de la Rivière est venu à l'aide du Clan du Vent, expliquait Nuage de Geai à Étoile de Feu. Mais le Clan de l'Ombre a envoyé quelques guerriers pour nous aider.

— Étoile de Jais nous aide ? répéta le meneur, incrédule.

— Il a dépêché tout un escadron.

— Alors les quatre Clans se battent sur notre territoire. »

Nuage de Geai acquiesça.

« Tu ferais mieux d'aller aider Feuille de Lune à soigner les blessés. »

La guérisseuse s'était déjà précipitée vers Patte d'Araignée et pressait des feuilles contre son ventre pour arrêter l'hémorragie.

Étoile de Feu se retourna vers la sortie en appelant sa patrouille d'un mouvement de la queue.

C'est pas trop tôt ! Nuage de Lion suivit son chef dans le tunnel, refusant même de s'écarter lorsqu'il sentit que Pelage de Granit lui collait au train.

Son mentor le doubla dès qu'ils sortirent du tunnel.

« Tu devrais te nettoyer, lâcha-t-il en lorgnant le pelage poisseux de son apprenti.

— J'aurai tout le temps de le faire après la bataille. »

Pelage de Granit s'écarta du groupe pour se rapprocher des broussailles. Le soleil s'était levé et il brillait au-dessus des arbres dans un ciel pâle et dégagé. Le matou gris fit halte, les oreilles dressées, et Étoile de Feu ordonna à sa patrouille de l'imiter.

« Des guerriers viennent du territoire du Clan du Vent », siffla Pelage de Granit.

Nuage de Lion leva la truffe.

Le Clan du Vent.

Toute une patrouille.

Il se crispa et renifla une nouvelle fois pour en être sûr.

Nuage de Myosotis !

Il fonça droit sur l'adversaire en ignorant Étoile de Feu qui lui ordonnait de revenir. Il filait, rapide, dans les taillis, comme si ses pattes touchaient à peine terre. Les rayons du soleil brillaient d'un éclat doré entre les arbres, ce qui lui permit de repérer facilement ses ennemis qui se glissaient telles des fouines dans la forêt. Ils se dirigeaient vers le lac, pour en finir avec le détachement de Pelage de Poussière, sans doute.

Nuage de Lion entendait ses camarades courir derrière lui. Ils jaillirent des buissons tout autour de lui au moment même où il rattrapait les envahisseurs.

La patrouille ennemie se dispersa dans la panique, mais pas suffisamment vite. Pelage de Granit renversa un guerrier au pelage brun et tigré pendant qu'Étoile de Feu se jetait sur un mâle noir. Nuage de Lion fonça droit sur deux apprentis et les écarta d'un coup de patte. Derrière eux, Nuage de Myosotis se dressa sur ses pattes arrière, ses yeux bleus écarquillés. Nuage de Lion lui sauta à la gorge. Elle se débattit en gémissant tandis qu'il la traînait à travers un bouquet de fougères. De l'autre côté de la haie, il la cloua au sol en laissant ses griffes pénétrer la peau de son ancienne camarade de jeux.

« Tu leur as dit, pour les souterrains ! cracha-t-il. Je n'arrive pas à croire que tu m'aies trahi. J'avais confiance en toi, j'ai cru que tu garderais le silence.

— Ce n'est pas moi !

« — Alors pourquoi tes camarades ont-ils envahi ma forêt ? » demanda-t-il, fou de rage.

Nuage de Myosotis tenta de s'arracher à son étreinte en lui mordant la patte avant de toutes ses forces.

« Je ne suis pas une menteuse, gronda-t-elle. Ce n'est pas moi ! C'est Petite Fleur !

— Pourquoi aurait-elle fait une chose pareille ? Je lui ai sauvé la vie !

— Elle s'est vantée devant Poil de Belette d'avoir trouvé des tunnels, et tout le Clan a été au courant. »

Nuage de Lion dévisagea la chatte. Il dut se retenir de lui arracher la fourrure.

« Je ne te crois pas, souffla-t-il. Tu ne m'as jamais pardonné de vouloir devenir un guerrier loyal. » Il se pencha un peu plus sur elle et lui enfonça les griffes dans la peau alors qu'elle se débattait pour échapper à son haleine chaude. « Je ne l'oublierai jamais, Nuage de Myosotis. Je serai ton ennemi pour toujours. »

Il la relâcha et retourna d'un pas rageur dans les fougères. L'avait-il vraiment aimée, naguère ? Il était quelqu'un d'autre, alors. À présent la prophétie le guidait, et il suivait une voie que Nuage de Myosotis ne pouvait même pas imaginer.

Un regard vert brilla devant lui.

« Où est Nuage de Myosotis ? lança Plume de Jais, qui lui bloquait le passage.

— Dégage de mon chemin ! »

Le guerrier gris sombre jeta un coup d'œil derrière l'apprenti.

« Qu'est-ce que tu lui as fait ?

— Dégage de mon chemin ! » répéta Nuage de Lion en se ruant sur le combattant.

Plantant ses griffes dans le cou de son adversaire, il le poussa dans les fougères avant de le jeter au sol. Sans lui lâcher la gorge, il lui lacéra le ventre avec les griffes de ses pattes arrière.

Tout à coup, il sentit qu'on lui mordait l'épaule et qu'on lui griffait le flanc. Nuage de Myosotis tentait de le tirer en arrière.

« Arrête ! hurla-t-elle. Qu'est-ce que tu fais ? »

Surpris par sa voix terrorisée, Nuage de Lion se figea. Plume de Jais gisait au milieu des fougères vertes. Son sang rouge vif giclait de son cou.

Nuage de Myosotis se tapit près de son mentor.

« Plume de Jais !

— Ça va. »

Il releva la tête. La novice recula tandis qu'il se mettait péniblement debout en crachotant du sang.

Nuage de Lion eut honte de lui. Le code du guerrier lui enseignait qu'il n'avait pas besoin de tuer pour vaincre. Si Nuage de Myosotis ne l'avait pas retenu, il aurait pris la vie de Plume de Jais.

Qu'est-ce que je suis devenu ?

Tout à coup, la lumière changea.

La clarté du matin s'assombrit. L'aube semblait laisser place au crépuscule. Les oiseaux se turent. Les cris et les gémissements des combats cessèrent. Même le bourdonnement des insectes s'interrompit tandis que les ténèbres fondaient sur les arbres.

Nuage de Lion leva la tête.

Le soleil disparaissait, englouti par un grand disque noir, plus sombre et plus net que n'importe quel nuage.

« Que se passe-t-il ? »

Le miaulement terrifié de Nuage de Myosotis résonna dans l'oreille de Nuage de Lion, mais il ne put répondre. Il avait la gorge nouée. Autour de lui, l'air se rafraîchit. Et au-dessus, le soleil disparut complètement, plongeant la forêt dans la nuit.

Le cri d'un guerrier du Clan du Vent retentit dans les bois. « Le Clan des Étoiles a tué le soleil ! » Aussitôt, des chats se mirent à miauler et les arbres frémirent tandis qu'ils s'enfuyaient à travers la forêt enténébrée.

« Nous devons rentrer au camp, toussa Plume de Jais, qui tira Nuage de Myosotis par la peau du cou afin de la sortir de sa stupeur. Viens ! »

Les yeux écarquillés, la novice se retourna pour suivre son mentor.

« Je ne l'oublierai jamais », lui souffla Nuage de Lion à l'oreille.

Alors qu'elle disparaissait dans la forêt, il regarda l'agonie du soleil, dont le sang ourlait le grand disque noir.

CHAPITRE 16

NUAGE DE GEAI posa la truffe sur la patte de Poil de Châtaigne. Feuille de Lune l'avait enveloppée dans des feuilles de consoude humides, et elle semblait déjà moins chaude.

« Comment tu te sens ?

— Bien mieux, répondit la guerrière en levant la patte. Je devrais retourner me battre.

— Non », déclara Feuille de Lune qui nettoyait l'œil de Patte de Mulot avec de la mousse gorgée d'eau. Le Clan de l'Ombre est venu nous aider et, à en juger par tous ces cris, nous aurons suffisamment de blessures à soigner sans que tu en rapportes une autre.

— Mais le combat se rapproche…

— Dans ce cas, nous aurons besoin de toi ici. »

Alors que le camp était silencieux et désert, le fracas des combats résonnait dans la forêt. Nuage de Geai dressa l'oreille. Le groupe d'Étoile de Feu affrontait le Clan du Vent juste au-dessus de la combe. Avaient-ils vraiment perdu tant de terrain ?

« Et si nous emmenions tous les blessés dans ta tanière ? » suggéra Nuage de Geai. Patte d'Araignée

255

s'y reposait déjà, calmé grâce aux graines de pavot. Les toiles d'araignées avaient endigué l'hémorragie.

« Ils y seront plus en sécurité. »

Si le camp est envahi.

« Il y a davantage de lumière ici, maintenant que le soleil est levé, objecta Feuille de Lune. De plus, notre présence ici rassure les autres. »

Elle parlait des chatons et de Chipie. Millie leur donnait des consignes sur la Corniche.

« Alors, est-ce que vous vous rappelez ce que nous devons faire si des inconnus entrent dans le camp ?

— Nous devons emmener tes petits au fond de l'antre d'Étoile de Feu, couina Petite Rose.

— Et ensuite ?

— Nous restons avec eux au cas où les inconnus entreraient, miaula Petit Crapaud.

— Et moi, où je serai ?

— Juste devant la tanière, en train de monter la garde avec Chipie.

— Longue Plume et moi, nous défendrons le haut de l'éboulis, pour empêcher quiconque d'arriver sur la Corniche, annonça Poil de Souris.

— Et je serai en bas ! » lança Cœur Blanc, au pied du surplomb.

Plume Grise et Aile Blanche montaient toujours la garde devant le camp. Nuage de Givre était rentrée pour répéter des attaques avec Nuage de Cendre et Fleur de Bruyère.

« Tu feras attention à ta patte, d'accord ? lança Feuille de Lune à Nuage de Cendre. Pas d'acrobaties.

— Promis. Mais si nous sommes envahis, je ne resterai pas cachée au fond de ta tanière !

— Nous ne serons pas envahis, j'en suis certaine », répondit la guérisseuse, le ventre pourtant noué par la peur.

Est-ce que les patrouilles du Clan du Tonnerre parviendraient vraiment à tenir en respect le Clan du Vent et le Clan de la Rivière ?

« N'oubliez pas que le Clan de l'Ombre nous aide ! leur rappela Patte de Mulot. Je me battais au côté d'un de leurs apprentis lorsque Pelage d'Or m'a tiré du combat. Ce sont de très bons combattants. Nous étions sur le point de l'emporter face à un guerrier du Clan du Vent.

— Tiens-toi tranquille », le gronda Feuille de Lune en le voyant s'agiter.

Patte de Mulot se languissait de retourner au front. Ne comprenait-il pas à quel point la situation était grave ? Les quatre Clans étaient en guerre. Sans aucun avertissement du Clan des Étoiles. Sans aucune raison apparente.

Nuage de Geai retourna tremper de la consoude dans la flaque. Il s'arrêta soudain devant l'entrée de la tanière, car l'air devenait glacial. Son pelage se gonfla aussitôt.

« Pourquoi fait-il si sombre ? » miaula Petite Rose, et sa plainte résonna dans la combe.

Un orage approchait-il ?

Plume Grise et Aile Blanche traversèrent le tunnel à toute allure.

« Que se passe-t-il ? demanda le guerrier ardoise.

— Pourquoi le camp plonge-t-il dans l'ombre ? s'inquiéta Chipie. Le ciel est toujours clair.

— Le soleil est en train de disparaître ! » s'étrangla Cœur Blanc.

Nuage de Geai se raidit. Ce ne pouvait être un simple nuage glissant devant l'astre. Les oiseaux s'étaient tus dans la forêt. Même les combats avaient cessé. Que se passait-il ?

Il revint aussitôt vers Feuille de Lune.

« Qu'est-ce qu'elle veut dire ? lui demanda-t-il.

— Quelque chose est en train d'avaler le soleil ! » murmura son mentor.

Les chatons de Millie se mirent à pousser des cris, étouffés par la fourrure de leur mère qui les serrait contre elle.

Feuille de Lune se colla à Nuage de Geai.

« Nous devons garder notre calme. » Elle tremblait mais son ton restait posé. « C'est sans doute un message du Clan des Étoiles. Cela ne va pas durer.

— Quel message ? s'enquit Fleur de Bruyère.

— Essaient-ils de nous empêcher de nous battre ? hasarda Plume Grise.

— Je... je ne sais pas, balbutia la guérisseuse. Ils n'ont encore jamais caché le soleil. Juste la lune. »

Pourquoi envoyer ce message maintenant ? Ils n'avaient donné aucune mise en garde.

Le sang de Nuage de Geai se figea dans ses veines.

Cela n'avait rien à voir avec le Clan des Étoiles. C'était *Sol* qui les avait alertés. *Sol* qui les avait prévenus que les ténèbres arrivaient, qu'elles dépassaient même le pouvoir du Clan des Étoiles. Sol avait tenté de leur expliquer que le soleil disparaîtrait, mais ils ne l'avaient pas écouté.

Des gémissements s'élevèrent du camp et des bruits de pas résonnèrent près de l'entrée.

Une attaque ?

Plume Grise s'élança ventre à terre vers le tunnel, suivi de Cœur Blanc.

Nuage de Geai retint son souffle lorsque le roncier fut secoué par un flot de félins qui se déversa dans la clairière.

Le Clan du Tonnerre.

Nuage de Geai fut submergé par l'odeur de la peur de ses camarades, et aussi par celle du sang. Des chats blessés, trop effrayés pour se soucier de leurs plaies.

« Pourquoi est-ce qu'une chose pareille arrive ?

— Où est parti le soleil ?

— Est-ce que le Clan des Étoiles nous a abandonnés ? »

Ils étaient tous terrifiés.

« Est-ce qu'on peut se cacher dans la pouponnière ? » implora Nuage de Givre.

Nuage de Lion jaillit du tunnel et s'arrêta en dérapant près de Nuage de Geai. Nuage de Houx le suivait de près.

L'apprenti guérisseur les renifla rapidement, soulagé de découvrir que leurs blessures n'étaient pas graves.

« Le soleil a vraiment disparu ? s'enquit-il.

— Oui, confirma Nuage de Lion en griffant le sol.

— Est-ce qu'il fait nuit ?

— On dirait plutôt le crépuscule, précisa Nuage de Houx.

— Le soleil est vraiment parti ? » insista l'aveugle, stupéfait.

Nuage de Lion lui posa la queue sur l'épaule.

« Il y a un mince cercle de feu dans le ciel. Le reste a été recouvert. »

Pourquoi est-ce que je ne vois rien ?

« Tout le monde est sain et sauf ? demanda Étoile de Feu.

— Autant que possible, grommela Plume Grise. Où sont les autres Clans ?

— Ils se sont enfuis pour regagner leur territoire », l'informa Griffe de Ronce.

Des gémissements et des cris s'élevaient de partout.

« Fleur de Bruyère ! miaula Nuage de Givre. Où es-tu ? Je n'y vois presque rien !

— Tout le monde garde son calme ! ordonna Étoile de Feu. J'ignore ce qui se passe. Mais nous sommes des guerriers et nous devons affronter la situation avec courage. »

Alors que le silence revenait peu à peu, le meneur s'approcha de Feuille de Lune.

« Peux-tu nous dire ce qui se passe ? »

Va-t-elle parler de l'avertissement de Sol ?

« Le Clan des Étoiles ne m'a rien dit. »

Parce qu'il n'en savait rien...

« Ce doit être un signe, poursuivit-elle. Pour mettre fin aux combats. Ce phénomène a bel et bien arrêté la bataille. Ce devait être l'intention du Clan des Étoiles.

— Sommes-nous donc condamnés à vivre dans le noir pour toujours ? demanda Cœur d'Épines, qui semblait plus indigné qu'effrayé.

— Attendez ! lança Feuille de Lune. Le ciel s'éclaircit. La lumière revient ! »

CHAPITRE 17

Nuage de Houx contemplait les arbres qui dominaient la combe tandis que le soleil chassait la pénombre. Le ciel redevint azur et l'air se réchauffa. Près d'elle, Nuage de Lion trépignait et Nuage de Geai levait la truffe. Les oiseaux se remirent à pépier. Des abeilles recommencèrent à voler peu à peu, comme si elles venaient de se réveiller. Pourtant, malgré les rayons qui caressaient sa fourrure, Nuage de Houx frémissait toujours. Son corps meurtri, endolori tremblait malgré elle.

Que s'est-il passé ?

Elle se tourna pour interroger Nuage de Geai. Si le Clan des Étoiles avait dissimulé le soleil, son frère devait savoir quelque chose. Mais il s'éloignait déjà pour suivre Feuille de Lune parmi les chats blessés.

« Est-ce que tu peux étirer tes pattes avant ? demanda la guérisseuse à Poil de Fougère, qui grimaça en essayant. Entorse à l'épaule, conclut-elle. Va près du demi-roc. Je ne serai pas longue. » Elle passa à Aile Blanche. Le pelage immaculé de la guerrière était souillé de taches de sang. « Foulures ? Entorses ?

« — Que des égratignures.

— Dans ce cas, va près de la tanière des guerriers. Nous viendrons te soigner dès que possible.

— Cœur d'Épines s'est tordu la patte avant, lança Nuage de Geai.

— Aide-le à marcher jusqu'au fond de la clairière, il pourra se reposer sous la Corniche. »

Elle examina les blessés suivants et envoya Plume de Noisette et Pavot Gelé attendre avec Aile Blanche.

Plume de Noisette s'accroupit près de cette dernière.

« Comment le soleil a-t-il pu disparaître ?

— Le ciel était dégagé, ça ne pouvait pas être un nuage, murmura Pavot Gelé.

— Les nuages n'apportent jamais une telle obscurité, ni un tel froid », ajouta Aile Blanche.

Feuille de Lune les toisa durement.

« Vous devriez nettoyer vos griffures au lieu de gaspiller votre salive ! » Du museau, elle poussa Bois de Frêne puis Truffe de Sureau vers Cœur d'Épines. « Attendez là-bas. »

Bois de Frêne traversait la clairière sur trois pattes.

« Je ne vois pas pourquoi le Clan des Étoiles devrait *nous* cacher le soleil ! » s'indigna-t-il.

Truffe de Sureau claudiquait près de lui – une de ses pattes arrière traînait sur le sol.

« Le Clan du Vent n'aurait jamais dû déclencher cette bataille. C'est bien fait pour eux si le Clan des Étoiles leur en veut. »

Nuage de Houx jeta un coup d'œil à Nuage de Lion, qui observait le Clan.

« Ça va ? s'inquiéta-t-elle.

— Oui. »

Ne voulait-il pas parler du soleil disparu ?

« Tu ne dis rien.

— Je sais. »

L'apprenti guerrier leva la tête vers la Corniche :
Millie descendait prudemment l'éboulis. Petite
Églantine pendait entre ses mâchoires. Chipie la
précédait avec Petit Crapaud.

« Allons les aider », suggéra-t-il en détalant.

Comment pouvait-il avoir encore autant d'énergie ? Nuage de Houx se sentait terrassée par la
fatigue, sans parler des griffures et des morsures qui
la brûlaient sur tout le corps. Elle le suivit en soupirant.

« J'aurais pu descendre tout seul ! protesta Petit
Crapaud en agitant les pattes.

— Reste tranquille, ou nous tomberons tous les
deux ! » grogna Chipie, la gueule pleine de poils.
Elle sauta dans la clairière et se tourna vers Millie.
« Ça va ? »

Millie hocha la tête. Petite Églantine pendait, les
yeux écarquillés, sous son menton.

La vie ne ressemble pas toujours à ça, aurait voulu
dire Nuage de Houx au chaton, sans savoir s'il était
assez grand pour comprendre.

Nuage de Lion tendit une patte pour stabiliser
Millie, qui avait un peu glissé sur les cailloux.

« Nous allons ramener les autres, leur annonça-t-il.

— Merci, miaula Chipie après avoir posé Petit
Crapaud, qui détala, la fourrure gonflée. Attention ! »

Chipie ferma les yeux en le voyant foncer droit
sur Plume Grise.

Le guerrier ardoise l'esquiva de justesse.

« Et si tu allais t'assurer qu'il y a suffisamment de mousse dans le nid de Millie, mon petit ? miaula-t-il.

— D'accord ! lança la boule de poils.

— Il n'a pas l'air trop ébranlé, déclara Plume Grise à Chipie.

— Oui, il pense que ce n'est qu'une aventure amusante, soupira la reine.

— Cela vaut peut-être mieux. »

Plume Grise prit Petite Églantine des mâchoires de Millie et ils rejoignirent la pouponnière. Millie avançait près de lui – leurs pelages se touchaient.

Nuage de Lion grimpait déjà sur les rochers. Nuage de Houx monta prudemment derrière lui et le suivit à l'intérieur du gîte de leur chef.

Il y faisait noir. Nuage de Houx faillit trébucher sur Petite Rose, tapie à l'entrée. Derrière elle, Longue Plume tentait de réconforter Petit Bourdon. Le petit mâle gris rayé de noir appelait sa mère.

« Chut, tu vas réveiller ta sœur », lui murmurait l'ancien.

Nuage de Houx distinguait à peine Petit Pétale pelotonnée contre le ventre de Poil de Souris, profondément endormie.

« Ne l'embête pas, miaula la vieille chatte en repoussant la novice d'un mouvement de la queue. Plume Grise pourra venir la chercher plus tard. »

Longue Plume donna un coup de museau dans l'épaule de Nuage de Houx. Ses yeux aveugles étaient tout ronds, signe de son inquiétude.

« Tu as vu ce qui s'est passé ?

— Oui.

— Qu'en dit Nuage de Geai ? s'enquit Poil de Souris.

— Il ne nous révèle pas toujours ce que le Clan des Étoiles lui apprend », répondit Nuage de Lion avec un haussement d'épaules.

Nuage de Houx croisa son regard. *Est-ce qu'il pense ce que je pense ?* S'ils étaient vraiment plus puissants que le Clan des Étoiles, Nuage de Geai aurait dû connaître la signification de la disparition du soleil. Nuage de Lion se détourna.

« Il partagera peut-être leurs rêves cette nuit, miaula la novice.

— Je l'espère », soupira Poil de Souris avant d'enrouler sa queue autour de Petit Pétale.

Nuage de Houx saisit Petit Bourdon par la peau du cou. Le chaton poussa un cri de surprise en battant l'air de ses petites pattes.

« Je ne veux pas qu'on me porte ! protesta Petite Rose en reculant.

— On ne te demande pas ton avis ! »

Nuage de Lion la souleva et sortit de la caverne.

Sa sœur le suivit jusqu'à la pouponnière, les pattes lourdes de fatigue. Plume Grise les y attendait.

« Petit Pétale dort, lui apprit-elle en lui confiant Petit Bourdon. Poil de Souris dit que tu pourras venir la chercher plus tard. »

Plume Grise hocha la tête et disparut dans les ronces.

Nuage de Cendre trotta vers eux.

« Les petits vont bien ?

— Nuage de Lion ! » lança Feuille de Lune. À l'autre bout de la clairière, elle étalait de la pulpe de feuilles sur l'épaule de Pelage de Miel. « Nuage de Renard et toi, allez me chercher d'autres toiles d'araignées. »

Nuage de Renard bondit en entendant son nom.

« Je sais où on peut en trouver de très grosses, miaula-t-il. Il y a une bûche creuse juste à l'entrée du camp, elle en est remplie. »

Nuage de Lion jeta un coup d'œil à Griffe de Ronce. Sous la Corniche, le lieutenant se tenait immobile pendant que Nuage de Geai appliquait un cataplasme poisseux sur son flanc.

« Est-ce qu'on peut sortir du camp ? alla-t-il lui demander. Feuille de Lune a besoin de toiles d'araignées.

— Oui, mais soyez prudents. »

Alors que les deux apprentis disparaissaient, la guérisseuse se tourna vers Nuage de Houx.

« Il y a des remèdes empilés près de la flaque, dans ma tanière. Donne-les à Aile Blanche et aux autres. Avec ton début d'apprentissage de guérisseuse, tu pourras leur expliquer comment ils doivent les mâcher et appliquer le jus sur leurs blessures.

— Moi aussi, je sais le faire ! miaula soudain Nuage de Cendre.

— Comment ? s'étonna Nuage de Houx. Tu n'es pas une apprentie guérisseuse. »

Feuille de Lune arrêta d'envelopper la patte de Pelage de Miel.

« Elle est restée si longtemps en convalescence près de moi qu'elle a dû l'apprendre en me regardant faire. Nuage de Cendre, accompagne Nuage de Houx. Et fais attention à ta patte.

— Promis. »

266

Alors qu'elles se dirigeaient vers le rideau de ronces, Nuage de Houx remarqua que sa camarade boitait à peine.

« Comment va ta patte ?

— Beaucoup mieux. Je ne serais sans doute pas capable de faire toutes les attaques, mais ça ne va pas tarder. Nager m'a aidée... juste à temps », ajouta-t-elle d'un ton solennel.

Elles passèrent devant Poil d'Écureuil. La guerrière au pelage roux sombre était assise de travers au bord de la clairière, l'arrière-train remonté et une patte en l'air.

Lorsque Nuage de Houx lui fit un petit signe de la tête, sa mère se contenta de regarder dans le vide.

La novice s'inquiéta aussitôt.

« Est-ce que Feuille de Lune t'a examinée ?

— Pas encore », répondit la chatte, les dents serrées.

Quelque chose ne va pas.

En baissant la tête, la novice constata que le sable autour des pattes de sa mère était rouge sombre. *Du sang.*

« Tu es blessée ! »

Oubliant sa fatigue, elle accourut auprès de sa mère et renifla son pelage. Du sang frais coulait de sous son poitrail. Ses pattes avant tremblaient et elle se laissa tomber en gémissant.

Des pas retentirent derrière elle.

« Qu'est-ce qui ne va pas ? s'inquiéta Tempête de Sable.

— Elle perd du sang », murmura Nuage de Houx, qui se sentait défaillir.

Gémissant de nouveau, Poil d'Écureuil roula sur le côté, révélant ainsi son ventre ensanglanté.

« Pourquoi est-ce que personne ne t'a soignée ? s'étrangla Tempête de Sable. Nuage de Houx ! Va chercher Feuille de Lune ! »

L'apprentie contemplait sa mère. Celle-ci haletait et ses flancs se soulevaient de façon irrégulière.

« Maintenant ! » feula Tempête de Sable en la poussant.

Accroupie au bout de la clairière, Feuille de Lune mâchait des remèdes.

« Poil d'Écureuil est blessée ! »

Nuage de Houx n'eut pas besoin d'en dire davantage. La guérisseuse s'était levée d'un bond et filait déjà vers la guerrière.

La jeune chatte la suivit à toute allure. Son ancien mentor fit rouler Poil d'Écureuil d'une patte et écarta les poils de son ventre de l'autre. Une coupure profonde descendait de sa poitrine jusqu'à la naissance de sa cuisse. Du sang s'en échappait et formait une flaque sous elle.

Nuage de Houx pressa son museau contre les côtes de sa mère.

« Elle respire à peine. » Les paupières de la blessée se fermaient peu à peu. « Ne t'endors pas ! » supplia-t-elle.

Elle vit du coin de l'œil Nuage de Lion et Nuage de Renard revenir avec des paquets de toiles d'araignées dans la gueule. *Que le Clan des Étoiles soit loué !*

« Par ici ! »

Nuage de Lion accourut auprès de sa mère.

« Donne-moi ça. » Feuille de Lune lui arracha les toiles de la gueule et se mit à tamponner l'entaille.

Elle fit signe à Nuage de Renard de s'approcher et lui prit aussi son lot de toiles. « Va dans ma tanière, lui ordonna-t-elle sans lever la tête. Rapporte de la mousse trempée. Aussi vite que tu peux. »

Nuage de Lion dévisageait sa mère d'un air horrifié.

« Toi aussi ! gronda Feuille de Lune. Vite ! » Les deux apprentis s'exécutèrent.

Nuage de Geai avait dû entendre le tapage. Il laissa Griffe de Ronce et, les pattes toujours pleines de suc, il se fraya un passage au milieu des guerriers blessés.

Le lieutenant le regarda s'éloigner, surpris, puis vit à son tour Poil d'Écureuil. Il contourna le groupe des blessés au pas de charge et l'emplâtre de Nuage de Geai se décolla de son flanc.

« Qu'est-ce qu'elle a ? demanda-t-il à Nuage de Houx.

— Une blessure au ventre, murmura-t-elle. Et personne ne s'en est aperçu…

— Elle se battait près de moi sur la rive, intervint Tempête de Sable. Je pensais qu'elle allait bien, elle n'est jamais restée à terre plus d'un instant.

— Ne me quitte pas », supplia le lieutenant, et il s'étendit près de sa compagne. Poil d'Écureuil ouvrit les yeux en entendant sa voix avant de les refermer. Il posa sa joue contre la sienne. « Ça va aller. Feuille de Lune ne te laissera pas mourir. »

Nuage de Houx se tourna avec espoir vers la guérisseuse, mais celle-ci était trop occupée à soigner la blessure pour lever les yeux. Nuage de Geai se glissa près d'elle pour maintenir les toiles en place pendant que son mentor en appliquait de nouvelles plus bas.

Nuage de Lion revint et laissa tomber un morceau de mousse près de Feuille de Lune, qui s'en empara aussitôt pour laver le sang.

« Va m'en chercher d'autres ! »

Le contact de l'eau froide ne fit pas broncher Poil d'Écureuil. Elle était inconsciente.

Nuage de Houx s'approcha plus près.

« Elle va s'en remettre, pas vrai ? » gémit-elle.

Griffe de Ronce commença à lécher la joue de Poil d'Écureuil.

« Dors bien, ma douce. Je serai là à ton réveil.

— Que s'est-il passé ? demanda Étoile de Feu, les yeux ronds, en arrivant à son tour.

— Reculez, vous tous ! » feula soudain Feuille de Lune.

Le sang battit aux oreilles de Nuage de Houx. *Elle va mourir !* Elle fit un pas en arrière et frôla Griffe de Ronce. Son père tremblait.

« Nuage de Houx ! lança Feuille de Lune en la regardant droit dans les yeux. Va me chercher des feuilles de chêne. »

Feuilles de chêne. Feuilles de chêne. Elle fila vers le rideau de ronces, terrifiée à l'idée d'oublier ce qu'elle devait rapporter tant elle paniquait.

Une fois à l'intérieur de la tanière de la guérisseuse, elle tendit la patte dans la fissure et en sortit un tas de plantes. Elle les passa en revue et en tira les feuilles de chêne. Heureusement, elles étaient faciles à reconnaître. Elle les prit entre les dents et se précipita vers sa mère.

« Tu veux que je les mâche ? proposa-t-elle à la guérisseuse.

— Nuage de Geai peut le faire. »

Nuage de Houx s'écarta. Nuage de Lion contemplait sa mère, les prunelles embrasées. *Il veut savoir qui lui a fait ça.*

Elle se rendit alors compte qu'il tremblait comme un chaton. Elle ferma les yeux et sentit Tempête de Sable contre elle.

« S'il est possible de la sauver, Feuille de Lune y arrivera. »

Nuage de Houx se blottit contre son aînée, rassurée par sa chaleur. Feuille de Lune et Nuage de Geai finirent de panser la blessure de la rouquine.

« Je ne peux rien faire d'autre, annonça Feuille de Lune en se redressant. Sa vie est entre les pattes du Clan des Étoiles. »

Elle prit une boule de mousse et la porta aux lèvres de Poil d'Écureuil pour laisser l'eau lui couler dans la gorge.

Un instant plus tard, Poil d'Écureuil déglutit. Était-ce bon signe ?

« Elle a besoin d'un nid bien chaud, expliqua Feuille de Lune. Mais je n'ose pas la déplacer de peur de rouvrir sa blessure. » Elle regarda Nuage de Houx et Nuage de Lion. « Est-ce que je peux compter sur vous pour rassembler une litière autour d'elle ? »

La novice hocha la tête.

« De la fougère, des plumes, tout ce que vous pourrez trouver. Elle doit rester immobile, bien au chaud. » La chatte au poil tigré et blanc se leva et déclara à son apprenti : « Nuage de Geai, veille sur elle et viens me trouver en cas d'évolution. Je dois

271

m'occuper des autres blessés. » Elle tourna la tête vers Cœur Blanc, qui se faufilait entre les guerriers avec un paquet de remèdes dans la gueule. « Cœur Blanc ne peut pas être partout. »

Étoile de Feu s'approcha d'elle et lui posa le museau entre les oreilles.

« Je suis fier de toi.

— J'espère avoir fait ce qu'il faut. »

Étoile de Feu se tourna vers sa compagne.

« Tu es épuisée. Tu devrais manger et te reposer.

— C'est ma fille ! Je ne bouge pas de là ! »

Le cœur de Nuage de Houx se serra. *C'est aussi ma mère ! Elle ne peut pas mourir !*

« Viens, lui murmura alors Nuage de Lion. Allons chercher de quoi lui construire un nid. »

Nuage de Renard et Nuage de Givre étaient assis l'un contre l'autre à une longueur de queue. Étaient-ils là depuis le début ?

« Est-ce qu'on peut vous aider ? proposa Nuage de Renard.

— Nous devons trouver de quoi lui faire un nid, expliqua Nuage de Lion. Tout ce qui est doux et chaud fera l'affaire. »

Tandis que Nuage de Renard et Nuage de Givre s'éloignaient ventre à terre, Nuage de Houx remarqua qu'Étoile de Feu et Griffe de Ronce se trouvaient déjà sous la Corniche, en grande conversation avec Plume Grise, Pelage de Poussière et Cœur d'Épines. Leurs regards étaient sombres et ils prenaient soin de murmurer. Elle tendit vainement l'oreille pour les épier.

« La bataille est finie, non ? De quoi peuvent-ils bien parler ? marmonna-t-elle à son frère.

— La bataille n'a été ni gagnée ni perdue, lui rappela Nuage de Lion. La disparition du soleil l'a interrompue. Maintenant qu'il fait de nouveau jour, le Clan du Vent pourrait revenir finir le travail.

— Il ne ferait pas une chose pareille ! Le Clan des Étoiles nous a bien fait comprendre que nous ne devions pas nous battre !

— Si ce sont vraiment nos ancêtres qui ont caché le soleil… »

Nuage de Renard revint à toute vitesse avec une grande plume dans la gueule.

« Ça ira, ça ? demanda-t-il avant d'éternuer, et la plume s'envola pour se poser au sol.

— C'est un bon début, répondit Nuage de Lion. Mais je pense que vous devriez chercher hors du camp. Il nous en faudra beaucoup. »

Nuage de Houx jeta un coup d'œil à Poil d'Écureuil, qui gisait sur le flanc. Ses côtes se soulevaient à peine. Elle semblait toute petite et frigorifiée. Nuage de Geai était collé à elle, le museau près de celui de sa mère comme pour écouter sa respiration.

« Viens », la pressa Nuage de Lion, qui partit vers la forêt.

Nuage de Houx balaya le camp du regard avec stupeur. *C'est si paisible. Comme si rien ne s'était passé.* Le soleil se déversait à travers les branches et les oiseaux pépiaient dans les arbres. Quelques feuilles tombèrent. La saison des feuilles mortes approchait. Les fougères brunissaient déjà, trop dures et sèches pour faire un nid.

Elle suivit son frère, de nouveau étourdie par la fatigue. Çà et là, une touffe d'herbe écrasée ou des poils pris dans les ronces lui rappelaient la bataille qu'ils venaient de livrer et ses blessures se remettaient à la brûler.

« Celles-ci sont douces », déclara Nuage de Lion en s'arrêtant près d'un bouquet de fougères vertes.

Il commença à couper une fronde avec ses crocs.

Nuage de Houx l'imita et ils travaillèrent en silence jusqu'à ce qu'ils en aient récolté une quantité suffisante.

« Nuage de Renard ! héla Nuage de Lion.

— On arrive ! »

Les taillis frémirent et les deux jeunes apprentis apparurent avec de gros morceaux de mousse dans la gueule.

« Je crois qu'on en a assez », déclara le jeune chat doré.

Il enroula sa patte autour du tas de fougères et entreprit de le tirer jusqu'au tunnel. Nuage de Houx le suivit en poussant les frondes qui lui échappaient en cours de route. Elle était si épuisée que sa vue se troublait et que la forêt semblait tanguer devant elle.

« On aurait gagné, de toute façon », haleta Nuage de Lion, une fois près du tunnel de ronces.

Vraiment ? Nuage de Houx n'en était pas sûre. Alors qu'elle contournait une fine traînée de sang, elle eut l'impression que les quatre Clans y avaient tous perdu quelque chose, même si elle n'aurait su dire quoi, exactement.

Dans le camp, Nuage de Geai était toujours lové contre Poil d'Écureuil. À leur approche, il releva la tête, se mit debout et s'étira.

« Glissez la mousse sous elle, leur indiqua-t-il. Le sol est très dur. »

Nuage de Houx en poussa une partie sous les épaules de sa mère, une autre sous son arrière-train, avant de placer le reste tout doucement autour de son ventre. La fourrure imprégnée de sang séché de la rouquine formait des piques dures et embaumait les remèdes. Chipie avait apporté des plumes de la pouponnière et, pendant que Nuage de Lion entourait sa mère de fougères, Nuage de Houx déposa les plumes sur elle pour lui tenir chaud. Une fois le nid fini, Nuage de Geai revint s'installer contre elle, le menton sur son épaule.

« Venez manger ! » leur lança Griffe de Ronce, près du tas de gibier.

Il ne restait que quelques prises. Ce jour-là, ils n'avaient pas eu le temps d'aller chasser.

Nuage de Lion le rejoignit, mais Nuage de Houx ne bougea pas. Elle était trop fatiguée pour manger et le chagrin lui nouait le ventre. Elle ne quitterait plus sa mère. Elle se roula en boule près de la tête de Poil d'Écureuil et, soufflant doucement contre l'oreille froide de la blessée, elle ferma les yeux.

Pitié, faites que cette bataille ne me prive pas de ma mère.

CHAPITRE 18

Nuage de Lion avala sa dernière bouchée. S'il avait à peine senti le goût de sa souris, elle avait tout de même calmé les gargouillis de son ventre. Il jeta un coup d'œil vers le soleil qui brillait haut dans le ciel dégagé. Allait-il encore disparaître ?

Que se passe-t-il ? Le miaulement terrifié de Nuage de Myosotis lui revint en mémoire.

Il ne pouvait pas lui faire confiance.

Il ne pouvait pas faire confiance au soleil.

Il ne pouvait faire confiance qu'à lui-même et à son Clan.

La clairière se vidait doucement tandis qu'Étoile de Feu serpentait entre ses guerriers pour les envoyer se reposer.

Poil d'Écureuil gisait au milieu de son nid de fortune avec Nuage de Houx et Nuage de Geai pelotonnés contre elle. Feuille de Lune l'examinait de nouveau.

« Tu dois te reposer, insista Étoile de Feu.

— Et les autres blessés ? protesta-t-elle en vacillant sur ses pattes.

— Cœur Blanc s'en occupera. Elle viendra te chercher si nécessaire. »

La guerrière borgne allait d'une tanière à l'autre pour s'assurer que tous allaient bien.

« Elle aussi, elle aura besoin de repos.

— Et elle en prendra dès que tu auras dormi. »

Feuille de Lune cligna des yeux et ses moustaches frémirent lorsqu'elle retint un bâillement.

« D'accord. Mais réveillez-moi s'il y a le moindre problème. »

Son regard était posé sur Poil d'Écureuil.

Nuage de Houx se blottit un peu plus contre sa mère, pressant son museau contre son oreille comme pour lui murmurer des paroles qui la guériraient. Nuage de Lion se crispa. Il planta ses griffes dans la terre meuble. Si seulement il pouvait livrer bataille contre la mort à la place de sa mère, il en sortirait vainqueur à coup sûr. Son ventre se noua. C'était un combat qu'elle devait gagner seule.

« Et toi, tu ne devrais pas être en train de te reposer ? lui murmura Étoile de Feu à l'oreille.

— Je ne suis pas fatigué, répondit-il en soutenant le regard vert de son chef.

— Dans ce cas, suis-moi. Nous devons décider de ce que nous allons faire. »

Nuage de Lion l'accompagna auprès de Pelage de Poussière, Pelage de Granit et Griffe de Ronce, qui partageaient un lapin avec Flocon de Neige et Tempête de Sable.

Cette dernière leva la tête à leur approche et poussa un morceau de gibier vers le rouquin.

« Tu dois avoir faim.

— Je mangerai une fois que la réserve aura été regarnie. »

La guerrière le dévisagea avant de baisser les yeux sur le bout de viande qu'elle lui avait offert.

« Tu as besoin de reprendre des forces comme tout le monde. »

Étoile de Feu s'assit, les épaules tombantes, et prit le morceau de lapin.

« Merci. »

Griffe de Ronce était installé de travers – l'épine plantée dans son flanc le gênait visiblement. Nuage de Lion ravala le grondement qui montait dans sa gorge. Personne d'autre ne souffrirait à cause de la trahison de Nuage de Myosotis ! Ils allaient organiser les représailles contre le Clan du Vent et le Clan de la Rivière. Les lâches ! Leur attaque sournoise n'était pas digne de véritables guerriers. Le Clan du Tonnerre les ferait payer.

« Vous croyez qu'il va de nouveau disparaître ? » lança Pelage de Poussière, la queue gonflée.

Pelage de Granit n'avait pas encore nettoyé le sang qui souillait ses pattes. Il traça une ligne dans le sable du bout d'une griffe écarlate.

« Ce pourrait n'être que le début.

— Nous ne devons pas paniquer, miaula Étoile de Feu. Nous devons croire que ce n'était qu'un message, rien de plus. »

Voilà tout ce dont ils vont causer ? De la disparition du soleil ? Nuage de Lion n'en croyait pas ses oreilles.

« Et si ce n'était pas un message ? répondit Pelage de Poussière. Et si le soleil était malade ?

— Il n'a jamais été malade, rétorqua Tempête de Sable. Pourquoi le serait-il maintenant ?

— Il n'avait jamais disparu avant, lui rappela Pelage de Granit.

— C'était sûrement un moyen pour le Clan des Étoiles de nous ordonner de cesser les combats, miaula Griffe de Ronce.

— Pourquoi nous prévenir, nous ? feula Pelage de Poussière. Ce n'est pas nous qui avons déclenché cette guerre !

— Ce n'était peut-être qu'un nuage étrange », suggéra Flocon de Neige.

Nuage de Lion savait que le guerrier blanc était né dans un nid de Bipèdes et qu'il n'avait jamais vraiment cru au Clan des Étoiles.

« Et d'où venait ce nuage ? le pressa Pelage de Granit. Et où est-il allé ensuite ? Le ciel était dégagé.

— Il doit y avoir une explication, soupira Flocon de Neige.

— C'est le Clan des Étoiles, insista Pelage de Poussière. Forcément. »

Qu'est-ce que ça peut bien faire ? s'impatienta Nuage de Lion, qui bouillonnait de rage. La bataille contre le Clan du Vent devait être terminée une bonne fois pour toutes s'ils voulaient un jour pouvoir dormir l'esprit tranquille dans leurs tanières. Peu importait le soleil. Il fallait s'occuper des ennemis. Ses griffes s'enfoncèrent dans le sol.

« Tu as quelque chose à dire ? »

Nuage de Lion se rendit compte que le meneur s'adressait à lui.

J'ai plein de choses à dire !

« Nous devons donner une leçon au Clan du Vent ! s'emporta-t-il en se levant. Ils ne peuvent pas nous envahir sans en subir les conséquences.

« — Trop de sang a déjà coulé, Nuage de Lion, répondit Griffe de Ronce en secouant la tête.

— La bataille est terminée, confirma Étoile de Feu. Nous devons découvrir pourquoi le soleil a disparu.

— Est-ce que Feuille de Lune ira à la Source de Lune pour communier avec nos ancêtres ? » voulut savoir Tempête de Sable.

Étoile de Feu jeta un coup d'œil à Poil d'Écureuil, à l'autre bout de la clairière.

« Une fois que nos blessés pourront se passer d'elle.

— J'espère que ce sera bientôt, marmonna Pelage de Poussière.

— Le plus tôt sera le mieux », enchérit Pelage de Granit.

Nuage de Lion lacéra le sol. Pourquoi attendre de savoir si leurs ancêtres connaissaient la réponse ? Ce n'était pas le moment de s'interroger sans fin. Il fallait agir ! Une bataille devait être livrée. Une trahison devait être punie.

« Et pourquoi on ne pourrait pas… ? » Il se tut.

Il avait interrompu Tempête de Sable. Elle le fixait, la gueule ouverte.

« Pardon. »

Nuage de Lion recula, soudain conscient qu'il n'était qu'un apprenti.

« Tu devrais peut-être aller te reposer », suggéra gentiment Étoile de Feu.

Nuage de Lion hocha la tête et s'éloigna, laissant le cercle de guerriers aux prises avec leurs questionnements. À chaque pas, il soulevait un nuage de poussière. Un jour, ils l'écouteraient.

Nuage de Houx et Poil d'Écureuil dormaient. Il s'arrêta près d'elles pour regarder leurs flancs se soulever en rythme comme si elles respiraient d'un même souffle. Nuage de Geai était parti.

Mais il apparut sur le seuil de la tanière de Feuille de Lune, de la mousse dégoulinante dans la gueule. Il vint presser la mousse contre les lèvres de leur mère.

« Est-ce qu'elle va s'en remettre ? murmura l'apprenti guerrier.

— Je le pense. Il n'y a aucun signe d'infection.

— Est-ce que le Clan des Étoiles t'a prévenu qu'elle serait blessée ? »

Nuage de Geai reposa la mousse.

« Non. » Il aplatit une fronde qui rebiquait devant la truffe de Poil d'Écureuil. « Et, avant que tu me le demandes, il ne m'avait pas non plus parlé de la disparition du soleil ni de la bataille. »

Nuage de Lion plissa les yeux. Il savait lorsque son frère avait une idée en tête.

« Tu ne crois pas que le Clan des Étoiles soit mêlé à la disparition du soleil, pas vrai ?

— En effet », confirma l'aveugle en s'asseyant.

Et ? Pourquoi Nuage de Geai devait-il toujours faire des mystères pour tout ?

« Je crois…

— Oui ?

— Je crois que je connais quelqu'un qui pourrait nous répondre. »

Les poils de Nuage de Lion se hérissèrent le long de son échine. Les yeux bleu pâle de Nuage de Geai semblaient le fixer.

« Nous devons retrouver Sol. Il avait tout prédit. Il a dit à Feuille de Lune que des ténèbres arrivaient et que le soleil disparaîtrait. Je crois qu'il était prêt à nous en dire davantage, mais Étoile de Feu l'a chassé. »

Une vague de déception engloutit Nuage de Lion. Nuage de Geai n'était pas mieux que les guerriers.

« Pourquoi est-ce que tout le monde est obsédé par le soleil ? s'emporta-t-il. Ce n'est pas important ! Ce qui compte, c'est qu'il est revenu et que tout va bien. Maintenant, il faut régler le problème du Clan du Vent. Ils vont revenir si nous ne leur montrons pas que...

— C'est *très* important, le coupa l'apprenti guérisseur. Le Clan du Vent n'est rien d'autre qu'une épine dans notre pelage. Nous pouvons nous en débarrasser n'importe quand. Or, le soleil a disparu, et Sol savait que cela arriverait. Contrairement au Clan des Étoiles ! Tu ne comprends pas ce que ça signifie ?

— Et que pouvons-nous y faire ? s'exclama Nuage de Lion, qui refusait d'admettre qu'il n'y comprenait rien.

— Nous devons trouver Sol.

— Ne dis pas de bêtises ! Il est parti hier. Il pourrait être n'importe où. Et Étoile de Feu ne va pas nous laisser nous promener à sa recherche. Il y a eu une bataille. La moitié des guerriers sont blessés et qui sait quand viendra la prochaine invasion ?

— Souviens-toi de la prophétie ! rétorqua l'aveugle. Nous détenons le pouvoir des étoiles entre nos pattes ! Ce qui nous rend plus puissants qu'Étoile de Feu, que le Clan des Étoiles ! Si Sol sait pourquoi le soleil a disparu, nous devons le retrouver ! »

CHAPITRE 19

Nuage de Geai avait envie de griffer les oreilles de son frère pour qu'il l'écoute. *Essaie de comprendre !*

« Nous devons trouver Sol ! répéta-t-il.

— Qui ça ? » murmura Poil d'Écureuil, qui remua près de lui.

Elle est réveillée !

Nuage de Geai enfouit son museau dans le pelage de sa mère. Elle s'était réchauffée. Mais elle n'avait pas de fièvre. Pas d'infection, donc. Il posa une patte sur son flanc. Sa respiration était plus régulière, pas trop rapide. Elle se remettait du choc causé par la blessure.

« Comment va Nuage de Lion ? s'enquit la guerrière d'une petite voix.

— Je suis là, répondit-il en lui effleurant l'oreille du bout de la truffe.

— Et Nuage de Houx ? Est-ce qu'elle est blessée ?

— Nuage de Houx va bien aussi, la rassura Nuage de Geai. Nous sommes tous sains et saufs. »

Les fougères bruissèrent lorsqu'elle leva la tête.

« Est-ce que le soleil a de nouveau disparu ?

— Non, regarde ! l'encouragea l'apprenti guérisseur. Il brille toujours. »

Poil d'Écureuil reposa sa tête sur ses pattes.

« Le Clan des Étoiles doit être en colère contre nous.

— Pas contre nous, rectifia Nuage de Lion. Contre le Clan du Vent. »

Cela n'a rien à voir avec le Clan des Étoiles. Nuage de Geai tapota les fougères autour de la tête de sa mère. Il avait l'impression de prendre soin d'un chaton angoissé.

Nuage de Houx leva la tête à son tour.

« Elle est réveillée ? demanda-t-elle en se levant d'un bond. Poil d'Écureuil !

— C'est toi, Nuage de Houx ? »

La novice plongea son museau dans la fourrure de sa mère.

« J'ai eu tellement peur que tu meures !

— Je ne te quitterai jamais, ma chère petite », ronronna la rouquine.

Nuage de Geai entendit des pas précipités venir vers eux et reconnut l'odeur de Cœur Blanc.

« Je l'ai vue bouger ! s'écria la borgne.

— Elle est réveillée, lui apprit Nuage de Geai. Pas de fièvre et sa respiration est stable.

— Est-ce que je vais chercher Feuille de Lune ?

— Non, miaula Nuage de Geai. Elle dort. Nous ne la réveillerons que si l'hémorragie reprend ou si Poil d'Écureuil commence à s'agiter.

— Comment ces plumes se sont-elles retrouvées là ? demanda la blessée en reniflant sa douce couverture. Et les fougères ? »

— Nous avons bâti un nid tout autour de toi, lui expliqua sa fille.

— Merci, murmura-t-elle, pleine de fierté. J'ai de la chance d'avoir des petits si courageux, et si gentils.

— Tu devrais te reposer, Poil d'Écureuil, lui conseilla Cœur Blanc. Tu as perdu beaucoup de sang.

— Oui, souffla Poil d'Écureuil, tu as raison.

— Elle ferme les yeux, murmura Nuage de Houx. Laissons-la dormir.

— Vous devriez vous reposer aussi, tous les trois, leur conseilla la guerrière blanche. Je veillerai sur elle jusqu'à ce que Feuille de Lune se réveille. »

Nuage de Geai fut secoué de frissons. Ce pourrait être leur chance de chercher Sol.

« Merci, Cœur Blanc, répondit-il en simulant une grande fatigue. Venez, dit-il à Nuage de Lion et Nuage de Houx. Allons dormir. »

Il s'immobilisa dès qu'il ne fut plus à portée de voix de Cœur Blanc.

« Qu'est-ce qu'il y a ? s'enquit Nuage de Houx en s'arrêtant près de lui. Tu es nerveux comme une puce.

— Nous devons trouver Sol ! s'écria-t-il, avant d'expliquer sa théorie à sa sœur. Et tout de suite, pendant que le Clan pense que nous dormons.

— Nous devons l'accompagner, dit Nuage de Lion. Sinon, il serait bien capable de partir seul. Tu te sens d'attaque ?

— Oui. Ma sieste m'a fait un bien fou. Attendez un instant. »

Elle partit à toute vitesse et revint avec une musaraigne un peu sèche. Nuage de Geai fronça la truffe.

« Tu ne vas pas manger ça, quand même ?

— Je meurs de faim, pas toi ?

— Non. » Nuage de Geai était trop angoissé pour se préoccuper de son estomac. Il pourrait manger plus tard. « Dépêche-toi. »

Nuage de Houx attaqua le rongeur à grands coups de crocs.

« Est-ce que Cœur Blanc nous regarde ? demanda Nuage de Geai à son frère.

— Non, elle veille sur Poil d'Écureuil. Elle nous tourne le dos.

— Qui d'autre est dans la clairière ?

— Personne. Ils sont tous allés se coucher dans leur tanière. » Il marqua une pause avant d'ajouter : « Étoile de Feu est sur la Corniche.

— Mais il dort.

— Comment le sais-tu ?

— J'entends sa respiration, elle est profonde. » Il leva la truffe et poursuivit : « Plume Grise garde l'entrée. Il faudra qu'on parte en douce par le "petit coin".

— Oh non, encore ! soupira Nuage de Lion. Tu es vraiment certain qu'on doive retrouver ce Sol ?

— Il pourrait détenir toutes les réponses !

— Tu parles de la prophétie, pas vrai ? »

Et du Clan des Étoiles. Et de la Tribu de la Chasse Éternelle. Qui d'autre pouvait connaître ce secret ?

« Ce n'est qu'une hypothèse, admit Nuage de Geai. Je dois en avoir le cœur net. »

Nuage de Lion donna un petit coup de museau à Nuage de Houx.

« Tu as fini ?

— Oui ! » répondit-elle la gueule pleine tout en suivant ses deux frères vers le tunnel menant à la petite clairière où ils faisaient leurs besoins.

« Attendez ! » souffla soudain Nuage de Geai.

Tous trois se cachèrent derrière un buisson. Des bruits de pas approchaient. Nuage de Lion se tapit près de Nuage de Geai.

« Qu'est-ce qu'il y a ? »

Bois de Frêne et Truffe de Sureau sortaient l'un derrière l'autre du petit tunnel.

« J'ai battu deux guerriers du Clan du Vent seul, se vantait le premier.

— Ils sont peut-être rapides, mais ils sont petits, répondit le second. Une fois qu'on les a attrapés, il est facile de leur donner une correction.

— Contrairement au Clan de la Rivière. Ceux-là, ils doivent passer leur temps à manger. Ils ressemblent plus à de gros poissons sur pattes qu'à des chats. »

Nuage de Geai retint son souffle lorsqu'ils passèrent devant eux avant de disparaître dans le gîte des guerriers.

Ils se faufilèrent dans la petite clairière puis dans la forêt. Nuage de Geai se sentit soulagé de se retrouver sous les arbres malgré la puanteur des crottes qui emplissait ses narines. Ils se cachèrent derrière un roncier le temps de décider de la direction à prendre.

« Alors ? » fit Nuage de Houx.

Nuage de Geai huma l'air. Il avait eu le vague espoir de retrouver la piste de Sol. Cependant, s'il n'avait pas plu depuis sa visite, la veille, la bataille avait déversé sur la forêt une marée d'odeurs inconnues. Quatre Clans s'étaient battus ici. Il ne restait aucune trace du passage de Sol.

« Pelage de Poussière l'a raccompagné à la frontière du Clan du Vent, lui rappela Nuage de Lion.

— C'est là que je l'ai vu la première fois, ajouta leur sœur. Dans la lande.

— Il n'y sera plus, rétorqua Nuage de Geai.

— Et pourquoi ?

— Parce qu'il y a *déjà* été. »

Nuage de Geai était certain que Sol connaissait tout des quatre Clans. Comme il avait cherché à rencontrer Étoile de Feu et qu'il était passé par le territoire du Vent, il paraissait logique qu'il veuille entrer en contact avec les autres Clans. Nuage de Geai espérait simplement qu'il n'était pas parti vers le Clan de la Rivière. C'était de l'autre côté du lac, trop loin pour faire l'aller-retour sans que leurs camarades remarquent leur absence.

« Il a dû aller voir le Clan de l'Ombre », affirmat-il malgré son incertitude.

Il craignait que son frère et sa sœur refusent de le suivre s'il n'était pas certain de savoir où aller.

— Comment le sais-tu ? s'enquit Nuage de Lion.

— Je le sais, c'est tout.

— Nous ne pouvons pas aller sur leur territoire ! s'étrangla Nuage de Houx.

— Tu l'as pourtant fait, toi, lui rappela l'aveugle.

— C'était une urgence.

— Là aussi, c'est une urgence !

— Nous ignorons où il se trouve exactement. Je n'ai vu aucun étranger lors de ma visite.

— Il n'était peut-être pas encore arrivé.

— Nuage de Houx a raison, la soutint Nuage de Lion. Nous ne pouvons pas nous promener sur leur territoire. Nous sortons tout juste d'une bataille. Ils nous réduiraient en charpie.

— Tu n'es pourtant pas du genre à avoir peur, le railla Nuage de Geai.

— Je n'ai pas peur pour moi, mais pour le Clan.

— C'est vrai, soupira Nuage de Houx. Le Clan de l'Ombre a été notre seul allié. Nous ne devons pas risquer de les contrarier. »

Nuage de Geai fit claquer une patte sur le sol. Leur conversation ne menait à rien.

« Et si nous grimpions vers la frontière tout en restant sur notre territoire ? suggéra Nuage de Houx. Nous pourrions trouver une trace du passage de Sol. Si tu as raison et s'il essaie en effet d'entrer en contact avec nos voisins de l'Ombre, il est obligé de traverser notre territoire.

— C'est logique, approuva Nuage de Lion. Et un solitaire comme lui aura tout fait pour rester à l'écart des combats.

— Entendu », miaula Nuage de Geai, et il sortit du roncier.

Il trébucha aussitôt sur une branchette.

« Je vais prendre la tête », proposa Nuage de Lion.

Nuage de Geai oublia de se vexer. L'heure était trop grave. Il était plus près que jamais d'obtenir des réponses à propos de la prophétie.

Ils prirent la direction opposée au lac et s'enfoncèrent dans la forêt, plus loin qu'aucun d'eux n'était jamais allé. Ils ne reconnaissaient plus le terrain. Les grandes feuilles de chêne et de hêtre, si douces sous leurs pattes, laissèrent la place à des feuilles froissées de noisetier. Nuage de Geai ne sentait même plus l'odeur du lac et les bois devinrent plus touffus. Des arbustes poussaient les uns contre les autres et ils devaient louvoyer le long d'un sentier sinueux. Les odeurs de gibier se firent plus rares.

Le terrain grimpait de plus en plus, et Nuage de Geai flairait déjà l'air de la montagne.

« Nous avons atteint le bord de notre territoire ! » annonça Nuage de Lion.

Nuage de Geai renifla. Quelques traces éventées du Clan du Tonnerre et, au-delà, plus rien. Le cœur de l'apprenti guérisseur s'affola lorsqu'il suivit son frère de l'autre côté du marquage, soulagé de sentir sa sœur tout près de lui. Il avait l'impression de tomber au bord du monde.

« Je sens quelque chose », annonça Nuage de Lion en s'arrêtant.

Nuage de Geai se précipita pour renifler les brindilles près de son frère.

« C'est lui ! s'écria-t-il. Il est passé par là. »

L'odeur du matou était ténue, dissipée par la brise, mais encore reconnaissable. Nuage de Geai s'avança en se fiant à son odorat. Une autre trace, là ! Ils avaient retrouvé la piste de Sol !

« Il se dirigeait donc bien vers le Clan de l'Ombre, déclara Nuage de Houx.

— Et s'il a pénétré dans leur territoire ? demanda Nuage de Lion.

— On avisera », répondit Nuage de Geai, pressé de se remettre en route.

Ils avancèrent droit devant eux. Soudain, Nuage de Geai flaira l'odeur du Clan de l'Ombre. Il s'arrêta, aux aguets. Pas le moindre signe d'une patrouille approchant, personne ne faisait bruire les taillis.

« Ce n'est que leur marquage, le rassura son frère. Nous avons atteint la limite du territoire du Clan de l'Ombre. »

Nuage de Geai exulta. Il avait vu juste. Sol avait bel et bien cherché le Clan de l'Ombre. La piste longeait la frontière ; une brindille ici, une feuille là portaient la trace de Sol. L'excitation de Nuage de Geai était à son comble lorsque, soudain, l'odeur disparut. Il tourna en rond, la truffe en l'air.

Rien !

Nuage de Lion renifla les taillis devant eux.

« Rien par ici ! »

Non !

Nuage de Geai fut soudain découragé.

« J'ai l'impression qu'on l'a perdu, soupira Nuage de Houx.

— Essayons dans une autre direction, suggéra Nuage de Geai, le ventre noué.

— Il est peut-être passé du côté du Clan de l'Ombre.

— Allons voir ! s'impatienta l'apprenti guérisseur.

— Pas question ! protesta son frère.

— Attendez ! lança Nuage de Houx en s'éloignant à toute vitesse.

— Où vas-tu ? »

Elle fut bientôt de retour.

« J'ai trouvé une touffe de fourrure, annonça-t-elle. Longue, avec un mélange de poils écaille et blancs. Ce doit être lui. »

Nuage de Geai flaira les poils qu'elle avait posés par terre. C'étaient bien ceux de Sol !

« Où les as-tu trouvés ?

— Dans l'herbe, là-bas. On voit même par où il est passé : les touffes sont écrasées.

— Mais cette piste s'éloigne de la frontière du Clan de l'Ombre, fit remarquer Nuage de Lion. Je croyais qu'il était censé gagner leur camp.

— J'ai dû me tromper », répondit Nuage de Geai avec un haussement d'épaules.

La truffe au sol, il plongea dans l'herbe haute en déployant son esprit dans l'espoir de repérer l'étranger. Il ne découvrit que des odeurs nouvelles et un territoire inconnu.

Une épine lui griffa la joue. Nuage de Geai recula d'un bond. Des ronces avaient envahi le sentier.

« Attention, murmura Nuage de Lion en se glissant devant lui pour écarter l'obstacle.

— Laisse-moi passer devant, suggéra Nuage de Houx. Il y a des ronces partout. »

Nuage de Geai la laissa faire sans protester. Des picotements couraient sous sa fourrure. Ils devaient être tout près de Sol ! Plus ils s'éloignaient de la frontière du Clan de l'Ombre, plus l'odeur devenait forte. Il allait enfin savoir pourquoi le soleil avait disparu. Et si c'était lié à la prophétie.

« Aïe ! gémit Nuage de Houx. Une épine m'a griffé la truffe.

— Ça va ? s'inquiéta Nuage de Geai en flairant l'odeur du sang.

— Oui. Je ne l'ai pas vue. Il commence à faire sombre. »

L'aveugle se rendit alors compte qu'il devait être tard. Il pensait que l'air s'était rafraîchi parce qu'ils s'étaient rapprochés des montagnes, alors que le soleil avait décliné. Il se sentit un peu coupable en percevant l'épuisement de sa sœur. Il lui imposait ce long périple alors qu'elle avait déjà livré une bataille, ce jour-là. Il se concentra sur Nuage de Lion, qui avait poursuivi seul. Son frère paraissait aussi fort que d'habitude, comme s'il ne connaissait pas la fatigue.

« Nous devrions peut-être nous arrêter un peu, lança l'apprenti guérisseur. Afin que Nuage de Houx puisse se reposer. » Pour la première fois, il prit conscience de sa propre fatigue. Il avait mal aux pattes, ses coussinets étaient à vif et il était si tendu que ses muscles le tiraillaient. *Et toi qui te disais plus puissant que le Clan des Étoiles !* Il avait l'impression d'être un apprenti comme les autres, soumis aux vulgaires besoins de son corps.

« Nuage de Lion ? lança-t-il encore, inquiet que son frère n'ait pas répondu. Nuage de Houx, tu le vois ?

— Il n'est qu'à quelques longueurs de queue de nous. Il s'est tapi dans l'herbe…

— Qu'est-ce qu'il y a ?

— Un nid de Bipèdes, murmura-t-elle. À travers les arbres, je l'entrevois tout juste. »

Nuage de Geai se dépêcha de rejoindre son frère, aussitôt imité par Nuage de Houx.

« Il est abandonné, leur annonça Nuage de Lion lorsqu'ils se tapirent près de lui. Comme celui de notre territoire. » Il renifla avant de poursuivre : « La moitié des murs est en ruine et il n'y a même pas de plafond.

— Ça pue le Bipède, pourtant », gronda Nuage de Houx.

Nuage de Geai fronça la truffe. Les remugles étaient éventés.

« Ils ne sont pas venus ici depuis longtemps, déclara-t-il.

— Venez, les pressa Nuage de Lion qui se mit à ramper vers le nid. Restez tout près de moi. »

Nuage de Geai le suivit en se collant à sa sœur, bien conscient d'avoir besoin d'elle pour le guider sur ce sentier sinueux. Il s'efforça de se bâtir une image mentale de la forêt alentour, mais il ne voyait que des ténèbres. Le vent sifflait, faisait grincer les arbres. Nuage de Geai dressa l'oreille, guettant le chant des oiseaux. Rien. *Ils doivent déjà dormir.* Il huma l'air. Pas de fumet de gibier, pas même une souris. Frustré et perturbé, il suivit Nuage de Lion en se sentant plus aveugle que jamais.

Il foula bientôt des graviers, puis de la pierre. Le vent n'ébouriffait plus sa fourrure.

« Nous sommes dedans ? » demanda-t-il à son frère.

Son miaulement résonna étrangement.

« Juste sur le seuil.

— Tu vois quelque chose ? »

L'apprenti guérisseur remua les moustaches, dégoûté par la pestilence qui régnait là.

« Ça a l'air désert », murmura Nuage de Lion.

Le cœur de Nuage de Geai se serra. Jusqu'où devraient-ils aller pour retrouver Sol ? Il sursauta lorsque Nuage de Houx pivota brutalement près de lui, les poils en bataille.

Une voix grave résonna derrière eux.

« Est-ce moi que vous cherchez ? »

CHAPITRE 20

Nuage de Houx fixa Sol, soudain consciente de l'allure dépenaillée qu'ils présentaient, ses frères et elle. Leur pelage était ébouriffé, semé de bouts de feuilles et de brins de mousse, sans parler des traces de sang autour de leurs griffes. Sol les dévisagea, son élégante tête tricolore penchée de côté, les taches blanches de son pelage teintées de rose par l'approche du crépuscule. Ses yeux brillaient, ambrés telle la sève sous les rayons du soleil.

Serait-il furieux qu'ils l'aient traqué ?

Il n'en avait pas l'air.

Il ne semblait même pas surpris. Il cligna calmement des yeux en les saluant d'un hochement de tête.

« Je me disais bien que vous viendriez. » Son miaulement était profond et doux comme le miel de la saison chaude. Il ajouta à l'adresse de Nuage de Geai : « Je savais que tu serais curieux après la venue de la grande obscurité.

— Comment savais-tu qu'elle arrivait ?

— As-tu eu peur ?

— Bien sûr !

— Alors même que je t'avais prévenu ? »

Son regard était inflexible et si intense que la vue de Nuage de Houx se troubla : elle ne voyait plus les arbres autour d'eux, juste les yeux de Sol.

Elle cilla en frissonnant et mit cela sur le compte de la fatigue.

« C'est pour cette raison que tu es venu parmi nous ? demanda Nuage de Geai en s'approchant de Sol, le menton relevé. Pour nous prévenir ?

— Donner des mises en garde n'est pas dans mes habitudes », répondit Sol – le bout de sa queue s'agitait.

Il gagna les herbes folles qui poussaient le long du sentier caillouteux, en aplatit un carré du bout d'une patte avant de s'asseoir. Il enroula sa queue épaisse au poil brun et blanc autour de ses pattes.

« Asseyez-vous, déclara-t-il, et il leur fit signe de le rejoindre. S'il nous faut parler, autant être à notre aise. »

Nuage de Geai se guida au son de sa voix en tâtonnant l'herbe. Nuage de Houx le suivit, un peu mal à l'aise. Sol scrutait leurs moindres mouvements. L'herbe était longue mais douce. Comme Sol, elle l'aplatit avant de s'asseoir.

Nuage de Lion s'attarda sur le seuil du nid de Bipèdes, la fourrure hérissée.

« Viens », lui lança Nuage de Houx en lui préparant une place près d'elle.

Sans quitter l'inconnu des yeux, il vint s'installer à côté d'elle.

« Votre frère n'a pas l'air de me faire confiance, fit remarquer Sol.

— Tu n'es pas un chat des Clans, rétorqua Nuage de Lion.

— Fais-tu donc confiance à tous les membres des Clans ?

— Bien sûr que non ! Par contre, je peux plus ou moins deviner ce qu'ils ont en tête.

— C'est vous qui êtes venus me chercher, fit remarquer Sol. Est-il bien juste de me déranger, puis de me reprocher votre incapacité à lire dans mes pensées ?

— J'imagine que non », admit l'apprenti guerrier.

Nuage de Houx sentait Nuage de Geai trépigner à côté d'elle. Sol dut s'en apercevoir aussi car il lui demanda :

« Tu as une question à me poser, non ?

— Connais-tu la prophétie ? » lança l'apprenti guérisseur tout de go.

Nuage de Houx écarquilla les yeux. Personne ne connaissait cette prophétie à part Étoile de Feu – et lui-même ignorait qu'ils étaient tous les trois au courant. Les oreilles de Nuage de Lion frémirent. Pourquoi Nuage de Geai partageait-il leur secret le plus important avec un parfait inconnu ?

Un inconnu, certes, mais qui avait su que le soleil disparaîtrait.

Sol remua le bout de sa queue.

« Elle vous concerne, n'est-ce pas ?

— Oui. "Ils seront trois, parents de tes parents, à détenir le pouvoir des étoiles entre leurs pattes."

— Et vous êtes ces trois-là », murmura Sol en s'inclinant avec respect.

Nuage de Geai tremblait comme un chaton excité. Nuage de Houx lui jeta un coup d'œil surpris. Son frère pensait réellement que Sol détenait les réponses que le Clan des Étoiles ne voulait pas lui donner… Ou ne *pouvait* pas. Elle frémit. La prophétie dépassait peut-être les compétences du Clan des Étoiles…

Prise de nausée, elle écarta cette idée alors que son cœur s'emballait. Rien n'était supérieur au Clan des Étoiles ! Ni au code du guerrier !

Sol la tira de ses pensées.

« La prophétie est une lourde responsabilité à porter pour trois si jeunes félins, déclara-t-il, son regard ambré plein de compassion.

— Je suis capable de pénétrer les rêves des autres chats, et leurs souvenirs, déclara Nuage de Geai en griffant l'herbe.

— Et toi ? fit Sol à Nuage de Lion. Je sens une force brûler en toi. »

La queue de Nuage de Lion frémit.

« Une force qui te fait peut-être un peu peur ? suggéra l'inconnu d'une voix plus douce.

— Je peux me battre sans jamais faiblir ni être blessé », admit Nuage de Lion d'une toute petite voix.

Nuage de Houx contemplait ses pattes. Quel était son propre pouvoir ? Elle savait qu'elle en possédait un. Elle le sentait vibrer au plus profond de son être. Mais la seule chose dont elle était certaine – si certaine que cela la blessait comme une épine plantée dans son flanc –, c'était qu'elle devait défendre le code du guerrier, que c'était vital pour l'existence des Clans.

Est-ce que Sol comprendrait ? C'était un solitaire. Comment pourrait-il saisir l'importance de ce qui assurait la cohérence des quatre Clans ? Elle se redressa en s'attendant à ce qu'il la regarde, mais il avait fermé les yeux, la tête penchée de côté.

« Bien sûr, vous devez nourrir ces pouvoirs, annonça-t-il d'un ton léger. Écoutez vos voix intérieures, votre instinct, qui, chez les autres chats, ne pousse qu'à chercher de la nourriture et un abri. Allez savoir, cet instinct vous poussera peut-être à accomplir de grandes choses…

— Est-ce que la disparition du soleil était liée à nous ? » demanda Nuage de Geai en chassant un moustique posé sur sa truffe.

Nuage de Houx se raidit. Elle n'avait pas pensé que la prophétie et l'horrible obscurité pouvaient être liées. Elle se pencha en avant ; des picotements fourmillaient dans ses pattes.

« Peut-être.

— Comment ça ? se braqua Nuage de Lion.

— Peut-être que vous êtes comme l'ombre qui a couvert le soleil et qu'un jour vous couvrirez les étoiles du firmament pour que les chats vous voient, vous, à la place du Clan des Étoiles.

— Est-ce que cela veut dire que nous serons *morts* ? hoqueta Nuage de Houx.

— Bien sûr que non. Vous serez simplement plus puissants que vos ancêtres. La lumière reviendra, tout comme le soleil est revenu, cependant, ce sera *votre* lumière et il vous appartiendra de la contrôler. »

Notre lumière ?

Nuage de Geai ressemblait à une souris ébahie, sa queue dressée droit derrière lui.

301

« Mais… mais si nous contrôlons la lumière… »
Nuage de Houx cherchait les mots justes pour
décrire sa peur grandissante. Plus rien n'avait de
sens. « Si nous contrôlons la lumière… »

Sol se pencha vers elle, comme pour l'encourager
à parler.

« Et le code du guerrier, alors ? finit-elle par
miauler. Quelle place aura-t-il ?

— La place que vous lui donnerez. Vous aurez le
pouvoir de le détruire, ou de le préserver. À vous de
voir. »

Détruire le code !

Nuage de Houx eut le tournis.

« Nous ne pouvons pas être plus puissants que le
code…, murmura-t-elle.

— Sol, la coupa aussitôt Nuage de Geai, tu dois
nous suivre jusqu'au camp. Tu dois devenir notre
mentor.

— Moi ? s'étonna le matou. Vous n'avez pas besoin
de moi. La prophétie se réalisera d'elle-même. »

À l'entendre, c'était la chose la plus simple du
monde.

« Tu en sais tellement plus que les autres, insista
Nuage de Geai. Tu savais que le soleil allait disparaître. Tu dois pouvoir nous aider.

— Je ne peux pas vivre sur votre territoire, leur
fit-il remarquer. Étoile de Feu ne le permettrait
jamais.

— Tu pourrais t'installer juste à la frontière,
suggéra Nuage de Lion, l'œil brillant. Nous pourrions t'aménager une tanière et te rendre visite tous
les jours pour t'apporter de la nourriture. »

Nuage de Houx luttait toujours contre la vague de peur qui menaçait de l'engloutir. *Plus puissants que le code !* Elle sentit Nuage de Geai lui donner un coup de museau.

« Tu veux qu'il vienne, n'est-ce pas ?

— Est-ce… est-ce que ce sera compatible avec nos corvées d'apprentis ? »

Son esprit pratique s'exprimait machinalement pendant que mille questions tourbillonnaient dans sa tête. Que pourrait leur montrer cet étranger ? Ils avaient appris presque tout ce que leurs mentors avaient à leur transmettre. Pourtant ils pouvaient en apprendre encore beaucoup. Et si leur destin était vraiment de devenir plus puissants que le code du guerrier, alors ils auraient besoin d'être habilement guidés.

« Je t'en prie, viens ! implora Nuage de Geai.

— Très bien », répondit Sol après avoir jeté un coup d'œil au nid de Bipèdes en fronçant la truffe.

Nuage de Houx le dévisagea avec stupéfaction. Comment avait-il pu changer d'avis si vite ?

« Vraiment ? fit-elle, soulagée.

— Oui. Comment pourrais-je ignorer la prophétie ? Vous souhaitez que je vous aide à suivre votre voie véritable.

— Allons-y ! » s'écria Nuage de Geai en bondissant sur le sentier de pierre.

Nuage de Lion passa en tête et Sol ferma la marche. Nuage de Geai trépignait derrière son frère comme un chaton pour essayer de le faire accélérer, comme s'il mourait d'impatience de recevoir sa première leçon de Sol. Nuage de Houx avait l'habitude de voir son frère traîner les pattes dans la clairière pour aller faire ses corvées d'apprenti. À présent qu'il était tout excité, elle se demanda pourquoi elle-même ne ressentait que de la peur.

Mais c'était *vraiment* exaltant, non ? Plus puissante que le code du guerrier, ce n'était pas pour autant qu'elle devrait le détruire. Au contraire, elle aurait le pouvoir de le préserver pour toujours. Sol l'avait dit. C'était plus que ce dont elle avait toujours rêvé : la capacité d'assurer le futur des Clans pour des lunes et des lunes à venir.

Ils revinrent sur leurs pas jusqu'à la frontière du Clan de l'Ombre puis suivirent le marquage jusqu'à leur propre territoire. Il était tard, le soleil déclinait et Nuage de Lion pressait l'allure, manifestement impatient d'installer Sol dans une tanière de fortune et de rentrer au camp. Leurs camarades s'étaient-ils rendu compte de leur absence ? Comment allaient-ils s'expliquer ?

Un frémissement dans les taillis de l'autre côté de la frontière fit sursauter Nuage de Houx.

« Chut ! » fit Nuage de Geai, qui s'arrêta et retint Nuage de Lion par la queue.

Les félins se tapirent dans les herbes, mais il était trop tard.

« Au nom du Clan des Étoiles, que faites-vous ici ? lança Feuille Rousse, les yeux écarquillés.

— Ne t'inquiète pas, murmura Nuage de Houx à Sol. Les guerriers du Clan de l'Ombre étaient nos alliés, aujourd'hui, sur le champ de bataille.

— Vous nous espionnez ? Est-ce que c'est Étoile de Feu qui vous envoie ? »

Nuage de Geai se redressa face au lieutenant du Clan de l'Ombre campé de l'autre côté de la frontière.

« Crois-tu qu'Étoile de Feu me choisirait pour espionner qui que ce soit ? rétorqua l'apprenti guérisseur, sarcastique.

— Alors que faites-vous ici ? »

Pelage de Fumée vint se placer près de Feuille Rousse. Alors qu'il examinait Sol, son regard s'attarda sur la fourrure soyeuse et les griffes émoussées de ce dernier.

« On dirait qu'Étoile de Feu va adopter un autre chat domestique, déclara-t-il.

— Un chat domestique ? répéta Sol sans comprendre.

— Il veut dire un matou né dans un nid de Bipèdes, lui apprit Nuage de Lion avant de se tourner vers le guerrier, les yeux brillants. Sol n'a rien d'un chat domestique.

— Alors c'est un solitaire, gronda Pelage de Fumée. Ça revient au même. »

Une femelle tigrée au poil négligé rejoignit ses camarades.

« Oh, mais tu sais bien que le Clan du Tonnerre accueille n'importe qui », railla-t-elle.

Nuage de Lion sortit les griffes.

« La ferme, Pelage Hirsute, ordonna Feuille Rousse. Nous nous sommes suffisamment battus pour aujourd'hui. »

Une pointe de peur perçait dans sa voix. Nuage de Houx remarqua alors à quel point la fourrure du lieutenant était abîmée. Du sang avait séché à la pointe d'une de ses oreilles. Quant à Pelage de Fumée, il était si épuisé que ses yeux étaient vitreux. La bataille avait laissé des traces aussi dans le Clan de l'Ombre. Elle repéra Nuage de Chouette, derrière ses aînés. L'apprenti contemplait le soleil d'un air apeuré. L'astre rougeoyait à présent derrière la cime des arbres. Craignaient-ils que le Clan des Étoiles ne le fasse disparaître de nouveau s'ils se battaient ?

« Ils ne vont pas nous attaquer, murmura Nuage de Houx à Nuage de Lion en lui indiquant le soleil du bout de la truffe.

— Allez, miaula son frère en faisant signe aux trois autres de le suivre. Rentrons chez nous.

— Attendez ! » ordonna Feuille Rousse.

Nuage de Houx se figea. Ils n'allaient pas s'en tirer à si bon compte.

« Vous allez me suivre pour expliquer à Étoile de Jais votre présence sur nos frontières.

— Nous n'avons même pas franchi votre marquage ! protesta Nuage de Geai.

— De justesse », cracha Feuille Rousse.

À son signal, sa patrouille encercla les quatre félins. Nuage de Lion fit le gros dos. Nuage de Houx sortit ses griffes, mais Sol se contenta de dévisager les guerriers de l'Ombre. Son regard posé les calma aussitôt et ils reculèrent.

« Quel genre de solitaire es-tu ? lui demanda Feuille Rousse. Tu ne sais pas que nous sommes des guerriers ?

— Si, je le sais, répondit Sol sans fléchir. Étoile de Jais est votre chef, n'est-ce pas ?

— Oui, reconnut-elle prudemment.

— Je serais ravi de faire sa connaissance. »

Le cœur de Nuage de Houx se serra. Ils n'avaient pas le temps d'aller jusqu'au camp de l'Ombre ! Étoile de Feu allait remarquer leur absence d'un instant à l'autre.

Nuage de Geai s'approcha de la frontière.

« Autant y aller, déclara-t-il. Imaginez tout ce que Sol pourra apprendre d'un autre Clan ! »

Il pourra nous livrer les secrets du Clan de l'Ombre ! s'emballa la novice. Ce n'était peut-être pas une si mauvaise idée, finalement. La colère d'Étoile de Feu ne lui paraissait plus si importante. Nuage de Houx suivit Nuage de Geai en se réjouissant de voir les regards perplexes de leur escorte. Elle guida son frère à travers la forêt inconnue, collée à son épaule pour qu'il ne sorte pas du sentier. Nuage de Lion avançait à quelques pas devant eux et prévenait dès qu'une brindille ou un trou de souris menaçait de le faire trébucher. Sol avançait à leur côté, observant la pinède d'un air fasciné.

Feuille Rousse ne quittait pas l'étranger des yeux. Regrettait-elle de l'avoir conduit au cœur de son territoire ?

Nuage de Houx finit par reconnaître l'environnement. Une côte menait à une petite crête. Elle avait suivi ce chemin lorsqu'elle était venue supplier Étoile de Jais de les aider. Encore quelques pas et elle repéra la grande haie de ronces entourant le camp de l'Ombre.

Pelage Fauve gardait l'entrée – son poil roux sombre constituait la seule tache de couleur dans la forêt qui s'assombrissait. Il contempla avec stupeur la patrouille qui rentrait, mais Feuille Rousse se contenta de lui passer devant avec son escorte.

Plume de Lierre et Patte de Crapaud se levèrent d'un bond lorsque les membres du Clan du Tonnerre entrèrent dans leur camp. Une souris à moitié mangée gisait sur le sol, entre eux. Au milieu de la clairière, Queue de Serpent et Nuage de Charbon fixaient Sol avec une stupeur non feinte.

« Qui est-ce ? murmura Nuage de Charbon.

— Pas un chat de Clan, ça c'est sûr, répondit Queue de Serpent après avoir levé la truffe.

— Où sont-ils tous passés ? » souffla Nuage de Lion à l'oreille de sa sœur.

La novice inspecta le camp. Il était étrangement désert.

« Ils doivent se reposer, après la bataille, hasarda-t-elle.

— Attendez là », ordonna le lieutenant avant de disparaître dans l'antre de son chef.

Les ronces frémirent sur le côté. Nuage de Houx reconnut l'entrée de la pouponnière, où Oiseau de Neige avait attiré les petits de Pelage d'Or. Petite Flamme, Petite Aube et Petit Tigre s'en échappèrent justement, les yeux illuminés.

« Nuage de Houx ! » s'écria Petite Flamme, qui se précipita vers elle et se mit à sauter pour lui attraper le bout de la queue.

Elle l'esquiva et le salua d'une tape amicale derrière l'oreille. Petit Tigre, lui, bondissait autour de Nuage de Lion.

« Est-ce que j'ai grandi ? » demanda le chaton en tendant le cou pour se faire plus grand qu'il n'était.

Petite Aube bondit sur son frère et le renversa.

« Y a intérêt à ce que tu aies grandi, vu tout ce que tu manges ! »

Alors qu'elle lui martelait le dos avec ses pattes arrière, elle s'interrompit en voyant Sol. Elle se redressa pour dévisager l'inconnu.

« C'est qui ? s'enquit-elle.

« — Qu'est-ce qu'il fait ici ? ajouta Petit Tigre en suivant le regard de sa sœur. Qu'est-ce que vous faites tous ici ? »

Craignait-il qu'ils ne lui prennent sa mère une nouvelle fois ?

Petite Flamme tournait autour de Nuage de Geai. « Et toi, t'es qui ?

— C'est Nuage de Geai, mon frère, lui apprit Nuage de Lion.

— Pourquoi il ne me regarde pas ?

— Tu veux vraiment que je te regarde ? » lui lança l'apprenti guérisseur en se penchant soudainement vers lui.

Sa truffe n'était qu'à un poil des yeux du chaton.

« Ses yeux sont tout bizarres ! » gémit celui-ci en reculant.

Nuage de Houx soupira, contrariée par l'attitude de son frère.

« Je suis aveugle, expliqua-t-il d'un ton plus doux.

— Comment es-tu arrivé jusque-là ? voulut savoir le chaton.

— En marchant.

— Sans te cogner ? s'étonna Petit Tigre.

— J'espère que vous n'embêtez personne ! » tonna Pelage d'Or, qui sortit de la pouponnière en bâillant, le poil ébouriffé. Elle écarquilla les yeux lorsqu'elle aperçut Nuage de Houx. « Tu es revenue ! » Puis son regard glissa vers Nuage de Geai, Nuage de Lion et, enfin, Sol. « Au nom du Clan des Étoiles, que faites-vous ici ? » Elle poussa ses petits vers leur tanière. « Et qui est-il ? » Petit Tigre essaya de lui échapper, mais elle le rattrapa d'un mouvement de la queue et le poussa vers les ronces.

« Rentrez, ordonna-t-elle. Vous pourrez leur dire au revoir quand ils s'en iront.

— Mais…, protesta Petite Aube.

— Il n'y a pas de "mais", rétorqua-t-elle en les poussant une dernière fois, et ils disparurent par l'ouverture. Qui es-tu ? demanda-t-elle alors à Sol.

— Je suis venu voir Étoile de Jais. »

Au même instant, Feuille Rousse émergea du gîte du chef et s'écarta pour le laisser passer. La fourrure blanche du meneur était négligée. Sa longue queue traînait derrière lui et il traversa la clairière d'un pas lourd.

« Feuille Rousse me dit qu'il y a un étranger parmi nous, gronda-t-il en lorgnant Nuage de Houx, Nuage de Lion et Nuage de Geai. Elle m'a rapporté que vous lui montriez nos frontières.

— On ne lui montrait rien du tout ! s'indigna Nuage de Geai. On rentrait chez nous.

— Et que faisiez-vous là ? »

Étoile de Jais s'assit face à eux. Ses yeux étaient étrangement ternes pour un chef dont le Clan venait de vivre une terrible bataille.

« Nous étions partis à la recherche de Sol, expliqua Nuage de Houx en s'avançant d'un pas.

— C'est lui, Sol, j'imagine ? miaula Étoile de Jais en dévisageant l'inconnu pour la première fois.

— En effet, confirma l'intéressé. C'est un honneur de rencontrer le chef du Clan de l'Ombre.

— Tu connais le Clan de l'Ombre ? s'étonna le meneur, une lueur de curiosité dans les yeux.

— J'ai beaucoup entendu parler de ton Clan.

— Grâce à ces intrus ?

— Nous n'avons pas franchi la frontière ! gronda Nuage de Lion, qui foudroyait Feuille Rousse du regard comme pour la mettre au défi de le nier.

— Nous cherchions Sol, insista Nuage de Geai en se rapprochant de son frère.

— Ça, vous l'avez déjà dit, mais pourquoi ? Ce n'est qu'un solitaire, non ?

— Un voyageur, corrigea le matou.

— Et pourquoi trois apprentis seraient-ils tant intéressés par un *voyageur* ?

— Parce qu'il nous avait prévenus que le soleil allait disparaître ! » rétorqua Nuage de Geai.

La fourrure de Feuille Rousse se hérissa. Derrière elle, Plume de Lierre et Patte de Crapaud écarquillèrent les yeux.

Pelage d'Or se dandina sur place.

« Tu *savais* que cela allait arriver ? répéta la guerrière.

— J'ai vu les ténèbres se refermer sur les Clans, confirma Sol.

— C'est le Clan des Étoiles qui te l'a dit ? s'enquit Petit Orage, sorti de sa tanière.

— La grande obscurité n'a rien à voir avec le Clan des Étoiles », rétorqua-t-il en tournant la tête vers le guérisseur.

Le silence tomba sur le camp tandis que le couchant transformait les ronces en écheveaux charbonneux.

« Alors qui a fait disparaître le soleil ? » gronda le meneur.

Sol s'avança dans la clairière et se tourna de façon que sa queue trace un arc-en-ciel sur le sol semé d'aiguilles.

« C'était un signe », répondit-il. Il leva le menton et les taches sombres de son pelage brillèrent sous les derniers rayons du soleil. Des muscles noueux ondulaient sous l'épaisse fourrure de ses épaules. « Un signe qu'un changement est à venir, que vous le vouliez ou non. »

Nuage de Houx jeta un coup d'œil à Nuage de Lion, le ventre noué. Nuage de Lion secoua légèrement la tête. Elle comprit.

Ne parle pas de la prophétie.

Étoile de Jais s'approcha de Sol, l'œil luisant.

« Quel genre de changement ?

— Tu *souhaites* le changement ? murmura Sol d'une voix presque inaudible.

— Je ne suis pas certain que les Clans soient à leur place ici », admit le meneur.

Nuage de Houx se demanda si le chef du Clan de l'Ombre avait oublié où il se trouvait. Était-il censé partager ses craintes si ouvertement ?

Une lueur d'espoir brillait dans les yeux d'Étoile de Jais, comme s'il venait enfin de trouver quelqu'un qui le comprenait.

« Le Clan des Étoiles aurait-il pu se tromper en nous guidant jusqu'au lac ? »

Pelage de Fumée coula un regard étonné vers Plume de Lierre, qui haussa les épaules. Petit Orage se penchait en avant, comme s'il avait du mal à admettre – ou à *croire* – ce qu'il entendait.

À moins qu'il attende simplement la réponse de Sol.

Le cœur de Nuage de Houx s'emballa. Le Clan de l'Ombre était-il sur le point de rejeter le Clan des Étoiles ? Et le code du guerrier ?

« Le changement n'est pas nécessairement une mauvaise chose », murmura Sol.

Si, ça l'est ! Elle planta ses griffes dans la terre, en proie au besoin soudain de s'accrocher à quelque chose de solide.

Sol poursuivit tout bas :

« Surtout si l'on sait anticiper ce qui va advenir. » Étoile de Jais hocha la tête et Sol ajouta : « Il y a plus d'un chemin à suivre, dans la vie.

— Il en existe certainement un plus facile que celui-ci. La vie est trop dure, en ces lieux. La famine fait rage lors de la mauvaise saison et, à la saison des feuilles vertes, les Bipèdes nous repoussent toujours plus loin de nos terrains de chasse. »

Sol ferma les yeux en l'écoutant, comme pour se faire une image mentale de la vie du Clan de l'Ombre dans son nouveau territoire.

« Les batailles s'enchaînent et même le voyage que nous faisons pour les Assemblées est plus long et plus pénible qu'il ne l'était dans la forêt.

— Vous avez bien des soucis, compatit Sol sans ouvrir les yeux.

— Mes soucis sont infinis, soupira le meneur.

— La nuit tombe, les coupa soudain Pelage d'Or. Les apprentis du Clan du Tonnerre devraient se mettre en route. Leurs camarades vont se demander où ils sont », conclut-elle avec un coup d'œil vers Nuage de Houx.

Elle a deviné que nous sommes partis en douce. Nuage de Houx regarda ses pattes. Elle se sentait coupable. *Et elle ne veut pas que nous entendions les révélations d'Étoile de Jais.*

Le chef se détourna un instant de Sol et cligna des paupières comme s'il était surpris de les voir encore là.

« Bien sûr. Pelage de Fumée, Plume de Lierre, raccompagnez-les à la frontière.

— Et Sol ? fit Nuage de Lion.

— Je dois rester ici, expliqua l'intéressé d'une voix aussi douce que ferme. Enfin, si Étoile de Jais y consent, corrigea-t-il.

— Cela va sans dire ! répondit le meneur.

— Mais il devait venir avec nous ! » protesta Nuage de Houx.

Il avait tant de choses à leur apprendre. Il devait être leur mentor, et non celui d'Étoile de Jais. En quoi un chef de Clan pouvait-il avoir besoin d'un mentor ? Elle était outrée. Sol connaissait la prophétie ! *Il avait promis de venir avec nous !*

« Tu as promis…, miaula Nuage de Geai en s'avançant.

— Allons-nous-en avant de nous attirer d'autres ennuis, le coupa Nuage de Lion.

— Mes petits ! lança Pelage d'Or vers la pouponnière, et ses trois chatons déboulèrent aussi sec. Dites-leur au revoir. »

Petite Aube leva son museau vers Nuage de Houx et ronronna lorsque l'apprentie frotta sa joue entre ses deux oreilles.

« Au revoir. »

Petit Tigre bondit vers Nuage de Lion.

« La prochaine fois qu'on se verra, je serai encore plus grand !

— Au revoir, miaula Petite Flamme en s'approchant prudemment de Nuage de Geai.

— Allez jouer avec vos camarades de Clan », les rabroua Plume de Lierre en écartant les chatons de son chemin.

Tandis que Nuage de Houx suivait son escorte dans le tunnel, elle jeta un dernier coup d'œil vers la clairière. Assis tête contre tête, Étoile de Jais et Sol discutaient, si bas que personne ne pouvait les entendre.

CHAPITRE 21

« ARRÊTEZ ! »

Nuage de Geai s'était jeté devant Nuage de Houx et Nuage de Lion pour les empêcher de descendre vers le tunnel de ronces.

« Nous ne devons dire à personne ce qui s'est passé, ni où nous sommes allés.

— Évidemment, miaula Nuage de Lion.

— Je ne comptais pas en parler à qui que ce soit », confirma Nuage de Houx.

Il devinait la perplexité et la déception de sa sœur. Cet étrange chat les avait abandonnés.

Si Nuage de Geai était lui aussi dérouté par le revirement de Sol, cela ne changeait rien à ses croyances. À eux trois, ils étaient plus puissants que le Clan des Étoiles.

La nuit était déjà tombée sur le camp lorsqu'ils arrivèrent dans la clairière. Nuage de Geai constata à son grand soulagement que ses camarades commençaient tout juste à remuer dans leur tanière. Le repaire des guerriers frémit au passage de Griffe de Ronce et Plume Grise. Des miaulements de chatons s'échappaient de la pouponnière. Nuage de Givre et

317

Nuage de Renard reniflaient les derniers vestiges de la réserve de gibier.

« Où étiez-vous passés ? s'enquit Nuage de Renard.

— Dans la forêt, répondit Nuage de Lion.

— Vous avez rapporté du gibier ? »

Nuage de Geai entendit gargouiller l'estomac de l'apprenti au pelage roux.

« Non, désolé. »

Plume Grise s'approcha d'eux en bâillant.

« Vous êtes sortis longtemps ? s'enquit le guerrier ardoise d'une voix ensommeillée.

— Non, mentit Nuage de Geai en espérant que personne n'avait remarqué qu'ils n'avaient jamais regagné leurs nids.

— Nuage de Lion ! lança Pelage de Granit, qui s'étirait devant la tanière des guerriers. Nous partons chasser pour le Clan. Nuage de Houx, si tu allais réveiller Poil de Fougère ? Vous feriez aussi bien de nous accompagner. »

Nuage de Geai sentit le découragement de sa sœur. Il était désolé pour son frère et elle.

« Vous serez bientôt dans vos nids, leur promit-il.

— Ce ne sera jamais assez tôt », grommela la jeune chatte noire.

Nuage de Geai regagna son antre avec un léger sentiment de culpabilité. C'était lui qui les avait convaincus de quitter le camp. Il se fraya un passage dans le rideau de ronces en inspirant les odeurs réconfortantes de son foyer – le parfum de Feuille de Lune, les fragrances des remèdes, de la roche humide où l'eau s'écoulait pour former une flaque. Patte d'Araignée ronflait dans l'ancien nid de Nuage de Cendre. Et l'odeur d'un autre félin lui parvint du fond de la tanière.

« Nuage de Geai ? C'est toi ?

— Poil d'Écureuil ?

— Nous l'avons ramenée à l'intérieur, expliqua Feuille de Lune, assise près de la flaque. Il faisait trop froid pour la laisser dehors toute la nuit.

— Et sa blessure ?

— Nous l'avons bougée doucement. Comme elle a un peu saigné dans la manœuvre, je l'ai traitée dès qu'on l'a installée ici.

— Tu as mangé, Nuage de Geai ? demanda Poil d'Écureuil.

— Pas encore. »

Il mourait de faim.

« Alors vas-y. »

Le miaulement de la guerrière semblait un peu plus assuré.

« Je sais très bien m'occuper de mon apprenti », lança Feuille de Lune.

Si son ton sec surprit Nuage de Geai – d'habitude, elle ne s'emportait jamais avec ses patients –, il était trop fatigué et trop affamé pour chercher à savoir ce qui la tracassait. Sa mère semblait aller mieux, et c'était tout ce qui lui importait.

Il se traîna jusqu'au tas de gibier où il croqua un moineau tout sec avant de recracher les plumes coincées dans sa gorge. Il n'avait pas fini d'avaler sa dernière bouchée qu'il se dirigeait déjà vers son antre. Il s'approcha du nid de sa mère et fourra la truffe dans sa fourrure.

« Bonne nuit, Poil d'Écureuil. Je serai juste à côté si tu as besoin de quoi que ce soit.

— Merci, Nuage de Geai. »

Le novice rampa jusqu'à son nid et ferma les yeux.

Un miaulement rauque le réveilla.

« Nuage de Geai ! »

Des branches se croisaient dans le ciel, au-dessus de sa tête, poudrées d'argent par la lumière des étoiles. *Le territoire des guerriers de jadis.* Il se leva et sentit une herbe douce, baignée de lune, lui caresser les coussinets.

« Tu es encore parti chercher des réponses, pas vrai ? » lui lança Croc Jaune, assise près de lui.

Ses yeux brillaient d'un éclat accusateur.

« Je serais un piètre guérisseur si je ne le faisais pas. »

Elle lui donna un coup de patte sur l'oreille.

« Aïe !

— Je suis toujours ton aînée, un peu de respect ! Et j'essaie de t'enseigner une chose importante.

— Quoi donc ? miaula-t-il en se frottant l'oreille d'un air indigné.

— Sois patient ! Les réponses viendront en temps et en heure.

— Et pourquoi n'ai-je pas le droit de savoir ce qui se passe ? protesta-t-il, les griffes plantées dans le sol. Ce n'est pas juste si je n'ai même pas le droit d'être curieux !

— La curiosité doit être tempérée par la patience. Vois-tu, le savoir ne vaut que si l'on est assez sage pour l'utiliser à bon escient. Et la sagesse ne vient vraiment qu'avec le temps. »

Toujours les mêmes excuses. La contrariété lui nouait le ventre. *Tu crois que tu sais tout, mais un jour je serai plus puissant que toi.* Il fixa la vieille chatte ébouriffée, qui soutint son regard, le menton haut, sans ciller. Nuage de Geai laissa ses poils retomber en place. Il ne put se résoudre à lui parler de la prophétie.

Lorsque Croc Jaune se pencha vers lui, il réprima un mouvement de recul devant son haleine pestilentielle.

« Sers ton Clan, murmura-t-elle. Fais confiance au Clan des Étoiles et tout te sera révélé au moment voulu. »

Nuage de Geai leva les yeux. La clairière était pleine de chats, dont les yeux scintillaient comme autant d'étoiles.

« Écoute Croc Jaune, le pressa Étoile Bleue.

— Elle te dit la vérité, renchérit Tornade Blanche en le couvant d'un regard chaleureux.

— Et tout te sera révélé au moment voulu, répéta Cœur de Lion.

— Nous t'observons », lui rappela Croc Jaune.

Nuage de Geai renifla doucement. Leur allure de guerriers-étoiles n'était due qu'à un jeu de lumières. Ce n'était qu'un ramassis de chats morts. *Lui,* il était vivant. Tout comme Nuage de Lion et Nuage de Houx. Et Sol. Cela ne les rendait-il pas déjà plus puissants que le Clan des Étoiles ?

Croc Jaune cracha comme si elle pouvait lire dans ses pensées :

« Tu ne sais pas ce qui est bon pour ton Clan, Nuage de Geai ! Souviens-t'en ! »

CHAPITRE 22

Réveillé par le soleil, Nuage de Lion ouvrit les yeux. Les rayons qui filtraient par la voûte de la tanière réchauffaient sa fourrure. Il roula sur le côté, les muscles endoloris. Pelage de Granit l'avait fait chasser toute la soirée alors qu'il était déjà fatigué par la bataille et la recherche de Sol. À leur retour au camp, il s'était effondré dans son nid.

Nuage de Houx dormait encore. La veille, elle ne tenait presque plus sur ses pattes lorsqu'ils étaient rentrés de leur partie de chasse.

Il examina son pelage, en quête d'égratignures éventuelles. Seules traces de la bataille : le sang et les touffes de poils de ses ennemis encore coincés dans ses griffes.

« Nuage de Houx ! » appela soudain Nuage de Cendre depuis le seuil de la tanière.

Nuage de Lion quitta son nid et la rejoignit dehors.

« Qu'est-ce qu'il y a ? murmura-t-il.

— Poil de Fougère veut que ta sœur m'aide à nettoyer la pouponnière.

— Laisse-la dormir. » Nuage de Lion jeta un coup d'œil au mentor de Nuage de Houx, qui partageait le gibier de la veille avec Pelage de Granit. « Je vais lui parler. »

Il traversa la clairière.

« Nuage de Houx dort encore. C'est moi qui aiderai Nuage de Cendre, annonça-t-il à Poil de Fougère.

— Ta sœur va bien ? s'inquiéta son mentor, la bouche pleine.

— Elle est juste épuisée, elle a besoin de récupérer après la bataille.

— Est-ce que Feuille de Lune a examiné ses blessures ?

— Elle n'a que quelques griffures… » Il chercha une excuse pour justifier la fatigue de sa sœur. « Elle n'a pas bien dormi parce qu'elle s'inquiétait pour Poil d'Écureuil.

— Bon, laisse-la se reposer, alors. Tu peux aider Nuage de Cendre à sa place.

— Mais ne traîne pas, ajouta Pelage de Granit. On part pour la prochaine patrouille.

— Entendu. » Il courut retrouver Nuage de Cendre. « Toi, tu vas chercher de la mousse fraîche. Je vais commencer à sortir la mousse sale. Tu y arriveras toute seule ? lui demanda-t-il en baissant les yeux vers sa patte blessée.

— Bien sûr, soupira-t-elle avant d'ajouter en marmonnant : J'aimerais bien qu'on arrête de me traiter comme si je n'avais que trois pattes. »

Devant la pouponnière, Nuage de Renard racontait une attaque à Nuage de Givre. Il se roula sur le dos et donna un coup dans l'air avec ses pattes arrière.

« Et alors un guerrier de la Rivière a voulu se jeter sur moi, mais je l'ai esquivé en faisant une roulade. » Il se releva d'un bond. « Et je l'ai mordu de toutes mes forces. Je parie qu'il a encore mal.

— J'aurais bien aimé participer à la bataille, murmura Nuage de Givre, l'air impressionné.

— Quelqu'un devait garder le camp », lui rappela son frère avec douceur.

Chipie sursauta lorsque Nuage de Lion se glissa entre les épines.

« Ce n'est que toi », soupira-t-elle, soulagée.

Petit Crapaud et Petite Rose se précipitèrent vers lui.

« Tu veux bien nous apprendre des mouvements d'attaque ? » l'implora Petit Crapaud.

Petite Rose battit des pattes comme pour repousser un ennemi.

« Nous devons être prêts si le Clan du Vent nous envahit de nouveau, haleta-t-elle.

— Ils ne le feront pas, n'est-ce pas ? interrogea la chatte, dont le pelage avait doublé de volume. Pas après que le soleil a disparu comme ça…

— J'en doute », la rassura Millie.

Étendue sur le flanc, la reine allaitait ses petits. Une quinte de toux secoua son corps et ses chatons sursautèrent. Petite Églantine miaula rageusement avant de ramper vers les mamelles de sa mère. Petit Bourdon s'assit en bâillant, les yeux à peine ouverts, pendant que Petit Pétale s'enfonçait dans la mousse pour s'endormir.

« Tu devrais voir Feuille de Lune, conseilla Chipie. Tu as toussé toute la nuit.

« — Quelque chose me chatouille la gorge, miaula Millie. J'ai dû avaler une plume. »

Chipie se pencha pour renifler le museau de sa camarade.

« Tu as un peu de fièvre.

— J'irai chercher Feuille de Lune dès que j'aurai changé vos litières, déclara Nuage de Lion.

— Et nos mouvements d'attaque ? gémit Petit Crapaud, déçu.

— Désolé. Je dois partir en patrouille juste après.

— C'est pas juste, se plaignit Petite Rose. Toi, tu fais tous les trucs marrants pendant que nous on est coincés ici. »

Nuage de Lion soupira. Nettoyer des tanières et patrouiller sur les frontières n'était pas « marrant »… pas du tout. Il aurait voulu retourner au combat, se battre pour son Clan en sentant le pouvoir des étoiles lui brûler les pattes.

« Pourquoi ne demanderais-tu pas à Nuage de Renard de te montrer ? Il est dehors. J'ai besoin de nettoyer votre nid, de toute façon », ajouta-t-il en se tournant vers Chipie.

Celle-ci se leva doucement, comme si elle quittait la pouponnière à contrecœur.

« J'imagine que nous avons tous besoin d'un peu d'air frais. Millie, tu devrais rester à l'intérieur. »

La reine hocha la tête en toussant.

« C'est vrai que je suis fatiguée. »

Elle se recroquevilla autour de ses petits et ferma les yeux.

Nuage de Lion commença à retirer les bouts de mousse secs du nid de Chipie. Le souffle de Millie était rauque et fétide.

Nuage de Lion fit une boule avec la mousse sale et la prit dans sa gueule avant de sortir à reculons. En lâchant son fardeau, il aperçut Nuage de Cendre qui revenait au camp avec de la litière fraîche.

« Je n'ai pas encore fait le nid de Millie, lui lança-t-il. Je crois qu'elle est malade. »

Plume Grise, qui prenait le soleil sous la Corniche, se leva aussitôt.

« Qu'est-ce qu'elle a ? s'inquiéta-t-il.

— Elle tousse. J'allais justement chercher Feuille de Lune.

— Dépêche-toi », lui ordonna le guerrier ardoise, qui filait déjà vers la pouponnière.

Nuage de Lion se hâta d'aller trouver la guérisseuse.

« Millie ne va pas bien, annonça-t-il.

— Et les petits ?

— Ils ont l'air en bonne santé », la rassura-t-il.

Son frère entra dans la tanière la gueule pleine de feuilles.

« Mets-les à sécher, ordonna Feuille de Lune à son apprenti. Je dois aller examiner Millie. »

Elle sortit.

Nuage de Geai entreprit d'étaler les feuilles près d'un trou dans la paroi de la fissure.

« Tu as bien dormi ? murmura Nuage de Lion, qui se demandait si le Clan des Étoiles avait parlé à son frère de la disparition du soleil.

— Est-ce que j'ai rêvé, tu veux dire ? Pourquoi ne peux-tu pas être franc ?

— Tu t'es assis sur un chardon ? répliqua Nuage de Lion, dérouté par le ton sec de son frère.

— Désolé. La nuit a été longue. »

Nuage de Lion jeta un coup d'œil vers Poil d'Écureuil, profondément endormie.

« Elle va mieux ?

— Oui. Mais je dois souvent changer les toiles d'araignées pour empêcher que ça s'infecte.

— Tu veux que j'aille en chercher davantage ?

— Nuage de Cendre en a rapporté plein ce matin, merci. »

Pendant que je dormais, songea-t-il, se sentant coupable. Il devait aider davantage son Clan. Il approcha de sa mère et renifla sa fourrure, son parfum réconfortant.

« Nuage de Lion ? murmura la guerrière en ouvrant les yeux. Comment vas-tu ?

— Bien.

— Étoile de Feu m'a dit que tu t'étais battu comme un véritable guerrier. » Elle releva un peu la tête pour l'observer à travers ses yeux bouffis de sommeil. « Tu ne sembles pas avoir la moindre égratignure.

— Un coup de chance, sans doute. »

Son ventre gargouilla.

« Tu devrais aller manger, souffla-t-elle en reposant la tête sur ses pattes.

— J'y vais. »

Il lui donna un tendre coup de langue sur l'oreille tandis qu'elle refermait les yeux.

Nuage de Geai triait toujours les feuilles qu'il avait rapportées.

Est-ce que le Clan des Étoiles était vraiment resté silencieux ? Ou bien gardait-il des choses pour lui ?

« Tu as faim ? » lui demanda-t-il.

Peut-être que, en partageant un morceau de gibier, Nuage de Geai deviendrait plus bavard.

« J'ai déjà mangé », répondit l'apprenti guérisseur sans lever la tête.

Nuage de Lion sortit en soupirant.

Nuage de Houx s'étirait devant la tanière des apprentis. Lorsqu'elle aperçut son frère, elle se dirigea vers lui, les moustaches frémissantes.

« Pourquoi tu ne m'as pas réveillée ?

— Tu semblais fatiguée.

— Pas plus que toi !

— Je voulais juste être gentil ! » Pourquoi son frère et sa sœur étaient-ils si cassants avec lui ? « Si tu meurs d'envie d'aller nettoyer la pouponnière, vas-y ! »

Il se dirigea d'un pas furieux vers la réserve où il préleva une musaraigne. Alors qu'il s'installait pour la dévorer, il surprit le miaulement de Pelage de Poussière.

« On n'avait pas vécu bataille semblable depuis des lunes, disait le guerrier brun, assis près du demi-roc à côté de Pelage de Granit et de Pavot Gelé.

— On se serait crus de retour dans notre ancienne forêt, convint le matou gris.

— Vous aviez déjà connu un combat pareil ? s'étonna la jeune guerrière.

— Des pires, même, répondit Pelage de Poussière. Tu te rappelles la guerre contre le Clan du Sang, Pelage de Granit ?

— Ça, c'était une sacrée bataille !

— Est-ce que le soleil avait disparu aussi ? voulut savoir la chatte.

— Non, soupira Pelage de Poussière.

— J'espère ne jamais voir pire que ça, soupira Pavot Gelé. J'ai dû affronter deux guerriers à la fois ! Je sais qu'on nous l'apprend à l'entraînement, mais je n'avais pas imaginé que je devrais le mettre en application un jour.

— Tu t'es bien battue, ronronna Pelage de Granit.

— Pas aussi bien que Nuage de Lion, corrigea la jeune guerrière. Vous l'avez vu à l'œuvre ? Et il n'a même pas une égratignure.

— Il est prêt à devenir un guerrier », répondit le mentor en cessant aussitôt de ronronner.

Nuage de Lion releva la tête. Le matou le fixait.

« Je n'ai plus grand-chose à lui apprendre », ajouta ce dernier. Il se leva. « Nuage de Lion, nous partons pour la patrouille.

— Oui », fit l'apprenti en avalant une dernière bouchée de viande.

Pelage de Granit fit signe à Poil de Châtaigne et à Aile Blanche, qui faisaient leur toilette devant l'antre des guerriers. Elles bondirent sur leurs pattes et suivirent le chasseur dans le tunnel de ronces. Nuage de Lion s'élança à leur suite.

La forêt était plus lumineuse à présent que les feuilles commençaient à tomber. C'était une belle journée, le soleil brillait dans le ciel. Tandis qu'ils se dirigeaient vers la frontière du Clan du Vent, Nuage de Lion se laissa un peu distancer. Était-il vraiment prêt à recevoir son nom de guerrier ? Depuis toujours, il rêvait de devenir le plus grand guerrier que le Clan du Tonnerre ait jamais connu. Mais quand il était chaton, ce n'était qu'un rêve. À présent, la guerre était bien réelle. Il frémit en se souvenant du sang qui avait giclé de la gorge de Plume de Jais et de la terreur de Nuage de Myosotis. Il avait été possédé par une force étrange qu'il ne pouvait contrôler. Est-ce que c'était cela, être un guerrier ? Parviendrait-il un jour à maîtriser la puissance qui irriguait ses pattes ?

Nuage de Lion frissonna lorsque les bois s'assombrirent. Des nuages avaient voilé le soleil. Il entendait le bruissement des taillis devant lui, signe que ses camarades progressaient. Soudain, il perçut du coin de l'œil un mouvement tout près, dans les fougères. Il s'arrêta. Une silhouette ondula entre les arbres. Une fourrure tachetée.

Étoile du Tigre.

Le guerrier grondait dans l'ombre.

« J'ai observé la bataille. » Étoile du Tigre se fraya un passage dans les frondes et vint se placer devant l'apprenti. « Tu t'es bien battu. Tu as fait honneur à tes ancêtres. »

Ses yeux ambrés étincelaient. Nuage de Lion regarda derrière son mentor nocturne, guettant Plume de Faucon.

« Je suis venu seul, lui apprit le matou. Les médisances de Plume de Faucon m'agacent. Il pense que tu crois vraiment à cette prophétie. Mais je te sais trop intelligent pour accorder de l'importance aux rêves idiots d'Étoile de Feu. »

Nuage de Lion remua sur place, gêné par le regard fixe d'Étoile du Tigre.

« Tu as vu le soleil disparaître ? lui demanda-t-il.

— Il semblerait que les Clans aient déçu le Clan des Étoiles, répondit l'autre en remuant les moustaches. Ces cœurs de souris scintillants n'ont jamais eu d'estime pour l'art de la guerre. Contrairement à toi.

— Pelage de Granit dit que je suis prêt à devenir un guerrier.

— Vraiment ? fit le matou en lui tournant autour. Tu penses que tu as appris tout ce qu'il était possible d'apprendre ?

— Tout ce que Pelage de Granit pouvait m'enseigner, oui.

— J'ai encore beaucoup de choses à te transmettre, *moi.* »

Nuage de Lion avait plissé les yeux. Est-ce qu'Étoile du Tigre en savait vraiment davantage ? *Est-ce qu'il guide mes pattes quand je me bats ?* Était-ce seulement l'entraînement de l'ancien chef qui l'avait aidé à vaincre tous ses ennemis sans une égratignure ?

Le souffle chaud du matou glissa sur le museau du novice lorsqu'il se pencha plus près d'un air menaçant.

« Beaucoup de choses, répéta-t-il. C'est compris ? »

Nuage de Lion trépignait sur place. L'autre attendait une réponse.

« Tu peux continuer à me montrer des techniques martiales, concéda l'apprenti en relevant le menton. Mais quel intérêt, alors que j'ai déjà prouvé que je pouvais battre n'importe qui ? »

Les yeux d'Étoile du Tigre s'embrasèrent.

« Tu t'estimes invincible ?! gronda-t-il. Plume de Faucon a raison. Tu crois bel et bien à cette prophétie.

— Oui ! Tu m'as vu combattre. Aurais-tu pu faire mieux, et en sortir indemne ? Tu as été *tué* au combat, après tout. »

Il lui tourna le dos, prêt à partir. Il n'avait pas besoin des conseils de ce chat mort !

Un rugissement déchira l'air. Nuage de Lion pivota. Trop tard : Étoile du Tigre le cloua au sol en lui lacérant les épaules. L'apprenti se débattit, mais l'autre l'immobilisait, ses épaules massives contractées sous l'effort.

« Tu imagines que tu n'as plus besoin de moi, c'est ça ? lui siffla-t-il à l'oreille. Tu n'es qu'un imbécile ! Tu as eu de la chance, voilà tout. La prophétie d'Étoile de Feu t'aveugle. Tu es comme un chaton qui croit encore aux histoires qu'on lui raconte dans la pouponnière. » Pesant sur lui de tout son poids, il lui écrasa la tête contre les feuilles. « Si tu es aussi fort, c'est grâce à moi. Et tu le deviendras plus encore avec mes enseignements. »

Il s'écarta d'un bond.

Nuage de Lion se releva tant bien que mal et se tourna vers lui, la rage au ventre. Étoile du Tigre disparaissait déjà, sa silhouette se fondant dans les arbres.

« Je n'en ai pas encore fini avec toi. »

Nuage de Lion tremblait de fureur. Pourquoi Étoile du Tigre s'entêtait-il à ignorer la prophétie ?

« Nuage de Lion ! »

C'était Pelage de Granit qui l'appelait au loin, dans les taillis.

Il se hâta de rattraper ses camarades. Ses épaules le cuisaient là où Étoile du Tigre l'avait griffé. Il jeta un coup d'œil en arrière. Est-ce que le guerrier sombre l'observait toujours ? Que voulait-il de lui, si ce n'était pas le pouvoir des étoiles ?

CHAPITRE 23

« **E**ST-CE QUE TU VIENS à l'Assemblée ? demanda Nuage de Houx en s'arrêtant un instant de faire sa toilette.

— Oui, répondit Nuage de Geai, avant de rouler sur le côté, rassasié.

— Moi aussi », miaula Nuage de Lion.

D'un coup de patte, l'apprenti doré écarta les restes de l'écureuil qu'ils avaient partagé et s'étira.

La réserve de gibier avait été reconstituée dans les jours qui avaient suivi la bataille. Après leur repas, ils profitaient des derniers rayons du soleil près du demi-roc.

« Vous croyez que les autres Clans vont venir ? » bâilla la jeune chatte noire.

Personne n'avait trouvé la moindre trace du Clan du Vent depuis la bataille, mais la tension était toujours vive et les patrouilles se succédaient le long de la frontière.

« Ils viendront parce qu'ils auront trop peur de fâcher le Clan des Étoiles », répondit Nuage de Geai.

Les griffes de Nuage de Lion crissèrent sur le roc.

« J'espère que le Clan du Vent sera là.

— N'oublie pas la trêve, lui rappela sa sœur.

— Comme si je pouvais l'oublier ! Je veux juste qu'ils voient que nous sommes plus forts que jamais, et prêts à nous battre de nouveau s'il le faut. »

Les guerriers et les apprentis du Clan du Tonnerre se remettaient peu à peu de leurs blessures. Même Patte d'Araignée commençait à marcher dans la clairière. Poil d'Écureuil était toujours dans son nid, chez Feuille de Lune – ce qui l'agaçait de plus en plus. Mais la guérisseuse refusait de la laisser bouger tant elle craignait que la blessure ne se rouvre.

D'ailleurs, Nuage de Geai la soupçonnait d'avoir refusé de venir à l'Assemblée pour pouvoir veiller sur sa patiente. Elle ne faisait confiance à personne pour convaincre sa sœur de rester dans son nid. Elle ne s'était même pas encore rendue à la Source de Lune pour communier avec le Clan des Étoiles.

« Si le Clan des Étoiles a quelque chose à me dire, il me le dira », avait-elle expliqué à Étoile de Feu.

Nuage de Geai releva la tête lorsque Plume Grise sortit de la pouponnière ; il perçut les vagues d'inquiétude qui émanaient de lui.

« Feuille de Lune ! lança le matou à travers le rideau de ronces. Millie recommence à tousser.

— J'arrive ! » répondit la guérisseuse.

Elle se précipita dans la clairière – elle sentait la tanaisie.

Millie avait attrapé le mal blanc. Chipie et ses chatons s'étaient installés dans la tanière des apprentis pour éviter la contagion et, depuis, Petite Rose et Petit Crapaud se pavanaient dans le camp comme s'ils étaient déjà des novices.

Millie avait bon appétit, mais sa toux perpétuelle empêchait ses petits de dormir et de téter correctement. Avec un peu de chance, la tanaisie la soulagerait.

Nuage de Geai reposa sa tête sur ses pattes, les yeux clos. Il dut s'assoupir car, un instant plus tard, Nuage de Houx le secoua.

« La lune est levée, annonça-t-elle. Tout le monde se prépare à partir.

— Non, pas tout le monde ! protesta Nuage de Renard derrière lui. Comment se fait-il que vous ayez le droit d'y aller tous les trois alors que Nuage de Givre, Nuage de Cendre et moi, on doit rester là ?

— Vous irez la prochaine fois, le consola Nuage de Geai en se levant. J'en suis certain.

— Si tu le dis… », ronchonna l'apprenti roux, qui s'éloigna d'un pas traînant.

Tandis que les guerriers se rassemblaient pour le départ, Plume Grise faisait les cent pas devant la pouponnière. Nuage de Geai ressentait son dilemme. Le guerrier ardoise avait envie d'aller à l'Assemblée avec ses camarades, mais l'idée de quitter Millie lui brisait le cœur. Nuage de Geai cilla. Une vieille blessure tourmentait Plume Grise, sans doute en rapport avec la chatte argentée qui hantait ses souvenirs.

« Plume Grise ! lança Étoile de Feu en s'approchant de son vieil ami. Reste là pour garder le camp. J'emmène assez de guerriers pour que le Clan du Vent comprenne qu'il ne nous a pas affaiblis.

— Merci », miaula le matou, soulagé.

Le meneur se dirigea alors vers le tunnel, devant lequel Pavot Gelé et Pelage de Miel trépignaient d'impatience.

« Vous êtes pressées d'y être ? leur lança Pelage de Poussière.

— Oh, oui ! » miaula Pavot Gelé.

Ce serait leur première Assemblée en tant que guerrières.

« Je me demande comment le Clan du Vent va se justifier, déclara Tempête de Sable en tournant autour de Poil de Fougère.

— Ils trouveront bien quelque chose, marmonna le guerrier doré.

— Dépêche-toi », fit Nuage de Houx en poussant Nuage de Geai du bout du museau.

Nuage de Lion attendait déjà près de Pelage de Granit.

« Nous devons montrer aux Clans du Vent et de la Rivière que nous sommes plus forts que jamais ! déclara Étoile de Feu à l'entrée du tunnel. La lune brille, ce soir, ce qui signifie que le Clan des Étoiles n'est plus en colère.

— Je parie qu'ils sont toujours en colère contre le Clan du Vent, lança Patte d'Araignée, qui les observait du seuil de la tanière de Feuille de Lune.

— Nous, nous ne faisions que défendre nos frontières, rappela Étoile de Feu. Le Clan des Étoiles ne nous punirait jamais pour ça. La disparition du soleil nous a tous effrayés. Nous devons y voir le signe que la bataille était injuste. Le soleil est revenu à la fin du combat. Espérons que tout le monde aura compris que les Clans ont besoin les uns des autres pour survivre. »

338

Nuage de Geai inclina la tête, étonné par tant d'optimisme. Feuille de Lune, qui était toujours épouvantée par les caprices de l'astre, n'avait rien dit de tel au meneur. Et le Clan des Étoiles restait silencieux sur la question. Cependant, la guérisseuse gardait ses inquiétudes pour elle et accomplissait son devoir comme si de rien n'était. Seul Nuage de Geai devinait son angoisse.

« Allons-y ! » ordonna Étoile de Feu en entraînant son Clan vers la forêt.

Les feuilles crissaient sous leurs pattes. Nuage de Geai frémit. La saison des feuilles mortes arrivait. Il se rapprocha de Nuage de Houx et suivit à son côté l'itinéraire familier jusqu'au lac, vers le territoire du Clan du Vent qu'ils devaient traverser pour rejoindre l'île. Tant qu'ils longeaient le lac sans s'éloigner à plus de deux longueurs de queue du bord de l'eau, le Clan du Vent n'avait pas le droit de les inquiéter. Pourtant, les guerriers franchirent la frontière en silence et pressèrent le pas sur les galets.

« Est-ce que tu vois les chats du Clan du Vent ? murmura Nuage de Geai.

— Pas encore. »

Il sentait contre son flanc le pelage hérissé de sa sœur. Soudain, il trébucha, surpris que de l'eau lui lèche les pattes. D'habitude, ils ne voyageaient pas si près du bord.

« Ne t'inquiète pas, le rassura Nuage de Houx. Étoile de Feu se montre prudent pour que personne ne nous accuse d'avoir empiété sur le territoire du Clan du Vent. »

Une fois sur l'arbre-pont, Nuage de Geai suivit prudemment la novice en posant doucement une patte devant l'autre sur l'écorce glissante. Lorsqu'ils franchirent ensuite la haie de fougères qui protégeait la clairière, deux odeurs distinctes les accueillirent. Les Clans du Vent et de la Rivière étaient déjà là. Nuage de Geai fronça la truffe. Aucun signe du Clan de l'Ombre.

Les membres du Clan du Tonnerre se regroupèrent d'un côté.

« Tout le monde est méfiant », remarqua Nuage de Houx.

Nuage de Geai huma l'atmosphère : elle avait raison. Les fragrances des deux Clans ne se mêlaient pas. Le Clan de la Rivière s'était installé dos au vent, en petit groupe. Les membres du Clan du Vent allaient et venaient près d'eux, sans toutefois se joindre à leurs anciens alliés.

« Je suis surpris qu'ils ne fassent pas leur toilette ensemble, marmonna Nuage de Lion, les muscles bandés, prêt au combat.

— Où est le Clan de l'Ombre ? miaula Pavot Gelé, mal à l'aise.

— J'espère qu'ils arriveront bientôt », renchérit Pelage de Miel.

Un grognement résonna soudain dans la gorge de Nuage de Lion.

« Chut ! » le fit taire Pelage de Granit.

Même si Nuage de Lion obéit, Nuage de Geai perçut la fureur de son frère. En se concentrant, il put visualiser la haine qui partait de lui tel un rayon de lumière braqué sur un membre du Clan du Vent. Nuage de Myosotis. Nuage de Geai reconnut son miaulement et son parfum qui évoquait un peu le miel. Il fut si surpris que ses oreilles vibrèrent. La haine de Nuage de Lion était telle que la jeune chatte devait la sentir lui brûler la fourrure. Elle se doutait sûrement de quelque chose car elle s'agitait sans cesse, trop nerveuse pour rester immobile.

Les taillis s'agitèrent de l'autre côté de la clairière. Le Clan de l'Ombre arrivait sans doute. Nuage de Geai leva la truffe et leur odeur le stupéfia. Ce n'était pas une patrouille complète. Il n'y avait que...

« Étoile de Jais et Sol ! souffla Nuage de Houx.

— Où sont les autres ? siffla un guerrier du Clan du Vent.

— Et lui, au nom du Clan des Étoiles, qui est-il ? » murmura un matou du Clan de la Rivière.

Tous frémirent, nerveux, tandis que le meneur du Clan de l'Ombre s'avançait au centre de la clairière. Sol le suivait d'un pas léger.

Nuage de Geai fut saisi par le calme qui émanait du meneur blanc aux pattes noires. Il lui avait semblé si perdu et inquiet, la dernière fois ! Que s'était-il passé ?

« J'apporte des nouvelles, annonça Étoile de Jais.

— J'espère que le Clan de l'Ombre va bien, murmura Nuage de Houx.

— Chut ! siffla Poil de Fougère tandis qu'Étoile de Jais poursuivait.

— Le Clan de l'Ombre n'assistera plus aux Assemblées. »

Un silence stupéfait se fit dans la clairière. Personne ne s'attendait à cela.

« Nous ne croyons plus que le Clan des Étoiles détient toutes les réponses. Ce sont des chats *vivants* qui ont trouvé le lac. Des chats *vivants* qui chassent pour survivre. Et c'est un chat *vivant* qui a prédit que le soleil allait disparaître. »

Il parle de Sol.

« Il le savait ? » éructa Étoile Solitaire, abasourdi.

Tous les félins restèrent muets de stupeur.

« Je n'ai rien fait de plus que l'annoncer, miaula humblement Sol.

— Comment le savais-tu ? lui demanda Étoile du Léopard.

— Et vous, pourquoi ne le saviez-vous pas ? rétorqua Sol. Après tout, c'est vous qui communiez avec le Clan des Étoiles.

— Ils ne m'ont pas prévenu, se défendit Écorce de Chêne.

— Et moi non plus, miaula Sol. Je me suis contenté d'écouter mon instinct, de me fier à mon expérience. Vous, bien évidemment, vous avez le droit de croire en ce que vous voulez…

— Qu'est-ce qu'il raconte ? s'étrangla Nuage de Houx. Pense-t-il vraiment qu'on peut choisir ses croyances comme on choisit une pièce de viande dans la réserve de gibier ? »

Envahi par la déception, Nuage de Geai s'écarta de sa sœur, dont la colère était palpable.

Sol était censé nous aider, nous ! Que fabrique-t-il avec le Clan de l'Ombre ?

Des pas légers firent crisser les feuilles.

« Ils s'en vont, lui apprit Nuage de Lion. Ça veut dire que Sol ne va pas nous aider, j'imagine… »

Tandis qu'Étoile de Jais et Sol disparaissaient dans un bruissement de fougères, les murmures fusaient parmi les félins.

« Qui est-ce ?

— D'où vient-il ?

— Est-ce que c'est vrai ? »

Nuage de Geai sentait ses camarades aller et venir nerveusement autour de lui. Leurs pelages hérissés crépitaient lorsqu'ils se frôlaient.

Étoile de Feu s'était placé au centre de la clairière.

« Nous devons rester calmes, lança-t-il à la cantonade.

— Calmes ? répéta Étoile Solitaire avec mépris. Même toi, tu ne peux rien y faire, Étoile de Feu !

— Je n'ai jamais dit le contraire.

— Nous ne devons pas nous quereller, les coupa Étoile du Léopard. C'est trop important. Nous ne sommes plus que *trois,* à présent.

— Trois Clans ! » hoqueta Patte Cendrée. Le lieutenant du Clan du Vent tournait en rond autour des chefs. « Mais nous avons toujours été quatre.

— Si le Clan de l'Ombre rejette le Clan des Étoiles, cela veut-il dire que ce ne sont plus des guerriers ? se demanda tout haut Patte de Brume.

— Ont-ils renoncé au code du guerrier ? » s'enquit Nuage de Houx, le souffle court.

Ils ont renoncé à plus encore. Nuage de Geai leva la tête vers le ciel.

« Est-ce que la lune brille toujours ? voulut-il savoir.

— Oui, sans un nuage pour la voiler », lui assura Nuage de Lion.

Que fait le Clan des Étoiles ? Ne se soucient-ils donc pas de ce qui vient de se produire ?

« Nous vivons une ère de troubles, miaula Étoile du Léopard. Même le soleil n'est plus digne de confiance. Est-il si surprenant qu'Étoile de Jais ait perdu la foi ? »

Ses paroles balayèrent l'assemblée telle une bise glaciale. Personne ne la contredit. Sol avait prédit la disparition du soleil, et cela s'était réalisé. Quelle était la place du Clan des Étoiles, là-dedans ? Les chats commencèrent à se fondre dans les taillis tout en échangeant des murmures terrifiés.

« Venez, fit Nuage de Lion en donnant un coup de museau à Nuage de Houx. On s'en va. »

La novice trébucha comme si elle ne savait plus marcher. Nuage de Geai se colla à elle pour la guider au milieu des fougères.

« Est-ce que les membres du Clan de l'Ombre ne sont vraiment plus des guerriers ? s'enquit Pavot Gelé.

— C'est à nos ancêtres d'en décider, j'imagine », lui répondit Bois de Frêne.

Alors que Nuage de Geai attendait son tour pour franchir l'arbre-pont, il tenta de ne pas se laisser gagner par la panique de ses camarades. Il devait réfléchir à tout cela. Mais leurs murmures incessants lui embrouillaient les idées.

« Si le Clan des Étoiles a dissimulé le soleil pendant le combat, que fera-t-il maintenant qu'Étoile de Jais lui a tourné le dos ? gronda Pelage de Poussière.

— Les guerriers de jadis n'ont pas voilé la lune, lui fit remarquer Poil de Fougère.

— Peut-être qu'ils nous abandonneront tous ! » lança Cœur d'Épines en bondissant sur le tronc.

Nuage de Geai traversa l'arbre mort. Les paroles de ses camarades résonnaient dans son esprit comme des bourdonnements d'abeilles. Le Clan des Étoiles n'avait rien dit à propos du soleil ou de Sol. Ils avaient peut-être bien renoncé à veiller sur les Clans.

« Ralentis », lui ordonna son frère en lui posant la queue sur l'épaule.

Nuage de Geai obéit et laissa ses camarades le dépasser sur les galets. Ils se retrouvèrent tous les trois hors de portée de voix.

« Je pensais que Sol était venu nous aider, feula Nuage de Lion. Au final, il n'a fait qu'aggraver les choses.

— Il a convaincu Étoile de Jais de ne plus croire au Clan des Étoiles, s'indigna Nuage de Houx.

— Il avait peut-être déjà perdu la foi, hasarda Nuage de Geai.

— Non. C'est la faute de Sol, martela Nuage de Lion. Par ses belles paroles, il a persuadé Étoile de Jais que le Clan des Étoiles ne servait à rien.

— Je me fiche bien de ce que Sol lui a dit ! s'emporta Nuage de Houx en donnant un coup de patte dans un galet. Les membres du Clan de l'Ombre ne peuvent pas perdre la foi. Tous les guerriers croient au Clan des Étoiles ! Le code du guerrier nous a conduits ici, c'est grâce à lui que nous trouvons abri et nourriture. » Sa peur virait à la hargne. « Il nous protège !

— Mais Sol avait prédit la disparition du soleil, lui rappela Nuage de Lion. Et pas le Clan des Étoiles.

— Ça veut dire que, toi aussi, tu ne crois plus au Clan des Étoiles ? »

Les yeux de l'apprentie lancèrent des éclairs si puissants que Nuage de Geai les ressentit, et il se demanda si elle allait se jeter sur leur frère. Mais elle se remit en route, le souffle rauque.

« Ce n'est pas ce que je voulais dire », protesta Nuage de Lion en lui courant après.

Nuage de Geai les laissa prendre de l'avance. Les galets étaient doux, à cet endroit, et glissaient autour de ses pattes à chaque pas. Le lac murmurait sur la rive. Une brise fraîche soufflait depuis la berge opposée et Nuage de Geai tourna la tête pour sentir le courant d'air agiter ses moustaches.

Le reflet brouillé du clair de lune brillait à la surface.

Il le *voyait*.

Je dois rêver.

Les galets s'entrechoquèrent non loin. Un chat se dirigeait vers lui.

Croc Jaune.

Nuage de Geai fut content de la voir, même si son haleine fétide lui donna la nausée.

« Est-ce que le Clan des Étoiles a vu ce qui s'est passé ? s'enquit-il.

— Bien sûr.

— Et qu'est-ce que vous allez faire ? » demanda-t-il, le cœur battant.

La vieille chatte soupira avant de répondre d'une voix lasse :

« Nous devons choisir prudemment nos batailles. »

Est-ce que les guerriers de jadis admettaient leur défaite si facilement ? Nuage de Geai se tourna

346

vers elle, pris de panique. Mais Croc Jaune avait déjà disparu. Tout devint confus, puis le monde retrouva son manteau de ténèbres. Il entendit les voix de ses camarades, droit devant, et s'élança vers eux.

Ses pensées tourbillonnaient telles des feuilles dans une tempête. Au moins, Croc Jaune lui avait révélé ce qu'il avait besoin de savoir.

Les guerriers de jadis ont capitulé. Leur fin est proche.

Nuage de Geai, Nuage de Lion et Nuage de Houx allaient enfin pouvoir accomplir leur destinée.

CHAPITRE 24

Nuage de Lion rêvait.

Un torrent de sang cascadait sur lui, glissant dans sa fourrure, épais et chaud, emplissant sa truffe, le projetant contre des parois rocheuses.

Au secours !

Il luttait contre la marée écarlate en battant des pattes, les muscles tendus jusqu'au point de rupture. Ses poumons le mettaient au supplice et l'odeur métallique du sang lui imprégnait la gueule.

La vague le déposa sur des rochers pointus et poursuivit sa course sans lui. Il suffoquait, détrempé. En battant des paupières, il vit qu'une voûte de pierre s'élevait au-dessus de lui. Des rayons argentés filtraient par une fissure et éclairaient faiblement les parois de la caverne. Nuage de Lion se releva péniblement, alourdi par son pelage imbibé de sang. Il contempla les flaques rouges qui s'étaient formées dans les creux du sol rocheux et aperçut une silhouette – un corps désarticulé – qui gisait par terre, les membres tordus, la queue inerte, la tête rejetée en arrière, du sang coulant de ses moustaches.

Nuage de Myosotis !

Nuage de Lion s'approcha d'un pas trébuchant, bouillonnant de rage. Il la secoua du bout de la patte en grondant, mais son corps resta immobile.

Elle était morte.

Il la foudroya du regard, satisfait.

Bien fait, tu l'as mérité !

C'était elle qui avait provoqué la bataille qui avait fait disparaître le soleil. Et à présent, les Clans explosaient, se détournaient du Clan des Étoiles comme le Clan des Étoiles se détournait d'eux.

Il sortit les griffes, plus longues et plus acérées que des épines de prunellier. Elles griffèrent le sol, creusant de profonds sillons dans la pierre. Le sang battait dans ses oreilles, une énergie brûlante irriguait son corps, comme en plein combat. Aucun adversaire ne pouvait le vaincre ; aucun ennemi ne pouvait faire couler son sang.

Que viennent les guerriers. Rien ne peut m'atteindre. Je suis plus puissant que le Clan des Étoiles !

« Dégage ! cria Nuage de Renard, indigné, en le réveillant. Tu me plantes tes griffes dans le dos !

— Désolé », marmonna Nuage de Lion, et il roula hors de son nid.

Son esprit était encore embrumé par le sommeil, mais son rêve le hantait toujours. Il sortit du gîte en titubant, au bord de la nausée.

J'étais content qu'elle soit morte !

Horrifié, il avança dans la clairière.

Je l'aimais, naguère.

Le soleil du petit matin avait beau baigner son pelage, il frémit. La peur s'insinua en lui jusqu'à la moelle de ses os. Il se lécha le poitrail et fut soulagé de ne pas y trouver la saveur du sang et de voir que sa fourrure n'était plus rouge sombre.

« Bonjour, petite marmotte ! » lança Nuage de Houx, qui emportait de la mousse vers la tanière des anciens.

Nuage de Lion ne répondit pas. Il continua à faire sa toilette. Il avait l'impression que son rêve l'avait souillé. Voulait-il vraiment devenir plus puissant que le Clan des Étoiles si tel était le prix à payer ?

Flocon de Neige testait les capacités de Nuage de Cendre sous la Corniche.

« Saute, esquive et roule », lui ordonna-t-il.

Elle exécuta l'enchaînement et atterrit avec souplesse.

« Comment va ta patte ? lui demanda son mentor.

— Comme les trois autres ! ronronna Nuage de Cendre, qui trotta autour du matou, la queue en panache. Parfaitement bien ! »

Millie toussait dans la pouponnière, et ses chatons gémissaient tandis que Chipie essayait de les apaiser :

« Tout va bien, mes trésors. Essayez de téter encore. »

Tempête de Sable se mit à secouer les branches de la tanière des apprentis.

« Nuage de Renard ! Réveille-toi, espèce de loir ! »

Le tunnel de ronces frémit et Plume Grise en jaillit.

« Des traces du Clan du Vent ? s'enquit Flocon de Neige.

— Non, répondit le guerrier ardoise. Les frontières portent un marquage récent, mais personne ne les a franchies. »

Pelage de Poussière et Aile Blanche arrivèrent à leur tour et filèrent droit vers la réserve de gibier.

Aile Blanche fouilla dans les prises de la veille.

« Est-ce que la patrouille de chasseurs est déjà partie ? s'informa-t-elle.

— Pas encore, dit Tempête de Sable. Nous n'allons pas tarder. » Elle secoua de nouveau le roncier. « Dès que j'aurai réussi à sortir Nuage de Renard de son nid. Il pense qu'il peut échapper à toutes ses corvées pendant que Poil d'Écureuil est en convalescence. Tu veux venir chasser, Nuage de Lion ?

— Oui », répondit ce dernier en s'interrompant dans sa toilette.

Peut-être qu'une bonne course en forêt lui éclaircirait les idées. Il pourrait faire comme s'il était un apprenti ordinaire – pendant un court instant, au moins.

Feuille de Lune se glissa hors de sa tanière. Nuage de Geai apparut derrière elle en bâillant.

« Il nous faut davantage de feuilles de souci, miaula-t-elle. La blessure de Poil d'Écureuil se referme comme il faut, mais je veux être prête en cas d'infection tardive. On ne peut plus être sûrs de quoi que ce soit. »

Elle jeta un coup d'œil inquiet vers le soleil, qui se levait au-dessus des arbres surplombant la combe.

« J'irai en chercher ce matin, proposa Nuage de Geai, qui s'étira si fort que sa queue frémit. J'en ai vu un pied près de la rive.

— Ce sera la dernière récolte de la saison, soupira la guérisseuse.

— Dans ce cas, j'en rapporterai autant que possible. »

Des gravillons dégringolèrent de la Corniche. Étoile de Feu était sorti de son antre et faisait sa toilette sur le seuil. Son pelage parut s'enflammer sous les rayons du soleil. Il se nettoya les oreilles en vitesse puis balaya le camp du regard.

« Que tous ceux qui sont en âge de chasser s'approchent de la Corniche pour une assemblée du Clan ! »

Tempête de Sable leva la tête, surprise.

Nuage de Lion se redressa. *Et la patrouille de chasse ?*

Le gîte des guerriers s'ébranla au passage de Poil de Fougère et de Bois de Frêne. Pavot Gelé et Truffe de Sureau les suivirent, les yeux bouffis de sommeil. Nuage de Renard sortit d'un pas trébuchant de la tanière des apprentis.

« Il était temps ! le sermonna Tempête de Sable. J'allais t'attraper par la queue pour te faire sortir de force.

— Désolée, s'excusa Nuage de Givre qui émergea après son frère. Je l'ai empêché de dormir, hier soir. On a essayé de rester éveillés jusqu'à ce que vous reveniez de l'Assemblée.

— Vous allez entendre le compte rendu dans un instant », répondit la guerrière.

Nuage de Lion alla se placer sous la Corniche au côté de ses camarades. Même Poil d'Écureuil avait réussi à se déplacer à la lisière de la clairière, contre l'avis de Feuille de Lune, qui lui décochait des œillades noires.

Nuage de Houx se glissa près de son frère.

« Que crois-tu qu'il va dire ? » murmura-t-elle.

Nuage de Lion devina qu'elle parlait de l'Assemblée. Comment Étoile de Feu allait-il annoncer la révélation fracassante d'Étoile de Jais ?

Nuage de Geai se faufila dans la masse des félins pour venir s'asseoir à côté de son frère.

« J'espère que vous avez mieux dormi que moi. »

Nuage de Lion regarda ses pattes, les oreilles brûlantes. Puis le miaulement de son chef le tira de sa vision sanglante.

« L'Assemblée ne s'est pas déroulée comme prévu. Le Clan de l'Ombre n'est pas venu. »

Des miaulements choqués jaillirent ici et là.

« Quel était leur problème ? s'enquit Cœur Blanc.

— Sont-ils frappés par une épidémie ? » lança Flocon de Neige.

Ignorant les questions, Étoile de Feu poursuivit :

« Étoile de Jais est venu avec Sol, le chat errant, et nous a dit que le Clan de l'Ombre ne reconnaissait plus le Clan des Étoiles.

— Qu'est-ce que ça veut dire ? s'étonna Patte de Mulot.

— Le Clan de l'Ombre ne croit plus que le Clan des Étoiles détient toutes les réponses. Ils ont perdu la foi en leurs ancêtres et ne participeront plus aux Assemblées. »

Le meneur éleva le ton pour couvrir les murmures paniqués provoqués par son annonce.

« Il semble que Sol les encourage dans cette voie. Cependant, j'aime à croire que le Clan des Étoiles aura une influence plus grande encore sur le Clan de l'Ombre. Je pense qu'il parlera à Étoile de Jais par l'entremise de Petit Orage, ou à Étoile de Jais lui-même. Le Clan des Étoiles ne nous a jamais fait défaut. Ils ont laissé Étoile de Jais s'égarer sans doute pour une bonne raison. Mais je suis certain qu'ils le ramèneront au sein des Clans. Tout ira bien. Vous vous souvenez de la disparition du soleil ? Il a fini par revenir, plus chaud que jamais. Cette ère de ténèbres passera, elle aussi, j'en suis certain. »

Tandis que les guerriers du Clan levaient la tête vers leur chef, Nuage de Lion se remémora les paroles de Sol : « La lumière reviendra, tout comme le soleil est revenu, cependant, ce sera *votre* lumière et il vous appartiendra de la contrôler. »

Son rêve ensanglanté le hantait toujours. Était-il prêt pour un tel pouvoir ? Le méritait-il seulement ?

CHAPITRE 25

IL NE CROIT PAS un traître mot de ce qu'il dit.

Nuage de Geai leva le museau vers Étoile de Feu. *Il n'est pas certain du tout que ces ténèbres passeront.*

Il sentit Nuage de Lion se crisper près de lui, miné par le doute. La queue de Nuage de Houx balayait le sol.

« On ne peut pas se débarrasser de Sol ? lança Pelage de Poussière.

— C'est à Étoile de Jais de faire ses propres choix, répondit Étoile de Feu.

— Même s'ils affectent tous les Clans ? insista Tempête de Sable.

— Nous continuerons à vivre normalement, déclara le rouquin. Nous chasserons et prendrons soin de nos petits et de nos anciens. Nous patrouillerons le long de nos frontières tout comme nous le faisions dans notre ancienne forêt. Tout comme nous le faisions ici depuis notre arrivée. Quel que soit le changement qui adviendra, nous écouterons le Clan des Étoiles et le code du guerrier sera notre guide.

— Le code du guerrier, murmura Nuage de Houx. Le code du guerrier. »

Elle le répéta comme si c'était la solution à tous leurs problèmes.

Nuage de Geai enviait la foi de sa sœur. Et son ignorance. Elle ne comprenait pas qu'Étoile de Feu se réconfortait lui-même tout autant que leurs camarades.

Il se doit de croire que les choses vont s'arranger, pour le bien du Clan.

Le meneur reprit d'une voix claire :

« J'ai aussi une bonne nouvelle à vous annoncer. »

Nuage de Geai releva la tête, surpris.

« Le Clan du Tonnerre est resté puissant. Nous avons prouvé notre valeur au combat et nous savons que le Clan des Étoiles veille toujours sur nous. Nous allons baptiser trois nouveaux guerriers. »

Nuage de Geai serra les dents en sentant l'excitation de son frère et de sa sœur. Il eut l'impression d'être assis entre deux soleils.

« Nuage de Lion, Nuage de Houx et Nuage de Cendre. »

Étoile de Feu descendit l'éboulis afin de rejoindre la clairière où le Clan s'écartait déjà pour la cérémonie.

Poil de Fougère accourut auprès de Nuage de Houx et lissa la fourrure de son dos avec sa queue.

« Bravo, la félicita-t-il.

— Tu seras un excellent guerrier, dit Pelage de Granit à Nuage de Lion.

— Je ferai tout pour que tu sois fier de moi. »

Poil d'Écureuil rayonnait de bonheur. Assise près d'elle, Feuille de Lune ronronnait. *Elle doit être contente pour Nuage de Cendre,* songea Nuage de Geai.

« Je t'avais dit que tu rejoindrais bientôt ton frère et ta sœur, Nuage de Cendre », déclara Flocon de Neige à son apprentie, et il lui donna un petit coup de tête affectueux.

Nuage de Geai ferma les yeux. Il y avait long-temps qu'il n'avait plus imaginé le jour où il deviendrait guerrier. Pourtant, ce rêve ne l'avait jamais quitté. Il laissa la jalousie monter en lui, puis s'apaiser. La fierté lui gonfla le poitrail. Son frère et sa sœur allaient devenir des guerriers !

« Félicitations, murmura-t-il.

— Merci, ronronna Nuage de Houx en se frot-tant à lui.

— J'espère que Nuage de Givre tiendra la pro-messe qu'elle a faite à Poil de Souris, parce que je ne nettoierai plus jamais la tanière des anciens », annonça Nuage de Lion.

Il donna du bout de la queue un petit coup sur l'oreille de son frère.

« Si la litière de tes camarades a besoin d'être chan-gée, alors tu la changeras, rétorqua Pelage de Granit.

— Est-ce que Nuage de Lion croit déjà qu'Étoile de Feu le nomme chef à sa place ? ronronna Griffe de Ronce en s'approchant de ses petits.

— Je ne faisais que plaisanter !

— Je sais. » Griffe de Ronce s'arrêta près de Nuage de Geai. « Je suis fier de vous *tous*. »

Plume de Noisette et Truffe de Sureau bondirent vers eux.

« Félicitations ! lança la première.

— J'imagine qu'on sera obligés de vous faire de la place dans la tanière des guerriers, les taquina le second.

— Je suis bien contente de ne plus y dormir, lança Poil de Souris. Ça doit être plus bruyant qu'un nid d'étourneaux. »

L'ancienne était assise devant la pouponnière. Petit Crapaud et Petite Rose sautillaient autour d'elle. Millie la rejoignit dehors. Nuage de Geai distingua les vagues de chaleur qui s'échappaient d'elle à cause de la fièvre et il reconnut l'odeur d'un chaton qui pendait dans sa gueule.

Elle posa Petite Églantine entre les pattes de Poil de Souris.

« Tu veux bien surveiller celle-ci pendant que je vais chercher les deux autres ? » demanda-t-elle d'une voix rauque, comme si elle avait mal à la gorge. Nuage de Geai se dit qu'il irait lui chercher les dernières gouttes de miel après la cérémonie. « Ils seront contents de voir leur premier baptême de guerriers.

— Je ferai en sorte que Petite Rose et Petit Crapaud ne l'écrabouillent pas.

— Hé ! protesta le chaton. On n'est pas si maladroits. Tout le monde semble croire... »

Il se tut, car Étoile de Feu s'adressait au Clan depuis le centre de la clairière :

« Moi, Étoile de Feu, chef du Clan du Tonnerre, j'en appelle à nos ancêtres pour qu'ils se penchent sur ces trois apprentis. Ils se sont entraînés dur pour comprendre les lois de votre noble code. Ils sont maintenant dignes de devenir guerriers à leur tour. »

Nuage de Houx s'avançait déjà vers son chef, et Nuage de Lion se précipita derrière elle. Nuage de Cendre les suivit d'un pas assuré.

« Nuage de Houx, Nuage de Lion et Nuage de Cendre, promettez-vous de respecter le code du guerrier, de protéger et de défendre le Clan, même au péril de votre vie ?

— Oui, murmura Nuage de Houx en tremblant.

— Oui, répéta Nuage de Lion, déterminé.

— Oui. »

Nuage de Cendre semblait aussi soulagée et excitée qu'un apprenti qui vient d'attraper sa première proie.

Nuage de Geai retint son souffle. Ils n'avaient jamais été aussi près d'accomplir leur destin.

« Alors par les pouvoirs qui me sont conférés par le Clan des Étoiles, je vous donne vos noms de guerriers. » Étoile de Feu frôla la fourrure de Nuage de Houx. « Nuage de Houx, à partir de maintenant, tu t'appelleras Feuille de Houx. Nos ancêtres rendent honneur à ton intelligence et à ta loyauté. »

Nuage de Lion s'approcha.

« Nuage de Lion, tu t'appelleras Pelage de Lion. Nos ancêtres rendent honneur à ton courage et à ton habileté au combat. Nuage de Cendre… » Il marqua une pause en attendant qu'elle s'approche, toute tremblante d'excitation. « Tu t'appelleras Cœur Cendré, en hommage aux guerriers qui nous ont précédés. » Une pointe de tristesse perçait dans sa voix. Pensait-il à Museau Cendré ? Comment aurait-il su que l'esprit de l'ancienne guérisseuse se tenait devant lui, brillant de mille feux sous le pelage de Cœur Cendré ? « Nos ancêtres rendent honneur à ta bravoure et à ta détermination. Te voilà enfin guerrière. »

« Feuille de Houx ! Pelage de Lion ! Cœur Cendré ! »

Leurs camarades les acclamèrent à pleins poumons, comme pour défier le sort. Malgré la disparition du soleil et la décision dévastatrice d'Étoile de Jais, le Clan du Tonnerre prospérerait.

Nuage de Geai se réjouit avec eux, fier de son frère et de sa sœur, et aussi de Cœur Cendré, qui s'était tant battue pour réaliser son rêve. Le destin de Museau Cendré s'était accompli.

Et le nôtre ?

Nuage de Geai frémit. Il savait mieux que ses camarades ce que la disparition du soleil signifiait. L'ère des Clans touchait à sa fin. Pelage de Lion, Feuille de Houx et lui étaient les seuls capables de les sauver.

Ouvrage composé par
PCA – 44400 Rezé

Imprimé en Espagne par
Liberdúplex en mai 2020
S29976/02

www.pocketjeunesse.fr

PKJ • POCKET JEUNESSE

MIXTE
Papier issu de
sources responsables
FSC® C003309

Pocket Jeunesse, une marque d'Univers Poche,
est un éditeur qui s'engage pour
la préservation de l'environnement
et qui utilise du papier fabriqué à partir
de bois provenant de forêts gérées
de manière responsable.